Éditions Druide
1435, rue Saint-Alexandre, bureau 1040
Montréal (Québec) H3A 2G4

www.editionsdruide.com

ÉCARTS

Collection dirigée par
Normand de Bellefeuille

D'AUTRES FANTÔMES

Catalogage avant publication de Bibliothèque et Archives nationales du Québec et Bibliothèque et Archives Canada

Bérard, Cassie, 1987-
D'autres fantômes : roman
(Écarts)

ISBN 978-2-89711-090-1
I. Titre. II. Collection : Écarts.
PS8603.E63D3 2014 C843'.6 C2014-940032-2
PS9603.E63D3 2014

Direction littéraire : Normand de Bellefeuille
Édition : Luc Roberge et Normand de Bellefeuille
Révision linguistique : Diane Martin et Geneviève Tardif
Assistance à la révision linguistique : Antidote 8
Maquette intérieure : Anne Tremblay
Mise en pages et versions numériques : Studio C1C4
Conception graphique de la couverture : www.annetremblay.com
Tableau en couverture : Florianne Vuillamy
Photographie de l'auteur : Richmond Lam
Diffusion : Druide informatique
Relations de presse : Mireille Bertrand

Les Éditions Druide remercient le Conseil des arts du Canada et la SODEC de leur soutien.

Gouvernement du Québec – Programme de crédit d'impôt pour l'édition de livres – Gestion SODEC.

ISBN papier : 978-2-89711-090-1
ISBN EPUB : 978-2-89711-091-8
ISBN PDF : 978-2-89711-092-5

Éditions Druide inc.
1435, rue Saint-Alexandre, bureau 1040
Montréal (Québec) H3A 2G4
Téléphone : 514-484-4998

Dépôt légal : 1er trimestre 2014
Bibliothèque nationale du Québec
Bibliothèque nationale du Canada

Imprimé au Canada

Cassie Bérard

D'AUTRES FANTÔMES

roman

Druide

Ce roman est pour David, qui a entretenu l'espoir,
et pour mes parents, mille fois parfaits.

Je pense donc je ne suis pas
et je suis d'autant moins que je pense davantage.

Fernando Pessoa

DISCOURS D'ALBERT

Nous pataugions près de la berge. Quelques après-midi éparpillés dans la saison du smog, nous nous retrouvions à la campagne, loin des caveaux à quatre roues fusionnés au rebord de la chaussée, loin des chaleurs humides, étouffantes, des chiens bâtards par centaines qui s'ébrouaient. Loin de la petite maison dans la rue de nulle part, en bordure de Paris — là où sans cesse le monde retient son souffle —, nous étions laissés libres comme des pigeons avec grand-père, grand-mère, pour une fois, un peu libres.

Libres. Au contraire de tous ces personnages qui montent dans le métro. Ils jouent du coude, se faufilent, se jaugent. Nuée d'insectes prisonniers en quête de la même ruche. Elle se déniche un siège, il s'assoit. Les regards, des fils tendus, s'entrecroisent. C'est silence et, pourtant, ça grince de partout.

Ça grince derrière, chez la fillette aux pieds qui ballottent au-dessus du sol. Je lui donne cinq, six ans : à peine plus que Constantin. Elle porte un pull jaune, feuilles d'automne qui tendent vers l'orangé, un pull à col haut, et des bas de laine relevés jusqu'aux genoux, sous une jupette qui cache tout juste ses cuisses osseuses. Des joues creuses, blafardes. Des mains qui fouinent. Je la vois qui dérobe un billet dans le sac à main ouvert de sa voisine. Le visage grave, la starlette retire ses lunettes à verres teintés, toise l'enfant. Celle-là sourit. Trois dents lui manquent, elle me présente ses trous infects. Je me retourne.

Devant, une vieille dame se fait bousculer, trapue, ridée comme un pruneau d'Agen. Elle louche d'un œil et me dévisage de l'autre. Elle s'assoit sur le siège d'à côté. Empeste. Des relents de parfum à la lavande pour lequel elle a troqué l'eau du bain. Des effluves qui s'enfuient de sous les pans de sa chemise à fleurs translucide à travers laquelle on distingue une absence de soutien-gorge sur une poitrine tombante.

Une troupe de Japonaises en minijupes est agglutinée au centre de l'allée. Des vicieuses qui babillent, un dialogue incompréhensible — les lèvres charnues en crêtes de coq. Et l'une d'elles presse ses cuisses contre mes genoux.

Puis le squelette. Le vieillard assis tout au fond, bercé par les secousses du trajet, le vieillard avec ses favoris faisant naufrage dans le fleuve d'une longue barbe usée, celui-là qui me rappelle grand-père. Ça grince. C'est le métro qui repart enfin. Le temps est long comme l'enfance.

Quand Juliette, le cerveau dans les nuages et le corps efflanqué, courbait l'échine à chaque caresse des langues du lac sur son pied. Deux pauvres diables sous l'œil vitreux de grand-père, assis sur le perron, sa pipe fourrée entre les dents. Quintes de toux à répétition. Il en venait inévitablement à embrasser le sol avec ses genoux et à cracher son dentier par-delà la clôture. Il reprenait son siège ensuite, la bouche évidée, la ceinture remontée jusqu'au sommet du ventre, et il continuait de nous suivre du regard avec cette distance d'âge au fond des yeux que nous ne comprenions pas.

— Albert, ne cours pas vers le lac !

Ne cours pas vers le lac. Mais je ne courais pas. J'avais peur. Cette crainte de fendre l'eau d'une jambe, persuadé que sous le trouble de la surface se cachait quelque créature qui m'emporterait, m'avalerait. Et m'emmènerait loin de Juliette.

Alors, je marchais, sans franchir le périmètre, je regardais Juliette apprivoiser la nature, transgresser l'interdit, se noyer les orteils, le visage austère. Un masque de dureté.

— Juliette est timbrée, disaient le vieux père et la mère. Anormale, elle…

Ses jupes à froufrous jaunes ratissaient la vase comme un ramasse-poussière. Elle élevait ses cheveux en fontaine au sommet de sa tête, s'étirant vers le ciel.

Et puis maintenant, à la lueur de ce qu'elle est devenue, je me dis, peut-être, oui, c'était son intention, de toucher le ciel, de s'évader. Si longtemps elle a entretenu un petit monde obscur, monde de béton sur lequel il fallait frapper tellement fort pour n'entrer qu'à demi. Juliette, la rêveuse. Des heures d'imaginaire dans l'herbe satinée du jardin, entourée de ses foulards fleuris. Ou bien alors elle maugréait, racontait ceci cela à qui voulait l'entendre ; elle accumulait dans le creux de son estomac un surplus de mots qui se digérait mal.

Nous nous abandonnions à une kyrielle de jeux qu'elle inventait et, constamment, elle me laissait gagner. Des victoires irritantes. Je l'adorais, mais d'une certaine manière j'en venais à croire qu'il n'y avait rien que je puisse faire sans elle. Juliette, essentielle à la survie. Et bien plus tard, elle nous a quittés ; je n'avais encore jamais rien perdu.

Sans sourire. L'énigmatique femme à barbe, figure triste. Elle joue du tam-tam avec un talon contre le sol strié par l'usure. L'une de ses jambes, vautrée sur l'autre, sert d'appui au journal qu'elle inspecte à travers la chute de cheveux rabougris qui travaille à cacher son défaut. Elle humecte son doigt pour tourner la page du cahier, la laisser choir sur la précédente et ainsi de suite. Sans parcourir un seul article, elle fait défiler les feuillets comme un enfant à la recherche d'images dans un traité philosophique. C'est une larme qui s'échappe de son œil et s'affale sur quelques boucles d'encre, je ne suis sûr de rien.

À l'extrémité du compartiment, le vieillard s'est assoupi. Sa bouche béante ouvre la voie à une mouche attirée par son débordement de salive. Écume aux commissures de ses lèvres. Fermer les yeux.

La canicule a rejoint Paris. On cuit et quelqu'un quelque part, outre la vieille dame de lavande aspergée, dégage une pestilentielle odeur de soufre brûlé. La même puanteur traverse la galerie du Louvre où est juchée la *Victoire de Samothrace*. Désormais je comprends d'où lui vient ce désir si ardent qu'elle a de s'envoler. Bol de veine, je sors au prochain arrêt.

— Arrête !

— Mais…

— Tu vas tout faire tomber ! Tu vas tout gâcher ! Allez, continue de creuser, Albert, creuse encore.

Et j'enfonçais mes mains dans la terre, la terre froide, elle s'incrustait sous mes ongles, noircissait mes genoux, se mêlait parfois à mes cheveux. J'avalais de la terre, la seule eau dans laquelle j'osais me baigner. J'en avais jusqu'aux épaules tant je creusais — pour disparaître, on aurait dit —, mais je finissais par remonter. Juliette me hissait. Elle me hissait avant de remplir réellement d'eau le trou. Elle transportait le lac à l'aide de sa jupe. Elle courait, enflammée, tenant les pans de son vêtement, traversait le tapis de verdure, jusqu'à rejoindre l'oasis d'ombre, s'éclaboussait de toutes parts. Et moi, qui ne franchissais jamais la limite.

— Au soleil, le lac va mourir.

— Il vient de loin, déjà.

— Si je le déplace, c'est pour le sauvegarder.

— Grand-père a dit qu'il avait transporté un morceau de rivière du Québec jusqu'ici quand papa était petit.

— C'est normal, les cours d'eau ne peuvent pas rester éternellement en place.

— Pourquoi ?

— Ils vont s'évaporer.

Grand-père nous guettait du coin de l'œil, assis sur cette chaise à bascule qui, au moindre balancement, soutirait des plaintes aux planches rongées du perron. Il nous appelait enfin pour nous offrir deux ou trois cuillérées de sorbet à la fraise. Nous grimpions sur ses cuisses, il plaçait le bol entre nos deux corps, puis glissait ses bras autour de notre cou en serrant avec force. Il sentait le tabac jusque dans les mailles de son débardeur, jusque dans la toison que formait sa barbe qui nous chatouillait les joues. À travers ses dents jaunies, il murmurait à notre oreille *n'oubliez pas le silence*. Les sucreries, avec le vieux père, nous n'y avions pas droit. Mais grand-père, j'ai l'impression, prenait plaisir à enfreindre les règles. À l'époque, son bras couvert de poils et de plaques, qui m'étranglait, me faisait toujours un peu peur ; aujourd'hui, ce moment de partage symbolise notre paradis perdu. Cours d'eau naissant, dessert aux fraises, parfum de tabac, mes plus vieux souvenirs. Cette journée au lac, c'est la première-journée-de-toute-une-vie. Rien avant, pas d'endroit ni d'événement, qui éveille en moi une simple nostalgie. Me voilà né, alors, dans les bras de grand-père.

Au fond de la voiture, le vieillard embourbé dans sa barbe vient de se réveiller. Il remue les lèvres. Les têtes autour de lui paraissent ailleurs, baissées ou tournées vers la vitre. On ne l'écoute pas. Il maugrée, rouspète, s'indigne, qu'en sais-je, l'expression de son visage ne trahit pas son sentiment. Et je n'entends rien de sa tirade tant la foule nous tient éloignés. Tout ce que je constate, c'est son regard posé sur moi : il me fixe et semble ainsi tenter de me livrer un message. Je n'arrive plus à tenir sur mon siège. Le vieillard ressemble à grand-père, la toute dernière fois.

Il y a eu les autres escapades au lac, chacune unique, et puis, la dernière. Ensuite, le monde s'est effondré.

Plus de cuillérées de sorbet ni d'odeur de tabac. Seul un souvenir a subsisté, délesté au fil du temps de ses rayons de clarté, puisque grand-père a succombé à une rupture d'anévrisme, en emportant dans sa tombe notre secret aux fraises. Nous avons dû tirer un trait sur les séjours au lac parce que grand-mère a vendu la propriété à des navigateurs américains. Avec la somme, elle s'est déniché une maison de campagne dans le sud de la France, où elle a filé le parfait deuil.

Le défenseur de l'aube, grand-père. Une sorte de manitou. Il nous préparait à grandir à coups d'oracles. À évoluer. Il nous a manqué, oui. Davantage que grand-mère, qui nous accueillait avec deux ou trois pincettes aux joues et des chaussons pour ne pas attraper froid. Ses longs doigts pourvus d'ongles cornus nous chatouillaient le lobe d'oreille — rien à voir avec les accolades de grand-père. En aucune occasion, elle ne nous entourait de ses bras, si bien que nous nous demandions si elle avait jamais su comment faire. Ses cordes à elle, c'étaient les vêtements, les pulls, les pantoufles, tout en tricot, mais rien qui enchantât la jeunesse, rien pour marquer, rester gravé. Alors, les souvenirs, comme des photographies, installent grand-mère en arrière-plan, dans le flou, dans la zone d'ombre, dans ce qui a peu d'importance.

Mais, à tout le moins, elle a sa place sur le portrait de notre enfance, alors que nous y cherchons encore le vieux père et la mère. Enfin, non, ils y apparaissent, vaguement. C'est plutôt, je crois, que nous voulions à tout prix qu'ils s'effacent.

Je me souviens de ce Noël. Juliette, accoudée au rebord de la fenêtre, se tenait à genoux comme en prière. Le rideau de dentelle diaphane qui voilait son dos lui donnait l'allure d'un ange, et en cette période de fête, auprès du sapin, elle semblait faire partie d'une crèche abandonnée.

Dans la salle à manger, je picorais une part de gâteau forêt-noire sous le regard de grand-père enveloppé de fumée, grand-père qu'on aurait dit posé sur un nuage pour veiller. Je suspendais la cerise au-dessus de mes lèvres, attendant qu'elle se détache de sa tige de pendu pour s'enfoncer dans ma gorge, un peu comme un malheur, par surprise. Par sa corde, je la retenais, quelque part devant mon visage, tandis que j'épiais la jeune orante en plaintes dans la salle de séjour. Le vieux père avait pris Juliette par les épaules. Il gesticulait et elle geignait de plus belle. À la table, la mère haussait le ton, je n'ai jamais su si c'était par hasard ou bien par connivence. Jamais su où se terrait Juliette après s'être levée et avoir piétiné la chaussure du vieux, qui d'instinct l'a saisie par les nattes. Jamais su ce qu'il lui a dit alors. J'ai entrevu l'œil de ma sœur, une olive humectée. Et je croisais les doigts pour qu'elle n'ait pas pleuré. Je retenais mon souffle. Je retenais mon souffle, et puis le vieux père s'est introduit dans la salle à manger. Il m'a regardé et la cerise est venue choir dans le puits de ma gorge. Je me suis étouffé avec la tige.

Au moment même où la cerise est tombée, un personnage est mort en Juliette. Et puis nous avons grandi, et grand-père s'en est allé, emportant un autre personnage. Bientôt la sœur a cessé d'inventer des histoires et a remisé ses souvenirs dans de vieux cartons destinés au grenier. On a rangé avec tout le reste la photo poussiéreuse du sourire confus du vieillard, posée sur le manteau du foyer du séjour. Le vieux père a fumé toute la boîte de cigares espagnols qui lui avait été léguée, et moi, je suis parvenu à me débarrasser de cette image saisissante, plaquée comme une enluminure au fond de ma mémoire, de grand-père en pâmoison devant le lac qu'il disait être la première merveille du monde.

— Tu sais Albert, tu sais, on ne meurt jamais par manque de merveilles, mais uniquement par manque d'émerveillement.

Il lançait ça, un peu à l'aveuglette, quand il se sentait philosophe, quand il me voyait réceptif. Il l'a répété plusieurs fois, si bien que j'ai fini par y croire. Jusqu'à ce que je rencontre Chesterton, des années plus tard, sur le coin d'une table d'une brocante de rue, dans un cahier rempli de citations inscrites à la main, alors que je me demandais comment on pouvait estimer possible la vente d'un vieux journal personnel — que j'ai bien sûr acheté. Parmi cette liste de déclarations recopiées en pattes de mouche, celle-là, cette même parole de grand-père, retranscrite, ornée d'un autre nom d'auteur, un nom qui n'était pas le sien. Et voilà qu'un instant j'ai remis en doute la véritable identité de grand-père. Je me suis demandé aussi s'il n'était pas mort, par hasard, d'un manque d'émerveillement, d'une lassitude chronique, de l'habitude oppressante des vieux jours amers, de l'addition de soixante-quinze années condamné à frôler la même peau, à croiser les mêmes regards odieux, à porter les mêmes jugements, tout cela camouflé sous une rupture d'anévrisme bien déguisée. Jamais réponse n'est venue. Dans l'adolescence de l'âge, on oublie vite de réfléchir. Et puis, nous n'avons plus reparlé de grand-père dans la famille, jusqu'à Juliette qui évitait de l'évoquer en prétextant être lassée des vieilles rengaines, alors qu'elle ne savait cacher le lac de notre enfance qui apparaissait dans son œil à la moindre odeur de tabac. Grand-père fut pour Juliette et moi comme une écriture de gamin sur un mur blanc, que l'on est forcé d'effacer. Dès lors, je me suis demandé si j'avais tort de croire que la mort fait plus de mal à ceux qui restent qu'à ceux qui partent. Mais, bien sûr, j'étais crédule en ce temps-là.

Le vieil homme croupit sur son siège, les lèvres enfouies sous une mousse blanchâtre. Une artère saillante, son cou se crispe. Et puis bientôt, je n'aperçois plus que son bras pendant, secoué de convulsions. Le mur de Japonaises en réunion se dresse devant moi. Plus encore, de l'humidité s'est formée à la hauteur de mes genoux, au contact permanent de ces cuisses de midinette collées contre ma peau. J'essaie de m'extirper de ce piège, mais je n'arrive qu'à insérer ma jambe plus profondément entre une paire de cuisses moites, puis à encaisser une grimace d'indignation, nul besoin de traduire. Enfin levé, enfin sorti des eaux, je pose le regard sur le siège de grand-père, je veux dire du vieillard, mais il n'est plus. L'homme s'est évadé. À travers la foule attroupée au centre de la voiture, il tente de se dérober. J'entreprends de me frayer un chemin parmi les essaims, mais cela revient à insérer un fil dans le chas d'une aiguille avec des doigts d'empoté. Il s'en va.

Au revoir à ceux qui partent. Le retour du boulot, la maison, la cravate au sol, ceux-là reviennent le jour suivant comme on retourne sans cesse vers ce qui nous retient, non pas eux. Les autres. Ceux qui disparaissent, des images floues si l'on se creuse un peu la tête, c'est tout. Morts, disons-nous. Que deviennent-ils ?

La femme à barbe si près de moi, elle effectue le même trajet depuis des années. Quand elle cessera de s'asseoir sur ce siège, chaque jour à la même heure, comment saurai-je ? Frappée par l'épidémie de manque d'émerveillement. Personne ici, dans cette banale voiture de métro, n'élucidera le mystère de son absence. Peut-être aura-t-elle pris le premier vol pour l'Inde — qu'y a-t-il à voir en Inde, de toute façon ? Voler vers ailleurs, vers là où les trains ne viennent pas tous les jours au rendez-vous à l'heure exacte, pour vous emmener devant les mêmes murs sans peinture.

Et les autres encore. Ces gens que l'on trouve, qui naissent sous notre regard. Où étaient-ils ? J'ignore si la barbue au trajet déterminé ou la dame à la lavande tiens, j'ignore si elles existaient avant que je n'entre dans ce train pour constater qu'ensuite elles n'ont plus cessé d'y être. Avant, après, qu'importe, ces invisibles, ces disparus doivent bien se trouver quelque part, grand-père.

Nous arrêtons à Trocadéro. Un dernier coup d'œil vers le vieillard, mais déjà il a été entraîné dans la cohue. Je descends de la voiture puis me mêle au courant de corps disparates qui coule vers la sortie de la station. Le métro se remet en marche aussitôt et se perd dans l'obscurité du tunnel.

Puis un cri. Je l'entends, aigu. Le cri d'une femme effrayée, une femme de petite taille — leur cri toujours plus strident que les autres. Je pourrais poursuivre mon chemin sans me questionner, c'est vrai. Je pourrais contracter la mâchoire, ainsi de l'intérieur s'obstrueraient mes tympans, et le bruit s'évanouirait. Oui, tant pis si mon visage se déforme, si l'on me confond avec un sourd, tant pis, à tâtons je fuirai les lieux. Mais la curiosité n'en démord pas.

Une voix suave vous susurre à l'oreille que vous vous trouvez aux premières loges d'un spectacle imprévu. Si vous parvenez à en voir suffisamment, vous aurez une histoire à déformer pour divertir Constantin, cela vous changera du corbeau et du renard qui rejouent chaque soir la même lutte. Vous ne pouvez ignorer cette mièvre coquette. Vous vous retournez.

La femme de petite taille crie toujours, de plus en plus fort, sa voix gravit la gamme. Elle crie comme si l'on venait de lui placer dans la bouche un mégaphone pour faire porter l'effroi. Des copies conformes — veston, cravate et le reste, la mallette imbriquée sous le bras — se penchent vers les rails en maintenant leur main plaquée contre leurs lèvres. Les femmes pleurent, mais elles pleurent si souvent qu'il n'y a aucune raison de s'en affoler. Or, là, chaque regard est rivé sur la voie. Et puis, on ne pleure pas dans le métro.

Je me faufile à travers les paralytiques pour atteindre le bord du quai — fichtre, ce que je regrette d'être revenu sur mes pas. Une femme, affalée sur les rails, nue et ensanglantée, gît, les membres écartés. Ses seins pointés sur les côtés se détachent du reste de son corps, on dirait de la cire sur les parois d'une chandelle. Ses cheveux bruns. Des cheveux échappés, fuyant en tous sens. Son bras. Un bras délogé. Presque un mannequin démantelé, en fait, si ce n'était des gémissements. Je l'entends gémir d'ici, mais pas un mot n'est articulé, que des sons, jetés au hasard pour faire dans le drame. Des lamentations mêlées au bourdonnement de plus en plus puissant de la prochaine rame à destination de Trocadéro. Et l'auditoire affolé qui hurle sans grande conviction des prières en tous genres que même Dieu — et surtout le contrôleur — ne saurait exaucer.

C'est trop tard. Les battements d'ailes des ouailles ne suffisent qu'à créer un léger courant d'air. J'assiste à la scène sans vraiment y être. Je prends un siège derrière la nuée de papillons volants et apprivoise l'attente. Il n'y a rien à espérer. Le devant du métro, bientôt, apparaît. Freine devant les manifestations. Un sifflement, le rugissement du convoi, fait taire la foule. S'impose aussitôt un silence désespéré rempli d'expectative, alors que le métro fauche le corps de la jeune femme.

Seulement à cet instant je retire mes lunettes et essuie à l'aide de la manche de ma chemise les quelques gouttes de sang qui ont éclaboussé le verre.

— Tu lis le journal?

— De toute évidence.

— Depuis quand?

Je lève la tête péniblement. Une narine dilatée me toise, des lèvres cherchent une grimace à adopter. Maché me dévisage, rébarbative. Sans sourciller, je me replonge dans la lecture de l'article saugrenu en page seize du cahier. Page qui précède, semble-t-il, les humeurs massacrantes.

Voici qu'est survenu le cinquantième suicide de l'année. Le dernier remonte à la semaine passée; un touriste canadien s'était alors offert au métro devant des centaines de spectateurs à la station Charles de Gaulle-Étoile, que l'on sait être l'un des arrêts les plus fréquentés de Paris. Il semblerait…

— Ta mère a appelé.

… que nous ayons assisté, hier, dans la matinée, à un nouveau massacre grande vitesse quand le métro de la ligne 6 a heurté, à la hauteur de la station Trocadéro, le corps d'une jeune…

— Albert, tu as reçu un appel de ta mère.

… le corps d'une jeune femme, à peine installée dans la vingtaine, qui occupait les rails des deux voies.

— Elle a appelé trois fois, cette semaine, trois.

— Qu'elle recommence.

— Tu lui téléphoneras, dis ?

Pas maintenant.

De nombreux usagers du métro ont été témoins de la scène et assurent avoir vu la femme s'élancer dans l'ouverture consacrée aux déplacements des convois. « Quelle tragédie », déclare Gisèle Bourguignon…

— Albert, il y a au moins un an que ta mère n'a pas appelé.

J'ai compris. J'exagère un soupir, Maché hausse les épaules sans dire un mot. Aussitôt j'en reviens, plein d'espoir de tranquillité, à Gisèle Bourguignon.

… qui prétend avoir tenté l'impossible pour empêcher l'accident. « Des nuits, j'en ai pour des nuits à ne pas dormir », confie-t-elle, exténuée par ses vains efforts. Difficile de ne pas compatir à son malheur, un malheur qui touche plus de personnes qu'on ne le croit. En effet, des dizaines de tragédies de la sorte surviennent chaque année dans le métro de Paris. Malgré cela, on ne s'y accoutume…

— Albert ! Tu m'entends ?

… on ne s'y accoutume jamais vraiment.

Et une de plus qui est parvenue à attirer l'attention. L'article est même gentiment ornementé d'une photo de son corps flasque étendu sur la voie. Recouvert d'un suaire, mais tout de même, on distingue les formes arrondies, puis les mèches de cheveux qui s'évadent de l'enveloppe mortuaire. Pas difficile d'imaginer les membres déformés, le crâne limé par les rails. Une chose est certaine, on n'a pas immortalisé la fille sous son meilleur jour. D'une ironie cinglante, ce photographe. On peut apercevoir, en arrière-plan sur le cliché, un écriteau d'avertissement: *Ne pas descendre sur la voie. Danger de mort.*

— Mais qu'est-ce que tu regardes?

Les deux mains appuyées sur les hanches, Maché ressemble à un portemanteau difforme. Elle brandit mon veston en le secouant devant mon visage; les boutons du vêtement, des griffes, me lacèrent à peu près la joue.

Ce n'est pas croyable. Pour couronner le tout, l'article côtoie les caricatures et bandes dessinées de la section pour enfants. J'applaudis les responsables du journal. Bientôt, on se demandera pour quelle sainte raison l'écolier qui rentre seul à la maison tous les soirs — si petit que son sac à dos rapiécé lui gratte les talons quand il marche — a été retrouvé en sang, couché en chien de fusil sur la voie ferrée.

— Tu as vu l'heure?

Nul n'établira le lien avec l'image de cadavre de la rubrique à potins, adjacente aux bandes dessinées dans un journal bidon. On mettra le drame sur le dos des parents, plus large que celui des journalistes. Ceux-là en concocteront un nouvel article. Qui sait s'ils ne poussent pas eux-mêmes les gens devant le métro pour l'exclusivité.

— Tu n'aurais pas oublié –

Constantin. Ne pas oublier d'aller prendre Constantin chez la gardienne au cas où un désir fou de feuilleter la section pour enfants du journal lui prendrait. Il apercevrait cette image obscène de femme mutilée et ressentirait le besoin d'essayer. La jeunesse et son penchant commun pour l'expérimentation. Au dîner, les enfants manquent d'incendier la maison pour avoir vu tant de fois la vieille mère...

— Albert, tu crois que c'est son signal pour faire descendre papa ?

— Les mitaines de four ?

— Non, le poussoir. Une lumière apparaît quand maman appuie dessus, tu as vu ? Je l'ai observée toute la semaine, même manège. Après un temps, on entend les pas de papa dans l'escalier.

— Un voyant s'allume dans la pièce de papa, tu crois ?

— Peut-être.

— Alors on peut utiliser le four pour communiquer avec lui.

Quand la mère a remarqué un torchon assoupi sur l'élément rougeoyant et la fumée qui s'en échappait aussi férocement que de la bouche de grand-père, ses cordes vocales se sont fendues sous ses cris. Le vieux père est descendu en trombe et j'ai félicité Juliette d'avoir trouvé la technique pour qu'il sorte de sa cachette. Nous avons enfin compris comment capter l'attention du vieux, mais dès lors, il nous a interdit de nous balader dans la cuisine, du moins en dehors des heures de repas. Nous nous sommes retrouvés incarcérés dans le séjour, sous la pluie de poussières mortes que les vieux rideaux gris, pernicieux écrans au soleil, nous donnaient à compter.

Et c'est sans âge, sans génération, ce syndrome de l'essai, Maché et moi en avons d'ailleurs perdu Yasmine. Qui eût pu croire que la vue de deux corps emboîtés — alors qu'à peine pubère elle entrouvrait du bout du nez la porte de notre chambre — l'inviterait à quitter bientôt le carré de sable pour enjamber la clôture de l'innocence et tomber membres liés dans le fourré des jeux d'adultes ?

Des cris ensuite. Salve de hurlements dans la nuit, si forts que le sommeil a détalé vite fait. Je me suis levé en panique, croyant à un massacre ou à une prise d'otages, mais non, la seule plainte de l'enfant que l'on déchire, des écailles que l'on arrache, la jeunesse qui change, se transforme. J'ai été pris d'une forte envie de brailler, mais j'en ai laissé le soin à Maché, que j'ai généreusement secouée pour l'occasion. Elle s'est couverte d'un peignoir et, entre deux larmes, a massacré l'usurpateur d'enfance qui, l'a-t-il juré, ne l'avait pas volée. Yasmine n'a pu échapper à l'interrogatoire, aux éclats de salive et à l'index pointé sur chaque parcelle de son corps dépucelé. Du reste, aucune version de l'histoire n'a su contenter Maché ; elle a fini par enfiler l'habit de mère surprotectrice et par déclencher la guerre.

Depuis cette querelle de clocher, les femmes de la maison se détestent à la manière de toutes les femmes. Constantin, Rodrigue et moi, nous sommes alliés dans la contemplation lointaine des scènes de carnage, fiers d'être masculins. Certes, pour Rodrigue, qui vient à peine de naître, filiforme comme un fœtus, sexuellement pourvu d'une boule de chair inqualifiable, il est toujours temps de changer de sexe ou, du moins, de clan. Et Constantin, il joue avec son pénis comme avec un bateau en caoutchouc dans une baignoire. Mais il y a moi, qui suis heureux de n'avoir pas pleuré ce soir-là et d'avoir passé le relais.

Les mégères s'en remettront. Il n'y aura que moins de cris dans la nuit parce que Yasmine les étouffera, que Maché — en épouse saturée — subira l'appauvrissement libidinal qu'on sait et que bébé Rodrigue, il a cet avantage d'être plutôt silencieux quand il dort. Ce n'est qu'une question de temps.

Au présent, je sors chercher Constantin.

À mon retour, la maison ressemble à une nécropole : surabondance de calme et de silence. Assise à la table, la tête inclinée, presque incorporée au matériau, Maché s'évertue à remplir des formulaires pour le travail. Elle surveille d'un coin d'œil plutôt obtus le fourneau qui rôtit notre dîner. Derrière son épave, le crâne circulaire de Rodrigue forme une saillie au berceau dans lequel son petit corps cherche une position confortable. On croirait une tête de clou sortie d'un mur de plâtre. Ainsi placé, la nuque bosselée vers le haut et le regard au sol comme s'il caressait l'envie de faire chavirer son navire, le bébé est hideux. Pareil à tous les autres : malformés, la taille des yeux qui surpasse celle du pied, les cils si longs et si épais que, lorsqu'ils se rabattent sur les joues, on revit l'épouvante causée par le regard vitreux des poupées baigneurs de l'époque. Et puis, leurs pieds ont toujours l'air d'avoir été trempés dans l'huile. Lustrés. Lustrés et boursouflés ; des coussins de salon que l'on pose au coin du sofa pour décorer. On se demande comment ils réussissent à faire trois pas sans perdre l'équilibre.

Constantin se rue sur sa mère, se suspend au dossier de sa chaise pour qu'elle bascule. Rodrigue, naviguant non loin de là, étire ses bras potelés dans le vide, par jalousie. Maché ne se soucie ni de l'un ni de l'autre. C'est à se demander, devant tant d'indifférence, si le repas ne serait pas déjà calciné dans la gueule du four. On le constate bientôt avec Yasmine qui dévale l'escalier puis s'élance dans la cuisine tel un plongeur rompant les eaux.

— Ça y est ? On mange ? Ça sent le cramé.

Elle jette un œil dans le fourneau en déracinant la porte de l'appareil. Maché la cingle du regard. Ignorance et grossièreté viennent en riposte.

— Putréfaction, lance Yasmine en même temps que deux bouquins sur la table.

— Pardon ? je dis.

— Le dernier roman de tante Juliette. Il est bon à jeter sur les capots de voiture.

Et la lectrice acerbe de rire aux éclats, des grelots maléfiques dans le gosier ; on s'attend à ce qu'elle s'étouffe avec sa cruauté.

— Tu as oublié ton savoir-vivre chez le dernier crétin qui t'a écorniflée ? lui envoie sa mère en posant, pleine de délicatesse, les livres écornés sur mes journaux en tour de Pise à l'extrémité du comptoir.

Ma retenue m'empêche de rappeler à Yasmine qu'à chacun ses défauts. Son déhanchement vulgaire, par exemple, lui donne l'air d'une chiffe humaine ; on pourrait croire que ses pieds ont gardé leur boursouflure originelle. Mais je me tais, alléluia, parce que je sais que la fille essaie très fort de provoquer Maché qui défend Juliette comme si c'était sa propre sœur. Et je n'ai pas avantage à me mêler à cette boucherie verbale.

— Juliette devrait cesser d'écrire. Fais-moi confiance, ses histoires sont morbides.

Yasmine récupère le roman et le balance à nouveau sur la table. Il emmêle au passage les documents de Maché.

— Tu veux arrêter, oui !

Ses paroles rebondissent sur un bouclier d'insouciance. La fille tourne le dos à la mère.

— Alors, Albert, tu crois aux revenants ? me lance-t-elle comme si la réponse allait influencer l'argument.

— Eh bien, je –

— Des fantômes, t'imagines ? Le royaume des morts, apparition du diable, et tout le bataclan. Tu l'as lu ? Qu'elle ne pense pas faire avaler ça aux gens.

Et puis, flac. Rodrigue se retrouve par terre à avoir trop gesticulé, par terre sur les lattes, remuant, à la dérive. Maché se précipite sur lui, le sauve de la noyade. Aucun pleur. La chance qu'il n'ait pas encore peur de l'eau.

— Albert, ne cours pas vers le lac !

Maché installe Rodrigue dans mes bras.

— Ta tante n'écrit pas pour convaincre de quoi que ce soit, elle a simplement besoin d'inventer.

— Elle n'invente rien, c'est du déjà-vu.

Je renchéris.

— Yasmine, tu l'as dit toi-même, ce sont des histoires, c'est de la fiction, pas un mot de vrai et c'est le but. Peut-être que si ce roman ne te dit rien, il y en aura des plus alertes pour y trouver leur compte.

Les grands yeux de sectaire de sa mère me foudroient. Je risque un haussement d'épaules pour calmer le jeu.

— Les lecteurs veulent la vérité ! La vérité ! s'époumone Yasmine.

— Tout de même pas.

— Yasmine, soupire Maché.

Mais un pan de mur s'est érigé entre elles. L'une a beau crier, gueule béante, frapper la cloison, la secouer, l'autre demeure immobile, insensible, insensée, un sourire niais encastré dans le visage.

— On a aboli la philosophie des livres, grommelle Yasmine. Les philosophes n'existent plus et pourtant, eux, ils raisonnaient.

Puis elle s'empare du second bouquin. *Discours de la méthode*. Descartes.

— Ma collègue a rédigé une thèse sur le rôle des philosophes, dit Maché, pourvue d'une longue cuillère en bois nappée de sauce, qui éclabousse l'ouvrage. Elle prétend que les psychologues auraient remplacé peu à peu les philosophes.

— Ouais, mais un psychologue, ça ne réfléchit pas : ça radote, ça recrache les théories des savants pour rendre le monde à peine moins fou.

— Yasmine !

— Il faut plus de philosophes, des Descartes modernes, voilà ! Et plus de lecteurs aussi ! revendique celle-là en agitant son ouvrage sous les poils de mon nez.

J'intercepte le livre, une mouche qui volette pour se faire claquer.

— Qui se préoccupe des vieillards moralisateurs ? je dis. Si ça se trouve, on n'étudie même plus ces penseurs gâteux au lycée.

— Ça fait beaucoup trop longtemps que tu n'as pas mis le pied dans une école, réplique Yasmine.

— Le repas est prêt.

— Les professeurs sont à court de sujets à enseigner dans les classes ? je demande.

— Tu ne sais pas de quoi tu parles, se met-elle à crier, grimaçant de dégoût devant tant d'ignorance ; et Rodrigue de tester pour la première fois l'effet d'un doigt enfoncé dans l'oreille.

— D'abrutissement, Yasmine. On parle d'abrutissement.

— Vous allez libérer la table, oui ? On mange, s'impatiente Maché.

— T'as lu Descartes, au moins ?

Nom d'un chien, je n'y échapperai pas. Je la connais ; ce n'est que le début. Descartes par ci, Descartes par là. Elle me poursuivra jusqu'à la fin de mes jours en brandissant son idiot de « cogitateur », histoire de me fouetter le cerveau. Elle lancera un des exemplaires de son discours dans ma fosse pour qu'il me harcèle jusqu'à ce que mes os se soient égrainés dans le sol. Si son but consistait à traverser les âges, il y est parvenu, le vieux fou. Il a traversé tout ce qu'il a pu : le temps, les continents, et bientôt, dès que j'aurai mis la main sur le précieux volume, il traversera la vitre et on ne le reverra plus avant longtemps dans cette maison.

— Au lieu de rigoler, pourquoi tu n'essaies pas de le lire, hein ?

Et Yasmine fait don de Descartes à ma paume libre. Mais Maché m'en voudra si je fracasse la fenêtre pour si peu.

— Ça ne m'intéresse pas, je fais.

— Dépose le petit, Albert. C'est l'heure du repas.

— Prends-le, je te dis, insiste Yasmine.

— Je n'en veux pas.

— Eh bien alors, qu'est-ce qui t'intéresse ? Les fantômes de Juliette ?

— Donne-moi le bébé, crie Maché.

Rodrigue et Descartes, je les serre dans mes poings. L'ouvrage se déforme sous la pression, tandis que le bébé apprend à lâcher ses premiers pleurs. Maché me l'arrache des mains. Le petit, s'entend. Le livre, bol de veine, me reste collé aux doigts.

— Et toi, marie-couche-toi-là, fiche la paix à Albert et laisse ta tante tranquille. Si elle savait à quel point tu la dénigres, s'emporte Maché, envoyant bientôt promener toute sa paperasse au sol pour déposer sur la table un poulet raidi, sorte de galette de charbon.

— Voilà !

Descartes, sans traverser le verre, subit la chute jusqu'au plancher. Yasmine se précipite sur le volume, s'assure qu'il est intact et désigne aussitôt un passage du texte dans les recoins de son précieux traité d'abrutissement. Le tout en ignorant sa mère, évidemment.

— Les préceptes de Descartes, tient-elle à préciser.

— Bof.

Une fourchette crisse sur de la vaisselle.

— La méthode, dit-elle, puis elle insiste. Pour accéder à la vérité !

— Les dix commandements de la bible, tu connais ? Du pareil au même.

Je m'empare à nouveau de son satané *Discours* et j'y jette un coup d'œil au hasard. Quelques leçons sous forme de liste. On déniche la vérité en suivant des recettes maintenant.

— Et qui prouve que cette méthode est avérée ? je demande.

Un raclement de fond d'assiette, suivi d'un rot de Constantin, le taciturne.

— C'est comme ça.

Yasmine hésite, creuse, mais n'en démord pas.

— On parlerait encore de lui, tu penses, si son discours n'était pas fondé ?

— On parle bien chaque soir des collègues de ta mère et elles n'ont pourtant rien à dire de sensé.

— Albert ! me lance Maché, crachant sa dernière bouchée dans l'emportement.

Je m'y attendais, oui. Je sais à quel point Maché déteste les moqueries à l'égard de sa tribu. Les remplaçantes de philosophes qui lui dictent chacun de ses mouvements…

Je lui dis :

— Viviane, Machérie, c'est pour rire, tu sais bien.

Mais c'est Yasmine que j'amuse. Elle s'esclaffe en poussant des râlements d'animal en détresse, avec exagération bien sûr, parce qu'elle s'imagine que je me suis rangé de son côté et qu'elle hume déjà la victoire. Moi, le dîner.

Partager le repas comme une secte partage une dévotion est loin d'enterrer la hache de guerre. Au moindre mot, de toute façon, Maché accuse Yasmine de trop de frivolité, tandis que cette dernière baragouine entre ses dents des insultes en cascade. Tu pleures comme une saucière, tu empestes le prosaïque, on t'empile sur le dos des tâches jusqu'à plus soif que tu exécutes sans vomir une seule protestation, tu te laisses marcher sur les rotules, et puis, et puis, ça n'arrête plus.

— C'est pour toi que je me démène, ma pauvre fille ! Sans même attendre de la reconnaissance.

— Je n'ai pas besoin de bourreau, de robot mécanique, ni de joueuse de mélodrame !

— J'ai tout misé pour t'éduquer, t'ouvrir aux vraies valeurs, pas à la moindre andouille !

— Les mecs que je fréquente ont toujours eu de la classe, là-dessus, tu ne connais rien.

Ce missile m'effleure au passage.

— De la classe, de la classe, tu les supportes une nuit, rien pour déterrer les défauts !

Quand, tout à coup, le vent se calme.

— Dans Paris, à déambuler comme tu le fais, tu finiras par tomber sur un vautour, insiste Maché.

Et puis voilà, ce sera sans issue. Des problèmes, des problèmes et toujours des problèmes.

— Maman, je pense que tes idées sont arriérées.

— Je te parle par expérience.

— Sors un peu. Dehors, le monde respire aussi, tu demanderas à tes psys.

Malheur, je lui ai appris à manipuler l'arme fatale. En catimini, je me retire au salon, afin que le blâme retombe sur mon siège vacant. J'entraîne avec moi les garçons pour éviter qu'ils soient atteints par des balles perdues.

Avec Rodrigue, je m'installe devant le téléviseur. Des débris d'avion sont retrouvés dans l'Atlantique ; une maison au Mexique est décimée par la marée montante — famille ruinée, bébé noyé — ; l'armée chinoise fusille un attroupement de bouddhistes quelque part au Tibet. Tant de drames couverts par la pagaille de l'autre côté du mur. Ces bruits qui courent dans ma cuisine, ou plutôt ces jacassements gratuits de poules sans tête qui courent dans ma cuisine, casserole sous l'aile, couteau au bec, rendent impossible le moindre effort de compassion.

Que d'hostilités, je le jure, et Rodrigue s'en mêle. Il se recueille, tel un dévot, espérant le flegme chez les femmes. Ça ne trompe pas, il garde ses mains jointes au-dessus de sa poitrine, ses genoux repliés et ses deux pieds collés. Mais, surtout, ses paupières closes ; ses longs cils tombent en rideau sur la moitié de ses joues, à la manière d'un voile de nonne. Même ses lèvres rebondies remuent en silence. Pas de doute, il se trouve en plein rituel religieux.

Constantin, le morose, demeure assis dans le coin de la pièce, sur sa petite chaise de plastique bleue, devant sa petite table de plastique rouge, et il construit des maisons à l'aide de quelques boulettes de pâte à modeler bien durcie. D'accord, rien à voir avec des bâtiments, ou, du moins, ses sculptures ont l'allure très distincte de personnages, mais un père a bien le droit d'encourager son fils à suivre ses traces.

Sur l'écran, des pétarades en Palestine, alors que celles d'à côté s'interrompent. Plus rien, aucun grognement féroce, pas d'explosion, seul le sifflement qui s'est formé au creux de mon oreille droite, où le tympan a commencé à se forger une carapace contre le bruit. Constantin lève la tête de ses figurines et me regarde avec des yeux de grenouille globuleux, un peu surpris que le vacarme se soit évanoui.

J'éteins le téléviseur, aux aguets, et j'entends Maché pleurer. Je me dis qu'elle a reçu une volée de coups de casserole ou une lame dans l'omoplate, puis je me lève, en franc-tireur. Maché se tient le ventre, mais aucun sang nulle part. Yasmine a pris la clé des champs, une porte claquée en guise de baluchon. Ma première pensée est émise à l'endroit de mes oreilles qui connaîtront enfin les vertus du repos. La seconde, à l'endroit de Yasmine, qui fugue comme le temps. Elle me fait drôlement penser à Juliette. J'espère seulement qu'elle n'ira pas lire l'article bidon de la rubrique à potins pour finir tout bêtement sur les rails dans le but d'essayer.

J'installe Rodrigue dans la cale de son navire parce qu'il me fait pitié, recroquevillé en crevette dans le coin du sofa. Puis, je m'occupe d'aller border Constantin. Il tient à placer sous son oreiller les quelques ébauches de personnages qu'il a modelés avec soin la soirée durant. Il croit qu'il lui suffit de couver ses créations pour qu'elles deviennent réalités. C'est ainsi qu'il s'endort tous les soirs, étendu sur ses figurines : des chiens, des chats, des extraterrestres, des voitures et bientôt, quand il aura atteint l'âge de Yasmine, des revues pornographiques qu'il aura assemblées au collage. Mais on en est encore loin. Il se contente pour l'instant d'extirper ses sculptures en pâte à modeler de sa poche et de les ranger, bien alignées en un peloton d'exécution. La tête sur son armée, il me regarde disparaître derrière la porte, le mot au bout des lèvres.

— Papa.

Je glisse le crâne dans l'embrasure.

— Papa, t'as vu, j'ai construit des nouveaux gens. Papa, est-ce que tu crois… moi, je crois que ce serait bien qu'il y ait des nouveaux gens.

Et sans attendre il retombe dans son lit. Ses efforts m'arrachent un sourire.

Dans la salle à manger, Maché est toujours attablée devant une pile de documents qu'elle rature d'un mouvement d'automate. Je me tire un siège à ses côtés. Si près, je distingue des failles sur son front et de profonds gouffres sous son regard de sable. Elle paraît exténuée. Ses lobes d'oreilles se peignent en rouge quand son cerveau surchauffe. Justement, son visage entier ressemble à un coquelicot géant. Son sourire opte pour la position inverse. Quelques traînées blanches ont séché sur le pourtour de ses yeux comme si l'acidité de ses larmes avait délavé son teint. Des brins de cheveux, qu'elle repousse d'un coup de tête inconscient, lui chatouillent la cime du nez. Elle renifle, renifle, et puis, elle s'oublie dans mes bras.

— Tu sais que tu lui abandonnes la victoire ? je dis. Dehors, même à des kilomètres, elle parvient toujours à avoir le dessus sur toi. Tu te laisses abattre, Viviane. Va plutôt te coucher, va dormir.

Je lui assure que je veillerai jusqu'au retour de Yasmine, mais Maché emprunte de telles allures de cité dévastée que je me résigne à lui extraire les mots de la bouche. D'abord, je la laisse s'épancher quelque part sur mon épaule, autrement elle ne fermera pas l'œil de la nuit, elle ressassera ses idées noires et me réveillera au bout de quelques heures saisie d'une crise de larmes, de panique ou d'hystérie.

Puis, j'alimente la conversation avec des théories sur l'architecture, jusqu'à ce que le monologue éclate dans tous les sens et qu'il n'y ait plus à émettre que des constats sur les fluctuations du thermomètre. Alors là, on est à des lustres de régler le problème. Je me tais dans l'attente d'une confidence, mais sans succès : elle demeure infiniment muette. C'est pourquoi je relance une tirade aux mille sujets, avec l'espoir que Maché, sous peu, oubliera de rembobiner la cassette de son silence. Mais non, elle semble observer la progression de la nuit. La peur me prend qu'à l'aurore nous soyons toujours fixés aux mêmes chaises, contraints de nous examiner entre deux bâillements. J'appréhende déjà la scène, les premiers mots, escortés de leur haleine putride. Et puis, de toute façon, cette mimique qu'elle porte comme un fardeau me désarme.

— Tu es belle, je dis, ce à quoi elle répond en inclinant son sourcil droit en accent circonflexe ; sa mine entière, en accent grave.

Dès lors, elle se remet à gribouiller sur des feuilles éparses, en songeant qu'elle a beaucoup trop souvent entendu cette phrase qui ne signifie plus rien. Je la devine. Cette façon de macérer dans le mutisme. D'autres fois, quand elle en a assez de m'entendre parler des plans de construction, elle me reproche de ne pas innover dans mes compliments autant que dans mes « foutus bâtiments », et c'est cité.

— Tu crois qu'elle va revenir ce soir ?

Le premier, l'ultime, l'inconcevable acte de langage, *eurêka*. Je m'apprête à applaudir, mais me rétracte aussitôt. À l'air de papier froissé que Maché se donne, l'âge de l'enthousiasme est encore bien loin.

— Où veux-tu qu'elle aille ? je lance, abandonnant Archimède à ses exclamations.

— Je n'en sais rien !

— Machérie.

— Ça ne te rend pas malade de la savoir à la merci de n'importe quel sidatique ? Dans le noir, vulnérable…

J'imagine mal notre Yasmine en état de vulnérabilité ; elle se dessine au contraire dans mon esprit avec un ouvrage de Descartes entre les mains et, en bouche, tous ses discours empruntés, des palabres à faire fuir le plus intellectuel des débauchés.

— C'est passager, je dis.

— Elle ne va pas bien, tu vois comment elle se comporte ? Je devrais l'amener chez une… J'ai consulté une collègue au sujet de ses fugues. On m'a parlé de schizophrénie.

Pour changer, oui.

— Arrête de t'en remettre à elles, bientôt elles nous rendront tous schizophrènes. Machérie, le problème n'a rien à voir avec les fugues de Yasmine. Seize ans, les hormones dans la chambre de bonne, c'est une ado, quoi ! Tu ne traites pas tous les jours des patientes de cet âge ? En quête de liberté, d'émerveillement.

Maché me dévisage. Adieu la mine de papier mâché ; le retour des tisons ardents. J'attends une gerbe d'étincelles, un rejet quel qu'il soit. Je la sais fidèle à sa susceptibilité.

— Tu ne comprends rien, Albert. Tu étudies les bâtiments, c'est dépourvu d'émotion, ça n'a aucun sentiment !

Qu'est-ce qu'elle y connaît ? J'en ai vu qui pleuraient devant Notre-Dame et ça ne demeurera jamais que des pierres agencées. Il doit bien y avoir quelque profondeur d'âme cachée derrière la façade pour provoquer un tel émoi.

J'emprunte sa main. Par chance, elle la considère tel un drapeau blanc.

— Tu crois que ça prendra fin un jour, cette galère ?

J'en viens à songer à Juliette. À quarante ans, elle saute encore sur l'occasion de jouer la révolte. Juliette qui, au sortir de l'adolescence, a finalement mis un terme à toutes ses fugues, par une fugue. Mais je ne rappellerai pas ce détail à Maché, ça risquerait de l'achever pour de bon.

— La fin, la fin… qu'est-ce que c'est ? Existe-t-il une fin ?

Une fois de plus, j'ai droit au sourcil qui pose et à cet attirail de regards que Maché lance quand elle se trouve au bord de l'exaspération.

— Albert, c'est philosophe que tu aurais dû être au lieu d'étudier l'art de disposer le béton.

Et voilà que je néglige un peu le plan de la conversation. Des paroles au hasard, au sens incertain ; des lignes tracées à l'aveuglette. Je me mets à rêver à Descartes, esprit émérite coincé dans un bouquin, vieux sage schizophrène à la poursuite de Yasmine dans les ruelles de Saint-Denis.

Sur ces divagations, j'entreprends de me lever. Un silence s'est glissé pour permettre l'évasion, mais Maché capture l'occasion et revient à la charge. Comble de malheur, un trémolo se mêle à sa voix. Je me rassois en condamné, tout en dissimulant une horde de bâillements. À mesure que l'heure avance, la fatigue s'empare de mes facultés maritales.

— J'ai peur, dit-elle, peur qu'on la violente, tu comprends ?

Elle essuie délicatement, du bout des doigts, la chute de larmes au coin de ses yeux, comme si l'on pouvait délibérément empêcher la rivière de suivre son cours.

— Où se cache-t-elle, où ?

Jusqu'ici, je n'avais pas tellement envie de prendre au sérieux toute cette dramatisation. Les deux coups de l'horloge me convainquent finalement. Je commence à croire que le sommeil, autant que Yasmine, sera difficile à trouver. En attendant, que balancer à une mère qui se consume d'inquiétude quand on sait pertinemment — une intuition, comme ça — que sa fille s'expose à de multiples dangers — geisha lâchée dans un quartier de plaisirs ? Il est préférable, il me semble, de garder cette pensée-là pour soi.

— Tu es belle, je dis, mais c'est sans conviction cette fois parce qu'un vent cogne à la fenêtre et qu'il fait noir à l'extérieur comme dans un vieux placard bourré d'indécence.

— Que va-t-on faire si elle ne revient pas ?

Grave parole qui s'évanouit dans un soupir. Un souffle aux suites désastreuses : Maché s'effondre, sa tête s'affaisse sur la table et elle s'étouffe dans un magma de larmes. Et moi, au lieu de la rassurer, ce que je ne fais jamais, je me prends à songer à cette fille qui a perdu la vie sur les rails du métro — il y a deux, trois jours à peine —, à cette famille qui l'attendait peut-être, assise en prière à la table d'une petite cuisine, tapisserie à motifs floraux pour ajouter au drame. Tout ce tourment dans une pénombre menaçante. Mais la fille n'est jamais revenue.

On ne sait jamais vraiment quand…

La porte s'ouvre et le cauchemar s'enfuit. Maché dresse la tête, un chien de garde. Pourtant, pas de jappements. Yasmine entre avec, à sa suite, un gringalet boutonneux, sculpté en rangées d'os, trop grand de taille, le teint trop blême, avec un peu trop de poils et de culot. La rescapée libère la main du garçon en voyant sa mère, crocs sortis. J'ai envie de renvoyer le clown à l'extérieur parce que c'est chez moi et qu'il ruine la décoration, mais surtout parce qu'il est deux heures du matin et que s'imposent d'autres moments, d'autres circonstances, pour les présentations.

Seulement, quand je me tourne vers Maché pour valider mon choix, je me rends compte que son visage s'est ranimé. Le volcan endormi. Elle paraît si soulagée qu'elle essuie l'outrage de la survivante, puis elle se lève, résignée, pour ouvrir le canapé-lit dans un sanglot discret, en sachant, bien entendu, qu'il ne servira pas.

— C'est Simon, dit Yasmine en lui tirant les doigts, ne manque plus que la laisse.

C'est Simon et c'est pour avoir le dernier mot qu'elle l'a traîné ici. Rusée, la geisha. Moi, je retiens tout signe d'indignation, de peur de brusquer qui que ce soit ou par manque de courage, j'hésite encore. Mais ce qui est sûr, c'est que Yasmine mortifie Maché, et rien que l'idée me démange.

Quand les amants se taisent enfin, que la mélodie du bonheur se marque d'un tacet, j'entre chez Constantin. Je m'installe tout près de son lit, je l'observe dormir un instant. On dirait qu'il rote à chaque respiration. Je soulève, avec une extrême délicatesse, son oreiller — l'abri des soldats endormis — pour retirer les figurines en pâte à modeler qui sont devenues rigides. Je me dis que, si les « nouveaux gens » c'est Simon, ça rassurera peut-être Maché que je les enlève de là.

Une bourrasque brusque la fenêtre. Ou bien la porte d'entrée claque. Ce doit être Yasmine, de retour sans se gêner de sa crise d'adolescence. Je tends l'oreille, mais la musique s'apparente davantage aux battements saccadés d'une tête de lit sur un pan de mur qu'à un vitrage offert au courant d'air. Ça me revient, tout à coup, Yasmine est rentrée il y a quelques heures, avec un phénomène clownesque de surcroît, et ce fier pantin secoue le lit comme on le ferait d'un enfant qui se lamente à temps perdu. L'obscénité de la scène me glace le sang.

Je place l'oreiller qui soutient le crâne de Maché sur le mien. Sa tête glisse sur les draps dans un léger frottement ; sa joue vient se plaquer contre mon épaule. Et pourtant, pourtant, je perçois tout ce qui bouge dans la maison. Mes tympans se cramponnent au moindre bruit : Maché qui imite un aérateur et Constantin le grinçant, dans la pièce voisine, qui s'amuse à simuler la colère d'une craie sur le tableau d'école. Pas de doute, ce sera un élève studieux.

J'entends tout, même Rodrigue qui concocte des bulles avec sa bave, sur l'autre rive du corridor. Et surtout, l'excitation des ressorts dans le plafond. Un crissement régulier. Des excédents de soupirs. Je me demande pourquoi Rodrigue ne pleure pas. Il vient à peine d'apprendre, exerce-toi, mon gaillard. Pourquoi il ne se plaint jamais, ce petit ? Je n'aurais plus qu'à me lever pour aller le calmer, en insistant sur chacun de mes pas. Du coup, peut-être, oui, peut-être que les soupirs s'évanouiraient et que les ressorts se relâcheraient. Je pourrais soulever la tête en boucles de Maché et lui rendre en véritable gentleman l'oreiller qu'elle mérite. Le sommeil cesserait enfin de faire la grève.

Mais il n'en est rien. Et la situation se dégrade.

Maché ruisselle de salive et se met à ronronner. Le rythme des ressorts s'accélère. Un vent tape. Ma tête cherche à exploser. Dormir, je ne demande qu'à dormir.

L'idée me vient de prendre Rodrigue en otage, de l'extirper sauvagement de sa dormance pour l'obliger à se répandre en flots de larmes, quitte à l'attacher à son parc s'il ne coopère pas. Seulement, en préparant l'attaque, je finis par sombrer dans une léthargie, le sommeil de l'injuste. Une part de moi se prélasse sous l'engourdissement, l'autre reste coincée entre les fichus ressorts. L'effet d'un train en cavale sur des rails, un crissement insoutenable, un crissement… l'autre jour. Comme le train sur les rails, l'autre jour. Un bruit, le même. Ce grondement du monstre qui avale la voie. Le mastodonte croque le métal, et puis met les freins brusquement, et ce, en reprise éperdue. Maintenant, un train circule à l'étage, qui fait trembler jusqu'à mon lit. Le bourdonnement ébranle les fondations. Je sens le sol craqueler sous le poids de l'engin. Les murs s'effritent.

Le train parviendra-t-il à s'immobiliser avant de m'atteindre ? Je sais qu'il approche. Le plafond se fissure. Mes muscles, mon corps, se crispent. Il arrive. Il y aura des morts. Je sens qu'il va y avoir des tonnes de morts.

Et là, tout à coup, la fille du métro apparaît. Elle tombe de partout. Des centaines d'inconnues chutent et se brisent la nuque sur les lattes. Du sang dégouline sur les murs, du sang jaillit de toutes les fentes, de chaque recoin. Le sol se couvre. La chambre, devenue un bassin, se remplit. Des cris. Des cris de filles du métro, elles se noient. Et je ne comprends plus. Le décor semble se désagréger, l'inconnue se débat pour qu'on l'extraie de son sang, je suis retenu par mon lit, la camisole de l'aliéné. Jamais autant d'impuissance. Jamais autant de désordre.

Puis Rodrigue se met à pleurer. Tout s'arrête. Tout disparaît.

Mais elle est quand même morte.

Au matin, cette histoire de métro se fabrique un nid dans ma tête et revient s'y percher. Elle me picore le crâne tandis que Maché émet de gutturaux ronflements dans le creux de mon oreille. Un duo qui m'agace, si bien que je songe à réveiller la bête pour lui exprimer l'obsession et ainsi me débarrasser des deux. Et si l'endormie me fusille avec des yeux scellés par de la colle corporelle, irritée que j'interrompe son hibernation ? Ce n'est pas mon problème, elle n'avait qu'à se taire au bon moment.

Je me résigne à pousser gentiment Maché ; elle est en train de greffer son corps au mien et il fait chaud dans cette pièce, ma peau humide crépite comme des lardons sur la plaque. Pas de réaction.

Je me décide à estropier Maché d'un coup de coude dans les côtes — parce qu'elle ne se réveille pas sans les grands moyens, faut croire. C'est que l'idée du lard frit m'a creusé l'appétit et il n'existe personne d'autre, du moins dans cette maison, qui réussisse de meilleurs œufs que la belle bête de somme. Eh bien, elle me mitraille d'un regard larmoyant et rouge. Rien de joli. Le nez un peu trop arrondi, des yeux glauques de zombie, sans parler de la bouche qui écume autant que celle d'un vieillard sans dentier. Elle n'est pas belle à voir, Maché, au réveil.

Au réveil, la mère à notre porte. Toujours une mine de battue nocturne. Les paupières comme deux pendentifs et son chapelet autour du cou pour l'égorger. Elle criait « les cocos », mais elle servait des retailles d'œufs durcis avec lesquelles on aurait pu composer des collages.

À la maison de campagne, à l'aube, grand-mère terminait ses tricots de la nuit ; elle ne dormait qu'à peine pour profiter du temps qui restait, disait-elle, mais traînait sur son visage bien plus que l'œuvre des années : un tourment qu'on devinait dans la courbe de ses rides, dans ses yeux toujours clos pour rêver au révolu. Et quand grand-père est mort, elle s'est remise à dormir, cette fois pour compacter le temps sous l'oreiller. À force de solitude, son visage a pris des teintes de terre en friche.

— Pourquoi tu me réveilles ?

Elle avait, Maché, quand je l'ai épousée, cette silhouette sculptée d'argile. Des lignes, des formes, un vase pour y planter des fleurs. Les imperfections apparaissent après, deux ou trois années plus tard, quand la corolle se fane. Lorsqu'on atteint treize ans de vie commune, les lignes, les formes se cassent, il ne reste plus que la tige qu'on évite de plier. Plus rien à dissimuler, même l'haleine matinale, on arrive à s'y habituer.

Et puis, Maché me dévisage, pendant que je me l'imagine autrement : moins d'écume au bord des lèvres, moins de résidus de colle corporelle aux commissures des yeux. Je vois qu'elle en a marre de mon silence puisqu'elle se rendort dans l'effort de l'attente, la bouche ouverte pour grommeler tout à son aise. Je planque mon poing dans l'ouverture ; elle manque de s'étouffer.

— Mais qu'est-ce que tu veux ?

— T'es-tu jetée déjà sur les rails d'un métro ? je lui demande tout bonnement.

Ses yeux se décollent un peu et elle s'empresse d'enfiler ses lunettes pour me scruter. Elle se redresse, s'appuie sur le matelas, ses bras comme deux colonnettes pour soutenir sa sévérité.

— Tu es devenu fou ? Regarde-moi, j'ai l'air de m'être jetée sur un chemin de fer peut-être ? Beaucoup de gens survivent à l'expérience, dis ?

Malgré sa mine explosive, elle s'amuse de mon trouble, de toute ma confusion. J'adore quand elle se moque, avec ses verres surtout, glissés sur le bout de son nez rond. Ses cheveux en bataille se noient dans les coutures de la taie d'oreiller, avec la bretelle de satin de sa robe de nuit qui lui pend sur l'épaule. Quand elle s'amuse, ses dents s'entrechoquent à travers des rebonds de salive en fontaine, un petit creux se forme à l'orée de ses lèvres et un lampion s'allume dans son regard. Subtil, à peine visible, juste pour indiquer qu'elle hésite entre rire et pleurer. Seulement pour la beauté du paysage, je récidive.

— Pas jeter, je ne veux pas dire jeter, mais as-tu déjà eu l'envie de sauter sur les rails du métro, je ne sais pas, par désespoir, les hormones détraquées ? par dépit ou par fatalisme ?

— Tout va bien, Albert ?

Voilà qu'elle cesse de se moquer. La conversation prend un chemin obscur, dès lors que Maché récolte le doute. C'est du sérieux désormais ; elle s'assoit à mes côtés sur le lit et relève la bretelle pendante qui lui allait si bien. Elle me fusille toujours, mais avec un calibre différent : des yeux nimbés d'inquiétude.

— Tu y as songé ? Tu as voulu sauter, Albert, c'est pour ça que tu poses cette question ?

Quoi ? J'explose d'un rire soudain, un rire qui me griffe les côtes, m'arrache les larmes. Une envie de me frapper la cuisse pour marquer d'un tempo l'absurdité de cette parole. Des interprétations sans queue ni tête, elle prend ça chez ses psys. Façon de ramener du travail à la maison.

— Viviane, Machérie, ça n'a aucun lien. J'ai d'autres occupations que mourir pour l'instant.

— Pourquoi tu dis ça ?

Elle s'affole.

— *Pour l'instant* ?

— Non, calme-toi, j'ai balancé ça… sans y penser. Seulement pour que tu saches, écoute, ça ne me concerne pas, c'est autre chose, autre chose qui me trac… qui m'intrigue.

— Autre chose qui t'intrigue. Qu'est-ce qui t'intrigue ? La disposition des rails du métro ? Vous envisagez de rénover la ligne 6, c'est ça ?

Elle exagère.

— Ton patron t'a chargé des plans d'un gratte-ciel dans la station souterraine, peut-être ?

— Machér –

— Qu'est-ce que c'est ?

— Eh bien, tu vois, j'ai… c'est le journal. Tu trouves ça normal, dis, de placer les faits divers à côté des bandes dessinées de la section pour enfants ?

À deux, on digère le silence. Elle évite de me regarder pour ne pas le faire avec mépris.

— Quel est le problème ? Je ne vois pas où tu veux en venir. C'est ce qui t'intrigue ? Je ne vois pas, je ne comprends pas !

Mais enfin, lui ai-je demandé de comprendre ? Je voulais seulement qu'elle cesse de ronfler.

— Qu'est-ce que le journal a à voir avec le métro devant lequel tu veux te jeter, Albert ?

— Les photos troublantes des faits divers, Viviane, qu'en fais-tu ? Les enfants qui verront –

— Il n'y a jamais de photos dans cette rubrique. Et puis, tu en connais beaucoup des gamins qui achètent le journal quand ils ont une pièce en poche ?

— Si.

— Le cahier des bandes dessinées ne s'adresse pas aux enfants mais aux tordus dans ton genre qui perdent leur temps à établir une corrélation entre deux rubriques banales, histoire de donner l'impression qu'ils se font du souci pour les bonnes causes. Et dire que tu m'as réveillée pour ça !

Elle a percé le plafond de sa colère, Maché. Elle se recouche brutalement, les couvertures rabattues jusqu'au cou telle une armure, le dos en bouclier vers moi. Elle se met à pousser quelques râles en promenant sa tête sur l'oreiller à la recherche d'une posture confortable pour m'ignorer.

Pendant ce temps, des mineurs creusent avec leur pioche le fond de mon estomac en poussant des cris de détermination.

— Dis-moi, Machérie...

Elle ouvre sans doute un œil de l'autre côté de sa forteresse.

— Tu me ferais cuire un œuf ? Brouillé, je t'en prie.

Avec entre les mains un appareil photo, j'aurais immortalisé la scène, je crois, même si ce n'est pas permis, même si les grandes tantes m'auraient pincé la chair du bras, comme elles le faisaient avec mes joues jadis, comme elles le faisaient à la moindre incartade, les grandes tantes qui meurent et renaissent au gré des funérailles. Maché m'aurait fusillé avec ses yeux souillés de tristesse corporelle, n'empêche, j'aurais immortalisé la scène. Pour revenir feuilleter, dans quelques années, l'album-souvenir de l'imprévisible et peut-être verser une bonne fois pour toutes les larmes qui aujourd'hui ne veulent pas s'enfuir.

L'image de ce cercueil — imposant reliquaire aux mille gravures — se réfugiant dans le sol avec les fleurs qu'on lui lance pour mieux accompagner la mort dans son terrier. Ce corset de femmes entrelacées, penchées vers l'avant pour suivre la descente de la bière dans les entrailles de la terre. Les enfants au loin courent entre les tombeaux et s'affalent de toute leur insouciance, atterrissant sur quelques bouquets disposés auprès de ceux que l'on décore à défaut de les oublier.

Ç'aurait été une photographie pour ne pas oublier, cette envie-là de creuser le tertre pour s'enterrer soi-même. Demain, il faudra épousseter les parasites. Ces pensées déviantes qui grugent le monument de toutes ces années qu'on a sculpté de hargne, cette statue en dedans qui s'effrite — comment autant de haine peut-elle se pulvériser si facilement ?

La mère abattue devant ses fourneaux. Je me réjouissais :

— Juliette est revenue.

— Non.

— Mais si, elle est venue aujourd'hui, elle arrive du Canada. Vous auriez entendu cet accent qu'elle a ramené, vous –

La mère, la tête cachée derrière la porte de l'armoire entrouverte. J'ai cru qu'elle s'effaçait pour les larmes, je l'espérais, mais c'était avant d'apercevoir l'expression du vieux père, glaciale. J'ai aussitôt compris qu'il ne s'agissait que d'éviter de croiser son regard.

— Juliette m'a remis une note, ce sont ses coordonnées. Je vais la revoir. Nous la reverrons, allez.

Le vieux père s'est levé de table, il s'est dirigé vers moi ; la mère a claqué la porte de son armoire, saisie de peur. Il a tendu la main pour réclamer le morceau de papier.

— Oublie Juliette, oublie-la.

Et dans son visage déformé, quelque chose comme de l'indifférence.

Le vieux père, le voilà près de la fosse, et il n'a pas bougé. Il ne regarde pas le cercueil se faire dévorer par la terre, mais observe fixement l'horizon. Les yeux figés devant, comme s'il voyait la mère fuir. J'imagine bien la vieille mère courir en ligne droite, courir enfin libre.

Avec cet appareil j'aurais immortalisé Maché, tout près, qui me regarde surveiller le père tandis qu'il balaie l'horizon, Maché dissimulée sous sa robe noire et le voile de pleurs qui chavire entre ses lèvres. Si belle dans tout ce chagrin qu'elle occupe pour deux : pour elle, l'éternelle plaie ouverte, et pour moi, spectateur impassible. Un visage sévère, que j'immortaliserais. Mon héritage.

Mais les appareils photo n'ont pas leur place dans les cimetières. C'est tant mieux, il ne m'aurait servi à rien. Vaut mieux laisser certains moments nous échapper, la souffrance se tarir et les voix se taire. Demain, au réveil, il ne restera plus que le corps froissé de Maché. Disparus depuis longtemps les martèlements de la vieille mère sur la porte et les œufs rabougris qui n'ont aucune saveur. De ma mémoire seront enfin délogés les souvenirs, et je récrirai l'histoire telle que j'aurais voulu qu'elle se soit vraiment passée. Je retirerai du décor l'homme à la cravate légèrement dénouée, rejetée sur l'épaule — bel accoutrement pour celui qui a coutume de se vêtir d'absence —, cet homme qu'un buisson de barbe grisâtre enterre à son tour, debout devant la mort, dans son imposante immobilité, avec ses yeux qu'il garde secs aussi, comme moi, et ce teint pâle, ombragé par un arbre posé derrière pour le soutenir. Je retirerai du décor ce vieillard de père, dont l'œil fixe maintenant le cercueil lustré occupé à lui enlever la mère — celle-là déjà lasse de courir —, car je sens que la pluie nettoyant sa figure se diluera bientôt dans des larmes impossibles à retenir, et je ne veux pas être témoin de ça.

Je ne veux pas voir cette maudite pluie laver tous ces visages de cornière parce qu'il pleut chaque jour où l'homme inhume et j'aurais aimé que ce soit différent. Pourquoi ne pas parer le ciel d'un soleil saharien, ne pas se promener en sandales dans l'herbe, ne pas revenir au lac de grand-père ? Qu'on partage le champagne, étendus en sultans sur des chaises de plage tout autour du cercueil ! Et puis voilà, j'aurais souhaité que le couvercle se soulève brusquement. Voir la mère sortir de cette boîte ensemencée en se plaignant de la chaleur, en se plaignant un peu pour une fois. J'aurais voulu croire à une bonne blague.

Mais la plaisanterie, c'est Maché et ma main qu'elle comprime entre ses doigts. Yasmine, les muscles de sa mâchoire contractés, l'air austère qu'elle se donne pour remplacer cette mine de pluie battante qu'elle aurait affichée si elle avait rencontré sa grand-mère plus souvent. Le petit Rodrigue contre sa poitrine ; il se laisse imprégner du moment pour rester marqué toute une vie. Constantin, le reclus, il gambade là-bas, à travers les bouquets et les voitures garées sur les dalles, il vagabonde avec quelques autres garçons traînés eux aussi de force. Et plusieurs têtes grises que je ne reconnais pas. Il y a plusieurs têtes, moins grises celles-là : des amis débonnaires, des collègues architectes venus mesurer les tombeaux, la tribu de Maché toujours prête à offrir son soutien. Puis il y a les autres, ceux qui ne ratent jamais un mort, ici à défaut d'être ailleurs, avec leur mauvaise odeur de cimetière soudée au corps, que l'on ne chasse pas, parce que c'est le moindre de nos soucis, voilà.

Je crois que je vais aller chercher Constantin et partir. Je n'ai jamais compris pourquoi les enterrements s'étalent à ce point, comme si l'on cherchait cruellement à éterniser la souffrance. Allez, pleurez, bande de condamnés, pleurez jusqu'à ce qu'il n'y ait plus que la tempête de sable dans votre corps de grande sécheresse.

Les larmes, peut-être, agissent comme de l'engrais pour l'herbe des cimetières. Cela expliquerait le gazon si vert et si droit. Et si j'installais le berceau de Rodrigue sur notre terrain dès qu'il s'habituera à pleurnicher, ou alors Yasmine, une fois par mois, dans ses moments d'il-y-en-a-marre, pour donner congé au bébé ? Sans oublier Maché ; toute la famille de nains de jardin à se morfondre devant la maison.

— On ne pleure pas ici, dans la famille, il ne faut pas pleurer, Albert.

Nous étions en lambeaux sous la tente, en lambeaux de la mort de grand-père.

— Juliette…

— J'ai dit non, retiens-toi, comprends-tu ?

Ça voulait sortir de moi ; de grandes vagues qui cherchaient à s'échapper de l'emprise de l'océan. Mais je me suis contenu, Juliette a posé ses mains délicates sur mes yeux.

— Concentre-toi, concentre-toi pour tout garder en dedans, d'accord ?

Puis nous avons entendu le vieux père verrouiller la porte de sa chambre secrète avant de s'arrêter sous le chambranle de la nôtre.

— Sortez de là.

— Mais, et le chagrin ? ai-je murmuré.

— Tu vas devoir l'ignorer, a dit Juliette.

Le vieux père a soulevé furieusement le drap de notre tente improvisée.

— Qu'est-ce que vous faites ?

Nous l'avons regardé longuement, un bain de silence dans lequel nous pataugions tous les trois. C'était la première fois que je le voyais ainsi, presque dominé, ça transparaissait dans les traits tirés de sa figure, dans l'effarement. J'étais content de n'avoir pas laissé mes larmes, ce soir-là et ceux qui ont suivi, lui tendre le pouvoir comme un trophée.

Je pourrais partir, mais Maché crispe ses doigts entre les miens jusqu'à ce que la foule se disperse au ralenti. La cérémonie prend fin, je m'éloigne sans attendre. Inutile de rester ici, sinon pour accompagner le vieux père qui n'a pas bougé d'une stèle, mais pourquoi le ferais-je ? Je prends Constantin et je quitte le cimetière, avec à ma suite Maché et Yasmine, rivées l'une à l'autre. Au revoir, pauvre vieux, tu trouveras les prochains jours insupportables. Adieu, la mère, je te promets que je reviendrai avec un appareil photo. Nous rejouerons pour l'immortaliser cette scène où tu courais ; c'était la seule qui valait le détour, te regarder partir ainsi, j'ai presque cru voir apparaître un sourire sur ton visage de marbre.

Bientôt, j'avance un peu plus rapidement parce que les enterrements ont toujours eu pour effet de broyer mon moral. C'était une utopie, mais je n'avais pas l'intention de visiter l'endroit avant d'être moi-même ligoté par la terre. Disons qu'après le choc que m'a causé grand-père, je ne pensais pas qu'on pouvait encore me faire le coup de mourir.

La pluie poursuit son épopée jusqu'au sol qu'elle a rendu boueux, et nos pas gémissent un air macabre en s'imprimant dans la vase. Belle sortie de famille, je le jure : à Maché, qui avait laissé entendre récemment que la parenté lui manquait. Ils se trouvaient tous là, de l'oncle Tartempion à la cousine Germaine. La voilà heureuse, Maché ; le contour de ses yeux, noirci par le maquillage qui ne résiste pas aux tragédies, nous en dit long sur son bonheur. Elle en redemandera, j'en suis sûr, des rencontres familiales. Et pendant ce temps-là, je resterai à l'intérieur, devant la fenêtre, à regarder la pluie n'atteindre que les autres.

Pour l'instant, je me contente de partir en catastrophe. À peine le temps de laisser mon regard s'accrocher à quelques monuments funéraires tout juste installés derrière des bouquets encore vêtus de leur emballage. Des familles assemblées autour, des victimes du même drame, la mort. Tant d'autres pour me comprendre et, pourtant, la solitude règne. Quand je lève la tête, des milliers d'endeuillés me saluent, c'est l'imagination qui ploie.

Les proches de cette femme, fauchée par un métro à la station Trocadéro, il y a quelque temps. Errant aussi. Je repense à cette étrangère. Sa pierre tombale aux fleurs encore en train d'éclore, son cercueil vient à peine de franchir l'humus du sol, la famille a recouvert sa mort d'un linceul et la pleure depuis. Une femme que je n'ai pas connue. Je ne connais que son corps flasque et désarticulé. Je revois l'impotence des témoins, aucun effort pour tenter l'impossible, nulle main tendue comme ultime aperçu du monde. Puis, je reviens à Constantin, qui dérobe des fleurs dans les bouquets qu'il trouve, dit-il, parce qu'il a eu de la chance. Et je constate qu'il y a des gens qui n'ont pas de chance.

C'est probablement sans importance. Sans importance, mais Maché me supplie du regard, de la voix et de toute cette posture qu'elle néglige pour s'asseoir de travers entre les muscles du sofa. Elle a l'air d'une carcasse sur la chaussée, sans les odeurs peut-être, mais impossible d'éviter le cri d'agonie de l'animal au terme de son déclin — il résonne en boucle comme un message enregistré: « Appelle-la. » Et puis, voilà chacun de ses membres emportés par le mouvement, ses membres aux allures de socle tout de béton qu'on transporte. Elle abonde en gestes lourds, je parie qu'elle va s'achever sur place. Ses dernières volontés avant de périr dans le sommeil: « Appelle ta sœur, je t'en prie, appelle-la. » Ainsi s'endort-elle, laissant planer dans mon esprit l'écho d'un oracle proféré. Et puisque je ne déteste pas plaire à celle que j'aime, malgré sa ressemblance avec les manchots échoués du côté de l'Antarctique, je cède à sa demande. Aussi, avouons-le, la mort trie les valeurs sur le volet; elle renoue les liens mal ficelés, les cordes délaissées. Pour éviter qu'on se pende à ses propres attaches.

— Albert, c'est bien toi ? Tu appelles si tard, je n'ai pas l'habitude.

— Viviane t'a laissé un message, tu l'as pris ?

— Je l'ai eu, oui.

Du côté de Juliette, dans son ton, un orage semble vouloir se déclencher ; de l'autre, celui où Maché-manchot gît contre son banc de poissons, le déluge fraternise avec le calme.

— L'enterrement ce matin, tu n'y étais pas, je dis.

— Enfin, Albert.

— Juliette.

— J'y ai pensé. J'ai choisi de ne pas m'y rendre.

À travers le combiné, ça y est, j'entends ses cartes qui s'entrechoquent.

— C'est vrai, j'y ai pensé, répète-t-elle. Mais tu sais que je me retrouve sans voix ensuite. Je préfère les lieux où je ne suis pas. Quand j'écris, les choses se placent à leur façon. Je ne veux pas brusquer les images par trop de réalisme. Je ne savais pas que tu avais prévu y aller.

Je n'ai rien prévu. Les choses se sont placées ainsi.

— Et, tu comprends, je n'avais pas envie de me pavaner devant les proches, reprend Juliette. Pas de robe noire dans ma penderie, une beige seulement, il aurait fallu que je sorte courir les boutiques, non, vraiment, tant pis.

— Et moi ?

Juliette s'étouffe sous la surprise.

— Tu voulais que j'y aille pour toi ? Mais –

— Et le vieux père ? Son air de croche-pied, toujours le même. On y aurait fait face, ensemble, non ?

— Tu lui as adressé la parole ? Tu la lui aurais adressée ?

— Non.

— Alors, je t'en prie, n'insiste pas.

L'emportement, bientôt. Elle contient sa colère. Au fond, tout ce refus après tant de temps, ce n'est qu'un restant de rage, engourdie sous les strates profondes de notre vieille histoire d'horreur. Et puis Juliette enterre tout ça de quelques claquements ; des cartes qu'elle dépose sur une table, un peu comme on avale un philtre en criant au remède.

— C'était ta dernière chance, tu y as pensé ? je dis.

— Ma chance, quelle chance ? Enfin, Albert, laisse tomber, veux-tu ? Elle est morte, c'est tout, n'en faisons pas un drame. Des enterrements, il y en a partout, en tout temps. Je sais ce que c'est, j'en vois tous les jours. Évite de relever la poussière des souvenirs encrassés.

Juliette retient une sorte de gloussement.

— Tu es en consultation ? je dis.

— Quoi ?

— Le bruit, les cartes. Que fais-tu ?

— Oh, les tarots ? Non, c'est pour moi.

— Tu y as vu quelque chose, c'est ça ?

— Non, laisse tomber, s'obstine Juliette. Depuis quand tu t'intéresses à mes tarots, de toute façon ?

Elle détourne la conversation, voilà ce qu'elle fait. Juliette me cache quelque chose.

— La mère était malade, mais tu le savais, n'est-ce pas ? je lui envoie.

— Que veux-tu dire ? lâche-t-elle.

— Tu l'as vu dans tes cartes, non ?

La sœur pousse un long soupir. Je la sens accablée.

— Albert.

— La maladie l'aurait tuée. Un cancer, j'ai l'impression. Des bribes de discussion entre deux vieilles tantes, c'est tout ce que j'ai entendu. Il y a au moins un an que je n'ai pas vu les vieux, plus d'un an. Ils n'ont pas donné de nouvelles, personne ne m'a averti.

— Tu t'attendais à quoi ? me sermonne Juliette. Tu leur as tourné le dos, ils n'allaient tout de même pas t'appeler, qui plus est pour t'annoncer leur déclin.

Le déluge vient de reprendre. Maché-manchot quitte sa voie d'extinction, se lève et me regarde avec insistance, les yeux rougis. Elle attend des réponses.

— Je te laisse, Juliette, je te rappellerai, dis-je, tandis que le visage de Maché se déforme sous le tourment. Tu vas bien au moins ?

— Au moins quoi ?

— Je t'ai demandé si tu allais bien. Le moral, l'amertume.

— Mais oui, ça va, Albert, ça ira, tu le sais.

— Viviane s'inquiète pour toi, je dis.

— Oui, je m'en doute, ironise Juliette. Pour moi et pour toi.

— Bon, je raccroche maintenant, c'est ce que je voulais savoir. C'est ce que nous voulions, Viviane et moi. Savoir comment tu allais, c'est tout ce qu'elle voulait.

— Oui, Albert.

Je dépose le combiné. Maché a le visage ravagé par l'érosion. Une sorte de dune de cendres sur ses joues, des cendres que les pleurs ont laissées. Un éclatement d'obus au fond de ses yeux. Bordée par sa faiblesse, elle s'approche pour agripper mes doigts.

— Et alors ? Elle a dit quoi ? me demande-t-elle.

— Elle a horreur des cimetières.

— Elle a horreur des cimetières ?

— Elle se sentait incapable de s'y rendre, elle… Ce sont les cimetières.

Maché, de nouveau, s'affaisse sur le sofa, la tête entre les mains. Un souffle interminable, comme si elle avait désappris à respirer.

— Elle va bien, au moins ?

— Non. Elle trouve… c'est difficile. Elle est très sensible, tu sais.

— Tu iras la voir, je t'en prie.

Au loin, j'entends Rodrigue appeler à l'aide. Encore au bord de la noyade, je parie. Il passe son temps, ce petit, à vouloir fuir son berceau. C'est malheureux. Même pas encore la conscience pour comprendre qu'on n'y échappe pas, qu'on revient toujours à son port. À moi de lui éviter de tomber si tôt dans l'eau claire.

— Albert, souffle Maché, Albert, tu iras la voir, d'accord ?

Un hochement de tête pour la rassurer. Aussitôt, elle s'empare d'un mouchoir pour essuyer la suie qui lui dessine un masque à la Zorro. Elle est belle, c'est vrai, en chute de larmes, quand elle porte le plus naturel des déguisements. Je sors, laissant un parc à son calme.

Constantin est couché en carpette dans le couloir, muet, attentif au moindre grincement des lattes du plancher. Il a abandonné ses fleurs mortuaires et son enthousiasme. Le pauvre a finalement réalisé qu'on errait en plein drame ; comme sa mère, il se questionne. Je n'ai pas l'intention de lui expliquer quoi que ce soit, non. Lui apprendre qu'il n'existe aucun guide pour s'endeuiller, non. Bébé Rodrigue s'en chargera. Il a assisté à toute la cérémonie. Il sait que la mort entraîne une multitude de réactions. Il s'en souviendra encore dans trente ans; on n'oublie jamais.

Le jour où l'on a mis grand-père en terre. Au mois d'octobre et le ciel morne, l'allure affreuse d'un supplicié. Juliette me serrait la main, elle me la serrait en même temps que son mouchoir gardé enfoui dans sa paume. Celui-là, elle le libérait dès que le vieux père relâchait sa surveillance. Elle épongeait son nez, elle essuyait ses yeux, si bien que son visage, sans souillures, sans plis, sans pleurs, donnait à croire qu'elle avait mis sa tristesse en quarantaine. Un enterrement dénué de larmes mais nimbé de regrets. Des regrets tout au long des obsèques, des regrets à la descente du coffre verni de grand-père bien loin au creux du monde. Nous savions, Juliette et moi, que donner son corps, c'était mettre une croix sur tous nos plus beaux moments — une sorte de sacrifice obligé —, mais nous n'avions aucune idée à qui l'on destinait ce sacrifice et, intimement, nous étions déjà à détester celui qui hériterait de grand-père. Notre première véritable leçon de haine.

Soldate invétérée aux ordres du vieux père, la mère se tenait droite devant la tombe, et lui, le général à la tête froide, à qui l'on offrait son salut dans un cercueil de bois, écoutait le cher prêtre débiter son sermon sur la vie après la mort. Nul doute enfin que grand-père se rendait quelque part.

— Il est à l'intérieur, tu crois?

Juliette s'avançait, se rapprochait de la fosse. Pour peu, elle s'y serait jetée pour ouvrir le couvercle du tombeau en mouvement et évacuer tous nos doutes.

— Je ne suis pas sûr qu'il y soit. Peut-être qu'il se cache.

Nous étions persuadés que grand-père avait tout orchestré, qu'il avait planifié un voyage dans son pays natal, qu'il partirait un temps, qu'il reviendrait un jour. Alors la cérémonie funèbre ne constituait que la commémoration d'une tragédie factice. Penser ainsi nous soulageait. C'était une belle façon d'apaiser le mal ; une belle façon de croire à l'immortalité.

— Elle va bien ?

Oui, d'accord, comment elle va. Pas un mot lors de l'enterrement, pas un seul bonjour — ç'aurait été un calvaire, j'imagine, d'offrir la poignée de main, la bise à Maché, une accolade aux garçons ? Et maintenant tu t'intéresses à son humeur, maintenant, parce que je me tiens devant toi, parce que je suis venu, un peu par hasard, un peu par surprise, parce que ce pourrait paraître irrespectueux de ta part — t'en voilà tout à fait conscient — de m'accueillir, dans un tel contexte, en vieux borné que tu es.

— Viviane ? je dis. Affectée. Les enfants, les enfants vont bien. Ils vont bien.

Je lui parle. Il n'entend pas.

— Les enfants vont bien.

Mais il y a lui, lui devant qui n'a pas l'air d'aller, non. Il bourre sa pipe sans même la porter à ses lèvres, il tremble des mains comme si on secouait, derrière, les fils soutenant son corps de marionnette. Puis, il arbore cette moustache, garnie de miettes de pain. À croire que la mère s'occupait de lui nettoyer le contour de la bouche, à croire qu'il a bénéficié d'une prime d'impotence reliée au malheur de devenir veuf.

Ça expliquerait la poussière sur le sol et cette couche de je-ne-sais-quelle-saleté qui enveloppe le verre dans lequel je sirote une eau brouillée.

Pas de plaisir à me trouver là, autant de malaise que si je franchissais la porte d'une maison qui n'est pas la mienne. S'introduire chez quelqu'un que l'on ne reconnaît pas. Sorte de mise en garde dans le regard de l'hôte qui nous accueille. Puis ce sentiment d'étrangeté qui nous agrippe l'estomac; un instant, il nous oblige à reconsidérer la direction de nos pas. Qu'est-ce qui m'empêche de faire demi-tour, au fond? Eh oui, quel intérêt de revenir? Cet endroit, semblable à un hangar désaffecté, barricadé de l'extérieur pour qu'on ne soit pas tenté d'y entrer. Dix ans de remparts pour des raisons qu'on a de la difficulté à se rappeler, comme si la mort, adepte de gouffres, avait creusé un trou dans notre mémoire. Dix ans de rupture et, soudain, cette absence-là perd toute sa signification. C'est vrai.

Je me sens étranger. Je me sens comme devrait se sentir un fils qui ne vient en visite qu'à l'occasion de la mort du Christ, un an sur deux: un peu coupable devant ces grains perdus au fond du sablier, qui ont coulé insidieusement, et pas une main pour les retenir, pas un mouvement, aucun effort. Un homme passif observe son vieux père ne pas poser sa pipe au coin de sa bouche après l'avoir bourrée, et cette inertie l'embête. Chaque soir, il s'en souvient, son père bourrait sa pipe pour aussitôt la porter à ses lèvres et en retirer trois bouffées. C'est dire que quelque chose, aujourd'hui, ne tourne pas rond. Mais c'est si loin tout ça, peut-on vraiment s'y fier? Et si ce vieux père désormais ne fumait sa pipe que dans les grandes occasions, se contentant pour le reste de la bourrer à temps perdu ?

Je me sens désarmé. Comme devrait se sentir le fils qui se déplace pour libérer son vieux de sa torpeur, oui à le voir ainsi, coincé dans le silence et son fauteuil usé, trembler de froid tandis que l'on surchauffe entre ces murs, derrière ces rideaux qui cachent la rue passante, la nuque penchée vers l'avant comme s'il maintenait un cercueil sur son dos, je me sens impuissant. Un homme aigri examine son père en l'étudiant, à défaut de le connaître et sans vouloir le comprendre.

Même son regard, emmêlé dans le tapis, j'ai l'impression de ne jamais l'avoir croisé, parti en voyage à des années-lumière et aucune chance de survivre dans le chaos de l'univers. Finalement, à l'embouchure de ce fleuve d'émotions, il y a un vide inconfortable : le sentiment d'avoir manqué quelque chose. Dix années de grains de sable en fuite, oui, et ces visites que je n'ai pas rendues, ces ellipses de souvenirs égarés, et la solitude, dissimulée à l'angle du mur, une ombre qui s'étale et s'effile en filets dans lesquels on se prend.

Il y a un portrait de moi sur la table basse dans le coin du salon et, ironiquement, un portrait de Juliette. Juliette qui, à seize ans, a levé le camp après avoir emballé sa misère — on lui en veut encore partout dans la maison : le plancher n'a jamais cessé de geindre, plus un mot barbouillé sur les murs qui se sont effrités avec le temps, se sont ornés de craquelures, de marques d'abandon, et moi, laissé derrière, bagage trop lourd. Elle n'est revenue qu'une fois, et pour ça aussi je lui en veux encore.

Juliette ne s'est pas non plus présentée au cimetière. Je trouve ça triste, au fond, de la voir partager ainsi sa vie avec l'exil, si bien que je me demande, aujourd'hui, si elles étaient valables nos raisons de les tenir à l'écart, ces vieux qui n'avaient peut-être rien de plus à offrir à deux diables hardis qui rêvaient du plus beau.

Le vieux père médite, mais je n'ai aucune idée de ce à quoi il pense. Bien sûr, je voudrais qu'il regrette, qu'il regrette au moins un peu d'avoir été ce père-là. Des regrets chez lui ça pourrait compenser mes remords. Mais inutile d'être dupe, il pense sans doute à la mère, à sa perte. Ses tremblements ne trompent personne.

Quand je songe à la vieille mère, désormais, je n'arrive plus à l'extraire de sa tombe — parfois je la retrouve dans sa cuisine, mais ces souvenirs demeurent flous et ils ne durent jamais longtemps —, comme s'il n'existait pour elle aucune place, pas de décor plus approprié qu'un cercueil. Cette image est reliée à son départ soudain, à ce cancer foudroyant qui l'a emportée en une fraction de seconde parce que je n'y étais pas. Je n'y étais pas les mois qui ont précédé le décès, non plus pour guetter le Styx dans lequel elle nageait à contre-courant, ni pour affronter ses yeux et leur contour criblé de veines saillantes ou pour toucher le duvet sur sa tête, pour lorgner la perruque en attente sur le portemanteau dans un coin de la chambre. Voir sa nuisette fondre sur son corps frêle. Entendre le vieux père se lamenter dans le noir avec un mouchoir crasseux sur la tempe, le vieux père compter sur ses doigts les jours avant le dernier. Je n'y étais pas, et puis elle est partie, en un clignement de paupières, c'est l'effet que ça fait. Comme ces visages de la nécrologie. Ces gens ont à peine franchi le sol et voilà qu'on rencontre leur regard pour la première fois. On croirait qu'ils sont nés le jour même où ils devaient mourir.

Penser à la mort, cela me ramène toujours vers grand-père et ses graves confidences. Il se plaisait à approcher la poésie pour passer ses messages, *naître seul et mourir seul*, avec une joue creusée vers un sourire discret. Ses mots avaient un sens mais qui nous transcendait.

— Votre père a eu une sœur, le saviez-vous ? Et un frère, des jumeaux.

Tous les quatre devant du pain et de la soupe, grand-père, grand-mère, Juliette et moi. Il avait voulu se livrer, ce devait être l'esprit du lac, cette chaleur d'une famille aimante réunie. Grand-père nous abreuvait en anecdotes. Nous apprenions des choses sur un temps révolu et c'était inventer un monde pour remplacer celui qui ne nous convenait pas.

— Ils étaient plus âgés, trois ou quatre ans de plus.

Grand-mère avait, dans le visage, un bateau échoué, je me souviens. Le teint verdâtre qu'on associe aux catastrophes. Le souvenir de grand-père sentait aussi mauvais que le présent, en fin de compte.

— Un accident nous les a enlevés, il y a des années. Nous vivions au Québec en ce temps-là. Les lacs et les rivières oublient parfois d'être des merveilles.

À ce moment du récit, je voyais grand-mère s'éloigner du naufrage, revenir dans l'eau calme. Et Juliette, toujours la tête au ciel. D'un regard extérieur, on aurait facilement pensé que grand-père se parlait à lui-même, mais je ne manquais pas un mot, pas un. S'il improvisait, je trouvais à ses histoires un charme légendaire ; les paysages mouvants, tandis que vont et viennent les personnages, me rappelaient l'éternité des romans.

Grand-mère séjournait chez une cousine quand grand-père s'en est allé, il me semble. Mourir seul. Elle est revenue quelques jours après le drame sans faire un plat de toute l'histoire. Pas de regrets ni de plaintes, presque pas de surprise, elle disait qu'il avait pris de l'âge. Ses déplacements de plus en plus restreints, elle s'en doutait, le rapprochaient du tombeau. On pouvait dénoter une pointe de soulagement.

Et puis, de toute évidence, le remords, ce n'est pas un mal que la famille connaît. Le vieux père croupissant aura su l'éviter avant d'arriver à échéance. Seule Maché parvient à en percer l'abcès quand elle me rappelle mon erreur.

— Ç'aurait pu être différent si tu l'avais voulu.

Mais elle dit bien des choses, Maché, c'est là sa vocation.

Je me décide enfin à parler à ce vieux père de Constantin et de Rodrigue. Après tout ce temps, ces deux garçons sont ce que j'ai de mieux à raconter. Je les compare à des fruits qui mûrissent, même si l'image me semble banale, le panier sur la table m'inspire la métaphore : le berceau de masses brunâtres qui se préparent à tourner en marmelade.

Mais je m'exprime dans le vide, je m'en rends bien compte. La conversation se perd entre nos deux carcasses murées derrière la distance. Je recule pour partir, lentement. Il me semble qu'il s'est assoupi. Il dort et le sommeil d'un homme déchu, sénile et souffrant, ne fait pas partie des situations que je suis prêt à affronter. Je quitte la maison en subtilisant la corbeille de marmelade. Ce faisant, je pense à Maché qui aura les yeux dans le bouillon quand elle me quémandera le résumé de cette rencontre. Maché, je l'inviterai ce soir au restaurant ; au-dessus de la table décorée d'argenterie, nous entremêlerons nos doigts puis nos regards aux chemins qui dévient et je lui rappellerai qu'elle me rend heureux parce qu'on ne sait jamais.

Dans l'espoir de trouver Maché-manchot un peu moins échouée sur la berge que les jours précédents, j'entre chez moi déçu. Rien que le grésillement du réfrigérateur et le hoquet de l'horloge pour lutter contre mon ennui. Sur le comptoir, en retrait, une masse de journaux périmés que j'ai moi-même feuilletés il y a des jours et dont personne n'a eu l'instinct encore de se débarrasser. Parce que j'ai l'âme assez charitable pour attendre mon mammifère marin avant de prendre la voie du restaurant malgré la faim qui me tenaille, je m'assois avec les pages entre mes doigts et je tourne, tourne, tourne, une façon de manœuvrer le temps. Je reconnais les images, je reconnais les titres d'une ancienne lecture en diagonale. Un article, daté de quelques semaines, dont je me souviens vaguement, annonce la fermeture momentanée de la station Trocadéro. Je retiens un gloussement, sorte de ténia qui se fraie un chemin en moi. Bien des ouvriers, des hommes d'affaires, des occupés de la vie, bref, ont dû trouver le moyen de s'offusquer de cette escale momentanément ignorée par le métro. Parce qu'il suffit de ne pas être concerné pour ne pas essayer de comprendre.

Bientôt, je me souviens que j'y étais, assez pour voir le corps de la femme étendu sur la voie, pour entendre le choc des roues contre ses os. C'est donc que cela me concerne et pourtant je n'ai pas compris. Ce constat me décroche un rire coupable : l'explosion d'un repaire de vers emprisonnés trop longtemps dans mes entrailles.

Dès que Maché entre dans la pièce, elle s'esclaffe aussi, histoire de réagir à l'apparence de mon visage crispé, rescapé de douze minutes d'hilarité. Elle dépose sur la table les paquets qu'elle porte et me caresse la joue, puis le front, ce manège dont elle use chaque fois qu'elle craint une fièvre chez les enfants. Un sourcil fléchi remplace son rictus.

— Tu te sens bien ? demande-t-elle en ramassant un à un les journaux dispersés sur le carrelage, ouverts aux pages des rubriques qui auraient pu m'aider à comprendre.

Elle obtient sa réponse lorsqu'elle me voit pleurnicher, ma tête enfermée entre mes mains, mon corps secoué par un séisme. Je ne l'invite donc pas au restaurant, Maché, parce que j'arbore une mine affreuse. Qui plus est, elle m'offre de concocter un bon repas voué au tête-à-tête, pas de gamins en trame sonore.

Finalement, malgré tous mes efforts, je ne peux rappeler à Maché à quel point elle me rend heureux parce qu'encore une fois, veillant à tout telle une bonne mère, elle a l'audace de me voler la réplique.

La table sur laquelle Maché dispose les couverts. La marmelade du vieux père dans les assiettes, ça y ressemble. Une odeur de purin sucré. Cette posture de crève-la-faim qu'empruntent les enfants devant leur plat de purée. Et si Rodrigue avait régurgité notre repas du soir ? La tablée dévisage le bébé, le pauvre sans rien à se reprocher. Ce petit ange plonge les doigts dans sa bouillie, histoire de jouer avec quelques grumeaux. Tout autant d'action se déroule en coulisses.

En avant-scène, à la différence, il y a ce cri commis par ma fourchette sur la porcelaine, un concert de convois qui freinent devant un corps dénudé. Et mes pensées vagabondes. L'occasion de revenir à ce matin, de retour au travail après mortalité, de retour à l'agence, à la station Trocadéro qui n'est désormais plus momentanément inaccessible, de retour à ma place dans le même train que de coutume, à la même heure, dans la même direction, depuis au moins quatre ans. Seulement, voilà, il n'y a plus rien de semblable, et pourtant, ça n'a pas changé.

La dame au menton de forêt vaste n'a pas enflé d'un poil. Inconnue comme tant d'autres ; je sais d'elle qu'elle fréquente très peu les barbiers, mais aucun renseignement sur son emploi, sa famille, ses regrets. Notre connivence se résume au regard que nous partageons, à nous saluer, tous les matins, pour nous assurer au passage que quelqu'un nous a vus exister.

Je me souviens de l'avoir remarquée ce jour-là de tragédie : son journal entre les mains, la tête inclinée et l'air d'une fin du monde. Mais aujourd'hui elle affichait ce pâle sourire, pas l'ombre d'un traumatisme au coin des lèvres ; sans doute la barbue n'a-t-elle rien vu de toute la catastrophe. Ni la chute de la fille, ni l'impact qui a sectionné son corps en mille fragments épars. Parce qu'elle n'est pas descendue à Trocadéro, non, elle n'y descend jamais. Elle a filé avec le train.

N'empêche que ce matin les retrouvailles avec cette femme m'ont donné l'idée de répertorier les témoins. Je me suis remémoré certaines figures que j'aurais pu apercevoir aux alentours du drame, des figures qui auraient passé les portes du convoi à Trocadéro parce que c'est l'heure où plusieurs matinaux franchissent les portes, et il y avait foule, je me souviens, mais j'ai oublié les visages, sauf le sien, celui de la condamnée. Autrement, tout ce que je me rappelle, ce sont les cuisses moites sous les jupes courtes, mais ni les cuisses ni les jupes ne sont sorties à Trocadéro.

— Tu as terminé ?

De la pitié à temps plein dans le regard de Maché. Mon assiette qu'elle reprend, encore pleine, avec quelques stries, simplement, formées par le va-et-vient des ustensiles dans le hachis. Mon assiette encore pleine et celles des enfants, presque scintillantes, adroitement léchées. Maché distribue le dessert en évitant de me servir une part que j'aurais gaspillée à y enfouir mes états d'âme sans en prendre une bouchée. Ses yeux couverts à n'en plus finir de tristesse corporelle, comme le gâteau de glaçage, et bon Dieu qu'il me creuse l'envie, ce gâteau. Je me promets de sortir du lit au petit matin — je programmerai le réveil, s'il le faut — pour prendre la part qui me revient. Maché, qui se fiche du gâteau, ça se remarque, entassant toute cette douleur que je ne ressens pas, et ces efforts qu'elle déploie pour alléger ma peine, qui n'est pas celle qu'elle croit.

Puisqu'elle croit à la mère, et moi, je n'y crois plus depuis longtemps déjà. Je m'attache à ce matin, lorsque le métro s'est arrêté à Trocadéro : je suis descendu et j'ai attendu l'éloignement de la rame dans l'espoir secret qu'une autre désespérée plonge sur les rails, que l'histoire se recrée, que je comprenne enfin. Mais rien ne s'est produit, on pouvait s'en douter. Je me suis assis sur l'un des bancs de la station ; c'était la première fois que je remarquais à quel point la couleur de la faïence était de mauvais goût et surtout à quel point elle contrastait avec le côté tragique de la mort. Devant des murs chargés par trois teintes d'orangé, je revoyais cette femme ayant choisi la pire halte pour mourir.

J'ai reconstitué la scène plusieurs fois dans ma tête, jusqu'à apercevoir le sang tel un tapis au sol, le sang envelopper le train désormais immobile, le sang couvrir les dégénérés — ceux-là gesticulaient encore, mais à retardement —, couler sur la faïence, se répandre sur la voie et, décorant celle-ci, des morceaux de chair lacérée. Baignant dans tout ce sang, j'aurais voulu fermer les yeux, mais il y avait quelque chose d'impossible dans le geste. L'atrocité du spectacle gardait éveillé, et pourtant, les yeux grands ouverts, on n'y voyait toujours rien. On ne voyait rien au-delà du train arrêté, et le conducteur qui n'osait repartir pour ne pas aggraver l'état du cadavre mutilé. Tout ce sang, le contrôleur confondu, l'essaim de témoins interdits, les hurlements. Crier, dans de tels cas, les gens ne savent rien faire de mieux.

Les cris, la panique, et en accompagnement le service de transport interrompu. Les portes du train en attente se sont ouvertes et ont craché une ruée de curieux à la recherche de la victime pour mieux y croire. Les cris se sont multipliés, la foule s'est épaissie ; plus aucun intérêt à tenter de sortir de là. Il a fallu des heures pour chasser les amateurs de sensations fortes qui tenaient à ne rien manquer du délire ; des heures avant d'évacuer les emprisonnés de force, contraints d'attendre que tout le monde déguerpisse, mécontents de s'être trouvés hors de portée de la seule issue possible. Pendant tout ce temps, je n'ai pas bougé de mon siège. Pendant tout ce temps, j'ai frotté les verres de mes lunettes. Pendant tout ce temps, je suis resté myope, les yeux ouverts à ne rien voir. La réalité à son paroxysme, ce matin-là au sortir du métro. La réalité, affalée en lambeaux sur le fer, et elle s'associait à chaque cri lâché dans le tumulte que les heures ont bien fini par effacer pour transformer en échos, comme le cadavre, que les jours ont bien fini par déloger des rails, comme la mort, que le temps nous permettra bientôt d'oublier.

— Tu viens dormir ?

Maché m'embrasse derrière la nuque, tente de me soulever par les aisselles parce qu'il y a déjà un moment que la table a été désertée. Il ne reste plus que mon corps mollasse greffé au dossier de la chaise, et elle désire comprendre, Maché, pourquoi j'avale mes mots de la sorte sans les recracher.

— Tu ne me parleras pas, c'est ça ?

Je me dis qu'elle devrait lâcher prise.

— Tu manques de sommeil, c'est ce que je pense.

Ce n'est pas le sommeil mais autre chose qu'il manque, cependant pour l'instant je ne peux rien nommer ou j'en pondrais une liste et ce serait provoquer Maché que de lui avouer qu'autour de nous est un monde plein de lacunes. Elle recevrait telle une insulte ce commentaire très général et elle en aurait pour la nuit à reformuler mes paroles pour effriter mon orgueil. Puisque je veux qu'elle dorme pour enfin réfléchir, je n'ai pas le choix de lui mentir ou au moins de lui épargner la majorité des détails.

— Je passerai voir Juliette, je dis.

— Oui, bonne idée. Parle-lui au lieu de tout mastiquer, et puis elle lutte contre le même chagrin. Ça aidera, ça vous aidera tous les deux.

Au bout de cette phrase, Maché m'extirpe la promesse de retourner auprès du vieux, car elle craint le pire ; inévitable, puisqu'elle carbure à l'inquiétude.

— Tu ne trouves pas qu'il faisait peur à voir, ton père, le jour de l'enterrement ?

Mais déjà je ne l'entends plus ; je passe d'un cimetière à un autre, du décès de la mère à ce matin, au moment où je longeais la muraille du cimetière de Passy pour me rendre à l'agence. Je me demandais, lorgnant les stèles depuis le trottoir, si elle y avait été inhumée, la morte du métro, si d'ailleurs elle travaillait dans le coin ou demeurait tout près. Et plutôt que de traverser l'avenue Paul-Doumer, j'ai entrepris d'arpenter les rues du quartier à la recherche de son appartement. Comme si, d'un simple regard posé sur la démesure des édifices, une fenêtre allait s'illuminer. Sur quelque façade, allait apparaître une plaque commémorative à son nom: *La fille du métro a vécu ici.* Mais je n'ai trouvé que des bâtiments, sans fenêtres éclairées, sans signification. Au fond, Maché disait vrai, il n'y a rien dans la brique pour émouvoir, c'est ce qui se cache entre les murs qui recèle des secrets. Seulement, entre les murs, plus jamais de fille du métro, non; il ne reste que les autres, et eux aussi sans éclairage ni signification. Les gens qui piétinent les dalles du trottoir, les gens dont les traces de pas effacent au fur et à mesure celles qu'elle aurait pu laisser.

Je n'ai aucune idée de l'heure qu'il est, mais si ça se trouve Maché en est encore à examiner les rainures dans le plafond, l'œil en attente de voir apparaître dans l'embrasure de la porte ma tête de névrosé. Alors je range mes pensées dans leur tiroir pour la nuit et puis je la rejoins, pour l'épargner. Je règle le réveille-matin à l'heure du gâteau avant de laisser sur l'oreiller se reposer ma nuque, le souffle de Maché devient berceuse et balance mes idées. Finalement, elle n'a pas eu de mal à s'endormir, la belle. Ce qui n'est pas mon cas. Au lieu de dormir, mon cas repense à ce matin, à cette promenade près de Trocadéro, là où tous les mystères convergent: la morte du métro, les spectateurs du drame aux visages flous, le cimetière qui nous accueille dès la sortie de la station, ses portes ouvertes telle une invitation de la ville à aller narguer les cadavres. Et un camion, garé sur le trottoir. Deux hommes chargeaient la boîte du véhicule de meubles et de cartons. Au cinquième étage de l'édifice, une fenêtre ouverte aux rideaux manquants laissait entrevoir une pièce vide, un plafond dépourvu de plafonnier. Sans lumière, un éclat au bout d'un tunnel. Je me suis approché, j'ai inspecté la façade à la recherche de la plaque gravée à son nom, mais rien que de la brique partout aux alentours, en un sens ça m'a soulagé.

N'empêche, il fallait m'y arrêter. Ce déménagement, tout près des lieux de l'accident. Je ne pouvais faire comme si. Et plus j'avançais, plus j'en avais la certitude : la fille du métro habitait à cette adresse. La mère de la morte venait de quitter le bâtiment pour s'installer derrière le volant d'une petite voiture avec un paquet entre les mains. Ses yeux criblés du désespoir d'avoir survécu à son enfant. C'est du moins ce que je croyais. Aussi l'ai-je accostée, c'était plus fort que moi, pour lui demander s'il y avait longtemps que la défunte vivait dans ce logement.

— Toute sa vie, monsieur. Elle y a vécu toute sa vie.

Elle me souriait, d'un pauvre sourire dans lequel elle avait placé tous ses efforts.

— Quatre-vingt-trois ans, emmurée dans un modeste trois pièces. C'est même ici qu'elle m'a mise au monde, vous imaginez ?

— Oui, oui, je…

— Elle n'a jamais voulu quitter l'endroit, elle disait que seule la mort allait l'obliger à vendre. Eh bien, nous y voilà.

Quel air absurde je devais afficher devant cette femme que je ne connaissais pas, à parler d'une morte que je feignais de connaître. Une conversation trop longue au sujet d'une dame sans histoire, décédée à point nommé. Et quand la femme au paquet m'a demandé où j'avais rencontré sa mère, je me suis perdu dans les dédales de mon mensonge. J'ai fini par lui avouer que j'avais confondu la morte, sa joie s'est alors envolée. J'ai eu l'air d'un imbécile. Me balader dans les rues ne m'avait mené qu'à cela, puis aux harcèlements des collègues devant un retard inexplicable.

Décidément, impossible de retirer cette fille de ma tête. Collée à mes parois cérébrales. Gravée, même. Greffée à la dentelle de mes réflexions. Et pourtant une fin si commune. Pourquoi s'entêter ?

En repensant à la barbue, qui jamais ne sort à Trocadéro, ou à ces Japonaises aux trop longues cuisses avec tissu limité, en y repensant bien, je peux discerner un semblant d'éclairage. Elle m'apparaît, silhouette surimprimée, un halo blanc dans la foule. Je l'ai vue. Oui, sans doute l'ai-je vue, c'est-à-dire déjà vue. Avant. Avant ce matin-là. Avant, peut-être même plusieurs fois. Ceci expliquerait cela. Ceci expliquerait qu'elle s'accroche à ce point. Ceci justifierait que sa mort me reste en travers de la gorge. Je l'ai vue, je l'ai croisée, j'en suis sûr. J'en suis sûr, il me semble. Je suis sur le point de m'en souvenir. Normal que ma mémoire défaille, il est tard. Au milieu de la nuit, comment peut-on, les idées imprécises, les étranges certitudes, il faudrait dormir.

À ce moment, Maché se penche sur mon ventre et pose sa main sur mon crâne. Je la soupçonne de m'entendre penser, parfois. Rien ne lui échappe, certainement pas ces mineurs qui ont élu domicile dans mon estomac pour creuser les ténèbres. Je songe à ce glaçage sur cette part de gâteau qui patiente juste pour moi, et puis je reluque l'horloge : elle fait son temps. Elle fait son temps, elle prend son temps.

— la brocante, il faut longer le cimetière.

— Quel cimetière ?

— et puis, j'ai choisi le cercueil.

— Passy, devant le musée de l'Homme. Eh bien, tu –

— Simplement, on s'assure qu'il ne bouge plus. Ensuite, on le lave. Si tu tentes cette recette, je t'assure, nappée de sauce à –

— *you now, each song reminds me of this girl.*

— trois centimes, mon titi, trois, rien pour te ruiner, allez !

— blessée au bras. Ils ont cru qu'elle allait succomber, mais non. Ils vont l'amputer, t'imagines ?

— Incroyable.

Le métro s'arrête. Je sors. Sur le quai, encore trop de monde. Trop de bourdonnements, trop de déplacements. Un homme, long comme une vie, avec une moustache trop courte, beaucoup trop, presque rien en fait, quelques poils drus répandus entre le nez et la lèvre supérieure. Il gesticule, se ridiculise en mouvements brusques. J'ai le réflexe de me pencher pour éviter son bras. Il bégaie un rire saugrenu.

Une dame, petite, toute petite, une naine, ou une enfant avec malformations, un mystère. Elle marmonne en trottinant sans prêter attention à ce qui la devance et elle trébuche, tombe dans l'escalier pour une marche manquée. Ses bras, ses jambes en l'air ; un cafard piégé. Je lui offre mon aide sans gaieté de cœur, plus pour libérer l'espace qu'en bon samaritain. Elle refuse obstinément.

— Laissez-moi !

J'enjambe alors son corps de lutine sans me poser de questions. Plus loin, trois garçons se baladent, en ordre décroissant, portant le même visage et puis le même tricot. On croirait assister à une évolution : le même gamin qui marche en grandissant. Il s'immobilise, se presse comme un accordéon et entre à sa suite dans le train. Le trio disparaît, tout comme le grand, la naine et la morte du métro.

Je me dirige vers la sortie. Encore un matin à marcher vers une fausse issue de secours. Partout des visages, des lèvres qui se meuvent, des paupières qui clignotent, ces visages et tous les secrets qu'ils cachent. Des visages comme des prisons. Et au centre de tous ces barreaux, j'ai l'impression de chercher quelque chose. L'impression d'avoir quelque chose à trouver.

Une jeune femme attire mon attention. Le regard terne et des cernes qui avalent ses joues mouchetées, les cheveux longs, plats et crasseux, le dos courbé par un poids invisible, les cils humides, des pleurs car il n'a pas plu, du moins pas à l'aube, lorsque je suis sorti de la maison, le gazon était sec et le ciel, plein d'espoir. Potelée, le décolleté à découvert, le ventre rond d'une femme enceinte, le cœur, les mains vides. Elle erre, me heurte tout en le faisant. Un coup d'épaule robuste contre ma lassitude matinale.

— Pardon.

J'encaisse le choc. J'encaisse le choc en me laissant porter par le mouvement. Tanguer, voir le monde se balancer, les bras se brandir, les corps danser, perdus, perdus en haute mer. Tous perdus, échoués. Le vieux père affalé sur le rivage, la tête enfouie dans le sable. Le temps s'infiltre dans son crâne, le temps lui emplit les oreilles et l'empêche de respirer.

Je suffoque, il y a trop de monde, trop de bourdonnements, trop de déplacements, je dois sortir d'ici.

— *You speak English?*

Un morceau de carton s'agite devant mon nez. La main d'une vieille gitane au bout du carton. Fleurie en jupe et une flèche décochée à la place des yeux, elle m'agrippe le bras pour me supplier de lui tendre un peu de monnaie. Je contemple plutôt le grain de beauté artificiel qui luit sur son front. Était-il dans les parages, ce grain de beauté, le matin de la catastrophe? La gitane, peut-être, a élu domicile dans cette station; elle effectue chaque jour sa quête au même endroit. Le hasard est-il heureux à ce point?

— Vous parlez français? je dis.

— *Do you speak English?* répète-t-elle.

— Vous, déjà mendié ici? C'est première fois vous venez?

Et la gitane s'éloigne sans me répondre, pour demander l'aumône au prochain venu. Je tente de la rattraper, mais sa course pour me fuir échoue en une chute qui l'installe à genoux au sol, sa monnaie en cavale autour d'elle dans un tintamarre discordant. Elle se met à hurler puis me désigne du doigt en criant à l'*outrage*. Avec le vieux père impotent, Juliette indifférente, Maché pleurnicharde et la morte disparue, j'ai assez d'ennuis dans ma collection pour ne pas ajouter une plainte pour harcèlement verbal non traduit. Je fiche le camp du quai — quelques regards derrière, histoire de m'assurer que la sorcière ne me lance pas un maléfice — pour atterrir au pied d'un duo d'Arabes brandissant des caisses de parapluies invendus. Bol de veine, le ciel, finalement, est aussi trompeur que le reste.

Devant moi, une dame au tailleur ajusté, mallette aux doigts, épaules carrées, embrasse un homme qui louche, un homme louche, deux fillettes se tiennent par la main, un homme chauve et une aveugle se tiennent par la main, deux femmes âgées se tiennent par la taille et deux ados chétifs se martèlent de coups de poing. Des Chinois lisent le journal, des touristes déplient la carte de la ville et s'avouent déjà vaincus, un gendarme ruisselle de sueur. Un couple de vieillards myopes, une femme obèse, une troupe de gothiques en quête d'identité, un ringard à lunettes, trois filles de joie sur leur fin de quart, des joggeurs qui transpirent les uns sur les autres, et des nains, ensevelis par la foule, qui prient pour un peu d'air. Des bribes de paroles perdues dans la cohue.

— *Tower? We can see it perfectly between those two buildings? Where, where do –*

— il l'a enterrée dans le jardin derrière la haie.

— *Do you speak English?*

— rêve, tu parles, je me suis réveillée en larmes, je me sens, je –

— seule.

— trois cent quatre-vingt-dix-huit par an, c'est ce que j'ai lu.

— l'ai vue sauter –

— Elle s'est enlevé la vie, tu crois ?

— Pardon ?

Cette dernière réplique, cette intrusion dans une conversation empruntée au passage, c'est la mienne. Ma réaction à une parole lancée parmi la foule, une question à laquelle je veux une réponse, envoyée par un homme enrobé d'une chemise de soie rouge — il ne manque que les paillettes — à l'adresse d'une femme ventrue à la gorge rauque de moteur étouffé. Mon cœur palpite et mon front suinte ; deux grosses gouttes de sueur sur chacune de mes tempes font la course jusqu'en bas.

— Pardon ? je répète, puisque les deux bavards se sont tus.

L'homme lisse sa moustache en m'examinant ; la femme cherche dans son sac un passage secret pour s'évader, un air de mouette-interrompue-en-plein-vol sur le visage.

Bientôt, le toréador moustachu scrute sa montre puis file à l'anglaise. Devant un silence qui m'angoisse, je reprends :

— Vous disiez ?

— On ne vous parlait pas, s'insurge la dame, juste avant de tenter un glissement vers ailleurs.

— Non, mais vous parliez. Vous parliez d'une morte.

— Je ne saurais dire.

— Si, vous parliez de la morte.

Elle se retourne brusquement puis s'en va. Je demeure immobile, je voudrais qu'elle répète, qu'elle reprenne du début son récit, qu'elle décrive l'élan, le saut, que nous redonnions vie à cette fille disparue.

— Qui est-elle ? je crie. Qui est-ce ?

La dame arrête sa course, revient sur ses pas. Elle me perce le torse de son index accusateur.

— Vous êtes borné, dites !

— Je, c'est que, il faut comprendre, je –

— Ma siamoise. Elle est tombée dans un puits, elle s'est tuée.

Son chat.

— Content ? lance-t-elle. Ce que vous faites, c'est du harcèlement. Ma vie ne vous regarde pas.

Non, tout de même. S'épancher pour un félin mort, non. Elle ment.

— Vieux con.

La « félinophile » s'enfuit en bousculant tout le monde, pendant que je secoue la tête d'ahurissement. Je repense à grand-père et à la rupture d'anévrisme qui l'a soudé à jamais à son fauteuil, à la vieille mère avalée par son cancer. Cette histoire de morte, peut-être, ne me regarde pas. La fille du métro n'a pas marché dans ma direction, n'a pas agité mon bras, n'a pas pleuré devant mon visage, ne m'a pas parlé, elle n'a même pas jeté un seul regard vers moi. Elle s'est élancée sur le chemin de fer et je n'ai rien à voir là-dedans. Cette mort improvisée ne me concerne pas. Et pourtant, gravir l'escalier, franchir les portes de l'agence, me semblent des gestes irréalisables. Faire comme si rien ne s'était vraiment passé.

— Hé, vous !

Faire comme si. L'effacer. Mais elle s'en est chargée elle-même. Aucun moyen de la ramener. Tant d'efforts nécessaires pour la retrouver, tant de temps. Pour grand-père, le temps constituait la mesure de l'expérience, mais à quoi bon ? Qu'y gagne-t-on ? À la fin, de toute façon, le trépas. Traquer la mort, c'est doublement mourir. Le métro est rempli de canailles à pourchasser. À Paris, ça grouille dans tous les sens. Pourquoi ne pas chercher ailleurs, quelqu'un d'autre, ces rencontres inattendues qui peuplent nos jours, la femme à barbe du métro, Juliette ? Même Juliette m'échappe. C'est la mort qui intéresse. Quand elle frappe, quand elle se montre, elle s'incruste. Son image revient et revient encore. La scène où elle paraît se joue à répétition. Ce fut la même chose avec grand-père. La mort, la morte.

— Monsieur !

Apparaît, tout près de moi, un brin de femme. Elle me saisit le poignet à deux mains, j'essaie de me déprendre mais j'ai peur qu'un geste brusque brise son corps fluet. Elle scrute mon visage, deux fissures remplacent ses yeux, et si longtemps que je me demande si elle y voit vraiment quelque chose.

— Vous voulez ? je dis.

Elle secoue mon bras comme si elle espérait faire sonner des cloches. Mon réflexe, examiner mes membres, tâter ma figure. Elle m'étudie avec le même soin que pour un fossile d'espèce rare.

— Vos mains, lâche-t-elle.

J'inspecte mes paumes, chacun de mes doigts ; pas une blessure, pas un membre en trop, pas une créature maléfique qui me sorte du bras, non, pas la moindre anomalie.

— Mes mains, oui ? Qu'est-ce qu'elles ont ? je dis.

Cette canaille dans le métro, voilà où je voulais en venir. C'est une technique, assurément, pour me voler mon argent. Pendant que je regarde mes mains, qui sait où elle pose les siennes ?

— Je vous connais, dit-elle. On s'est vus. On s'est vus quelque part.

Son visage s'éclaire, elle hoche la tête et reprend :

— Oui, oui, on se connaît. Votre plumage me dit quelque chose.

Mon plumage, tiens donc. Une hallucinée. Ce sont mes plumes qu'elle compte depuis tout à l'heure.

— Bon, ça suffit, je dis. Qu'est-ce que vous voulez ?

— Mais rien, non, ce sont vos mains, vous tremblez. Vous tremblez, regardez. Et votre nez saigne, vous saignez. En tant qu'ornithologue, je peux vous être utile.

Hématologue, elle a dit ? Je sors un mouchoir de ma poche et éponge mes narines. À peine deux perles rouges.

— Gisèle Bourguignon, mon nom, je veux dire, c'est mon nom, Gisèle –

À l'entendre retourner son précieux nom dans tous les sens, la panique me saisit. Ma gorge se noue.

— Gisèle Bourguignon ?

— Oui, c'est mon –

— On se connaît, je dis.

Ce nom-là m'est familier.

— Vous habitez près de Trocadéro ?

— Oui, non, hésite-t-elle, pas vraiment. Près du parc Monceau, en fait. Dans le huitième arrondissement. Mais –

— Que faites-vous ? Vous passez souvent par ici ?

Elle recule, je la sens qui se referme. Ce nom, je l'ai entendu déjà.

— Je travaille au musée de l'Homme, on fait ce qu'on peut. Mais vous saurez, monsieur… votre nom, monsieur ?

— Alb -

— Vous saurez, Al, que l'homme et l'oiseau partagent de nombreuses caractéristiques, ils -

— Vous prenez le métro chaque matin ?

— Comme je vous l'explique, je travaille au Musée sur l'Esplanade, si vous êtes du coin, vous savez que la voiture ne -

Ça me revient, j'ai lu ce nom. Où ça ? Une brochure ? Le musée de l'Homme, non, je n'y suis jamais entré. Cliente de l'agence, je ne crois pas.

— Si on allait prendre un café ? je dis.

La brindille s'étouffe avec sa salive. Les deux poings sur les hanches, elle se redresse, l'air offusqué.

— Pardon ? Vous n'êtes pas mon type d'homme.

— Je suis marié.

Elle lève son poignet, fixe une montre qu'elle a oublié d'installer à son bras ou une touffe de plumes invisibles. Elle se gratte frénétiquement la tête comme si la proposition indécente avait fait émerger une armée de pucerons dans sa crinière.

— Je dois, j'ai, je suis pressée, marmonne-t-elle.

— Demain ? Disons demain, au coin de Raymond-Poincaré.

Elle adopte une moue dégoûtée. J'insiste :

— Demain matin, à six heures. Allez ! Vous m'expliquerez cette proximité entre la bouche et le bec.

Un sourire monstrueux déforme sa figure. Ses épaules crispées se relâchent.

— Oui, bon, si vous y tenez, concède-t-elle. Dans ce cas, demain, demain ça me va, mais c'est vous qui payez.

Et puis avec ce bras sans montre toujours cambré, elle s'engouffre dans la foule, se fraie un chemin à la manière d'un pic-vert. Elle s'arrête par-ci par-là, accoste plus d'un homme, minuscule bête qui s'agrippe aux troncs d'arbres. Je demeure figé sur place, seul parmi les végétaux, de je ne sais plus combien de minutes en retard, mais délesté d'un poids, pourtant. Oui, plus léger.

G-i-s-è-l-e B-o-u-r-g-u-i-g-n-o-n, j'ai déjà lu ça quelque part.

Assis sur une banquette à siroter le premier café du matin, excité mais encore endormi, affalé de mon mieux dans l'angle du siège, je reste attentif aux clients qui circulent. Malgré l'heure, le bistrot est bondé. Rempli de lourdauds à trop de pattes qui renversent leur café sur le sol astiqué ou la chemise du voisin, rempli de demoiselles vêtues de presque rien, qui ont passé la nuit dehors et savourent la boisson qui leur réchauffe les doigts, étendues sur un banc qui leur réchauffe les fesses. Une lumière tamisée à l'intérieur lutte contre un soleil levant au-delà de la vitrine, où les passants passent de plus en plus.

Et puis, je la vois, la petite dame, avec son foulard blanc enroulé cinq ou six fois autour du cou. Un vrai petit chien fou : les cheveux bouffants sur les côtés, une langue pendante, givrée de salive, parce qu'elle ne cesse jamais de parler.

Je scrute l'horloge. L'horloge, je scrute. Je me gratte la paume de la main sans que ça ne démange. Je scrute l'horloge. Qu'est-ce qu'elle fabrique ? Elle caquette. Elle verbalise ses émotions. Elle confie ses lourds déboires à Quimieuxmieux rencontré sur son chemin. Elle ne peut s'empêcher de le saluer, celui-là ou un autre, parce que c'est ainsi, je crois, au fond de sa petite tête de pioche.

Je me demande ce que je fais là, ce matin. Ce que je fais à boire ce café sans saveur, qui n'égale pas celui de Maché. Ce qui m'a pris de la laisser, celle-là, à l'aurore, s'enrouler librement dans mes couvertures, ces vagues qui l'enveloppent pour noyer sa fin de sieste. Comment ai-je pu lui abandonner si généreusement le lit ? Mon café insipide refroidit gentiment sur le coin de la table, tandis que j'attends le petit chien sans broncher, comme un os au bout d'une corde.

Elle s'immobilise devant le comptoir et se révèle si courte sur pattes que le serveur est contraint de se pencher. Devant son manque d'enthousiasme, elle jappe une insulte. Puis elle rit, je l'entends d'ici, un rire frondeur. Le serveur s'emporte ; ses deux poings sur le comptoir font trembler les plateaux de verre d'où s'échappent quelques gâteaux incertains. Un rebondissement n'attend pas l'autre, puisque la chute de muffins alimente la colère de l'injurié, qui hurle sur l'injurieuse des bêtises cinglantes en lui désignant la porte.

Finalement, l'ornithorynque se confond en mille excuses puis s'éloigne du comptoir — en ramassant, au passage, les gâteaux échoués sur le sol pour les enfouir dans les poches de son imper. Elle balaie du regard l'intérieur du bistrot, ratant à coup sûr mon bras haussé, mais repérant Quimieuxmieux qui est sur son départ et qu'elle ne peut s'empêcher de saluer une ultime fois. Elle le retient et lui déballe le récit de sa vie. Je crois qu'en plus de sa dépendance affective elle a des trous de mémoire : elle a oublié, la bavarde, qu'elle est d'abord venue pour moi.

Hypnotisé en quelque sorte, je ne bouge pas de mon siège. Mon bras fend l'air éternellement sans attirer le chien poméranien. Cheveux de troll, gueule béante, elle aboie, aboie, aboie, sans jamais lâcher prise. Je réalise seulement la chance que j'ai de ne pas héberger de chien, de n'avoir que Maché, qui ne fait que miauler.

J'atteins le fond carbonisé de ma tasse de café. Je saisis ma mallette, me lève pour partir et c'est là qu'elle m'aperçoit. Ses foulards se déroulent, ses yeux s'illuminent, son cerveau se remet en marche. Elle me fait signe, implorante, un gentil signe du doigt — je lui en ferais bien un à mon tour, mais je me réserve toujours un peu de respect pour les mauvais moments à passer. Je me rassois par la force des choses. Elle s'élance vers le comptoir où l'appelle un nouveau serveur, puis s'approche enfin de ma table, un plateau chargé entre les mains: deux boissons, deux assiettes, aucun esprit de partage. Devant moi elle s'installe pour humer ses repas comme un glouton fébrile. Il ne manquerait plus à sa réputation qu'elle me parle en mangeant. Mais elle ne touche à rien et entame le dialogue:

— Vous n'avez pas trop attendu, j'espère.

Je voudrais lui spécifier que je ne l'attendais pas, que je la regardais plutôt se donner en spectacle, mais je crains qu'elle me balance au visage son plateau d'ogre. J'en aurais pour des heures à déloger des plis de ma chemise tous les rebuts de sa fine gastronomie.

— C'est ma passion, vous savez. Certains aiment assembler des puzzles, d'autres jouer du baryton. Moi, j'observe les oiseaux. Et vous?

— Je -

— Un matin, mon père a trouvé un pigeon mort sur le perron, je devais avoir cinq ans. C'est là que tout a commencé. Je l'ai pris, l'ai logé au creux de mes paumes. Aussitôt, un sentiment de dépossession de soi, on sait que l'on consacrera désormais sa vie aux autres, aux oiseaux. Devant ce pigeon, j'ai su que mon rôle était de les protéger. De sauver le monde, oui.

— Sauver –

— Après, oh après, j'ai entrepris de sérieuses recherches, je n'exagère pas, j'ai inspecté un à un les parcs de Paris en quête de nouvelles espèces. Pour comprendre. Mais quoi donc ? Comprendre la différence entre les oiseaux et les hommes. Vous savez, j'ai réalisé qu'il y a plus de ressemblances que je ne le croyais. Mon hypothèse est la suivante : la race humaine proviendrait d'une lignée d'oiseaux présents pendant le règne des dinosaures. Mais je n'ai pas terminé ma thèse, alors...

Puis elle éclate de rire, ce qui m'extirpe de ma léthargie. Séance de zoologie improvisée. L'horloge me sourit du peu de temps qu'il me reste.

— C'est touchant, votre récit, mais –

— Mais c'est ici que ça devient intéressant. Vous connaissez un peu l'histoire naturelle, si ? Vous devez savoir qu'à l'époque des dinosaures — époque, enfin, des millions d'années — les oiseaux se sont aussi développés de façon considérable. Puis les mammifères. Jusqu'aux espèces qu'on côtoie aujourd'hui, dont l'humain. Et si l'homme était le résultat d'une série de transformations chez l'oiseau de l'ère mésozoïque ? Prenez le temps de regarder autour de vous, vous verrez les similitudes. Les oiseaux ne marchent-ils pas sur deux pattes ?

— Oui, bien sûr, les oiseaux, les dinosaures... Et les extraterrestres, vous y avez songé ?

Elle se tord de rire, mais d'un rire faux, comme si elle profitait de cet intermède pour réfléchir à la possibilité de, peut-être, éventuellement, la possibilité qu'on puisse être issus des habitants de l'espace. Ses yeux se perdent dans la rêverie, jusqu'à ce qu'elle affirme, forte de ses idées :

— Non. Non, c'est peu probable.

Puis elle reprend :

— Vous lisez ?

— Je lis des histoires aux enfants.

— Aristophane, vous connaissez ?

Aristochats ?

— Lisez sa pièce *Les Oiseaux*, vous comprendrez mieux. Les oiseaux prennent d'assaut le ciel, ils en sont les maîtres.

Son bras s'étire vers le plafond pour imiter sans trop de réussite un battement d'ailes avec ses doigts. Je retiens un soupir, la santé mentale de cette femme m'inquiète au plus haut point.

— Vous la lirez, lisez-la aux enfants, allez.

Ne nous affolons pas, je lirai sa pièce juste après la bible, le dictionnaire et l'histoire de France en dix-huit volumes. Les oiseaux, je ne sais pourquoi, je n'ai pour eux que du dégoût. On les chasse, on les tue, ils s'écrasent sur des perrons, sur les vitres, on en retrouve dispersés dans les rues, ça résume la fatalité de leur espèce.

Gisèle entame désormais ses assiettes. Bientôt, elle ne crachote plus seulement des mots, mais des morceaux de saucisson qui viennent se loger sous les rebords de ma cravate. Je reste sans bouger, un similisourire figé sur le visage comme un cadre sans toile.

— Les humains ont rêvé d'apprendre à voler. Une nostalgie des origines. L'avion, le deltaplane, le zeppelin, le parachute, la montgolfière. Les ailes de l'oiseau sont symboles de pouvoir, de prestance. Le pouvoir d'être au-dessus des autres, on a cherché à s'en emparer. C'est dire l'avidité des hommes.

Elle continue de m'asperger de ses débris. Si je n'étais pas en train de combattre ma nausée, j'exploserais en injures. J'éventrerais ses paroles. Je lui ferais ravaler ses légendes, sa présomption, son existence. Plus encore, je lui avouerais ma terreur devant ses dents mal alignées, ses lèvres fissurées, devant son corps de chihuahua. Mais quand vient le temps, mes pensées haineuses se cachent dans l'ombre de ma diplomatie :

— Tous ces oiseaux, Gisèle, vous les avez étudiés. On les associe à des signes, parfois. Mauvais présage, un oiseau mort. On dit d'eux qu'ils sont des messagers. J'ai tendance à croire que les humains, d'une certaine façon –

— Oui, oui, vous avez compris.

— Vous croyez…

— Oui, c'est mon projet, je compte m'y mettre, oui, je vais apprendre le langage des oiseaux. Ma méthode scientifique rendra cet exploit possible d'ici –

Tandis qu'elle gesticule, je lorgne l'horloge comme on regarde un vieil ami nous trahir. Le retard est si grand qu'il ne peut plus servir d'excuse pour m'esquiver. Quel ennui, cette passion pour les plumes. Parce qu'un jour un perron recueille un pigeon aveugle, il faut à tout prix développer l'obsession. À tout prix sombrer dans la folie.

J'annonce à Gisèle que je la quitte. Si le retard n'est plus d'usage, j'essaie la maladie. Une migraine me cisaille le crâne. Je me lève. Elle s'étouffe avec un morceau de pain. Je l'abandonne à ses assiettes, je n'en peux plus. Mais elle refuse de me laisser partir. La bouche pleine de nourriture dansante, elle me demande, bien naïvement :

— Si vous comptiez partir si tôt, pourquoi m'inviter ?

À ce point de la discussion, ça ne s'explique pas. L'intérêt pour la morte ne justifie plus tant d'inconfort. Tant d'animosité.

— Vous avez entendu parler de l'accident ? demande-t-elle.

— L'accident ?

Elle laisse bruyamment tomber sa fourchette, se nettoie le contour de la bouche, se redresse.

— Oui, l'accident, répète-t-elle, indignée. C'est atroce. Une vingtaine d'oiseaux selon les journalistes. Empilés dans la cheminée, ils y sont morts, empêchant l'air de circuler. L'incendie s'est déclenché dans la nuit. Le bâtiment désert, les fenêtres fermées, la fumée n'avait aucune issue. On se questionne sur l'implication des oiseaux dans ce drame. On a mentionné la possibilité d'un piège.

Elle m'observe, la bouche en cœur, heureuse d'avoir fourni la réponse à une question que je n'ai pas posée. Elle parle de piège, mais j'ai peine à croire à un guêpier autre que cette rencontre. Le piège assis devant moi, un souffle féroce de lait caillé, une peau poisseuse. Un piège enveloppé de foulards, de certitude et d'indécence.

— Et l'accident de métro ? je réplique. Vos oiseaux, ils peuvent bien s'enfumer si vous voulez mon avis.

Gisèle se cambre, ses yeux se plissent, elle appuie ses mains sur la table — tant de force elle y met que le meuble s'enfonce dans le plancher. Elle essaie de s'extirper de son siège, mais ses centaines de foulards, retenus par un clou, l'en empêchent, l'étranglent littéralement. Elle bouillonne de rage.

— J'étais venu pour le métro, je dis, pour l'accident de métro, pour la fille, je ne sais pas ce qui m'a pris, on ne se connaît pas. Dans la vie, j'esquisse des plans de bâtiments. Les oiseaux, pour ce que j'en sais, ça se perche sur les toits et ça se soulage sur les façades. C'est la fille qui m'intéresse. Celle que le métro a heurtée à la station Trocadéro, c'est cette mort-là qui m'intéresse.

Je m'attends à ce que le petit chien déchire ses foulards sous l'effet du délire, mais elle se met plutôt à crier. Elle crie. Elle crie si fort. Un cri aigu. Le cri d'une femme de petite taille — leur cri toujours plus strident que les autres.

— Vous.

Elle n'arrête pas de crier, elle hurle, ses yeux s'embuent.

— Vous y étiez.

Elle crie. Les clients protestent, certains avalent leur café d'un trait et déguerpissent, d'autres se contentent d'un profond soupir. D'un geste impulsif, le serveur injurié rend son tablier. Gisèle a bel et bien perdu la tête.

— Vous la connaissiez ? je demande.

Encore, elle crie, peut-être plus faiblement, peut-être pas. Mon tympan a pu s'accoutumer au bruit.

— Cessez, non mais cessez de hurler ! s'époumone le serveur avant de claquer la porte du restaurant.

Sur cette note, elle se tait enfin. Ses lèvres pourtant tremblotent. Elle me regarde avec insistance, épouvantée. Je pose ma main sur son épaule, avec délicatesse, tandis qu'au fond de moi je brûle de lui saisir la gorge pour l'étouffer. Elle replace ses foulards et ferme les yeux.

— Oui, je la connaissais. Pauvre, pauvre petite, c'est triste, c'est si triste.

— Mais comment, comment la connaissiez-vous ?

Elle fronce les sourcils, son front se froisse. Elle s'offusque du doute au détour de cette question.

— Enfin ! Tous les matins, je la rencontrais.

— Elle travaillait au musée de l'Homme ?

— Non, non, je ne crois pas. Non, mais non, elle ne travaillait pas au Musée, non.

— Et son nom ? je dis.

— Son nom ? Mais son nom, aucune idée, allons. Je ne lui ai jamais parlé.

— Mais vous dites que vous la connaissiez.

— Voilà, c'est ce que j'ai dit, grogne-t-elle, impatiente. Je la voyais tous les matins, ça me suffit pour connaître les gens.

Encore une fois, elle a tort. Je côtoie Maché depuis bientôt quinze ans. Je la regarde rabattre les couvertures sur le lit au lever du soleil, enfiler des chaussons et un peignoir par-dessus sa nuisette. Je l'observe lorsqu'elle démêle ses bouclettes. Se brosse les dents. Elle laisse se dissoudre dans le fond du lavabo un nuage de mousse blanche et elle sourit au miroir avant d'entamer sa journée. Je vois Maché depuis tout près de quinze ans, chaque matin, et encore parfois j'ai l'impression que le réveil a lieu avec une inconnue. Malgré toutes ces petites habitudes. Ce n'est pas suffisant.

— La pauvre petite, elle paraissait si malheureuse, continue Gisèle. On aurait dit qu'elle, vous savez, on ne se suicide jamais sans raison.

— Alors, c'est vrai, elle s'est jetée ?

— J'ai tout vu.

— Racontez-moi, Gisèle.

Elle esquisse un mouvement de recul.

— Vous êtes journaliste ? Nom de nom, vous êtes journaliste !

— Mais enfin, je –

— Quel toupet ! Un sale journaliste. J'ai fait le tour de la question. J'ai tout dit. Lâchez-moi. Lâchez-moi !

Et elle se remet à crier :

— Allez voir ailleurs ! Quels acharnés vous êtes ! Oh, vous n'en ratez jamais une.

— Je ne suis pas journaliste.

— Oh, mais si !

— Seulement curieux, seulement perdu.

Je m'éloigne, m'engage vers la sortie. Elle me pourchasse, elle me saisit le poignet.

— Vous savez, je pourrais vous aider, mais je n'aime pas… je n'aime pas parler de cet accident, c'est trop triste.

Partir, partir. Elle ne la connaît pas, elle invente. Je dois partir.

— Gisèle, je suis en retard, si vous voulez bien…

J'essaie de détacher ses doigts, ses ongles enfouis dans ma chair. Il me faut les casser un à un pour me débarrasser d'elle.

— Al, vous devez rencontrer une voyante. C'est ainsi que j'obtiens toujours mes réponses. Celle que je consulte est absolument divine, je vous donne l'adresse, attendez.

Elle retourne à son siège pendant que j'atteins la porte. Me voilà maintenant si loin d'elle qu'elle hurle à pleins poumons pour que je l'entende :

— Vous verrez, elle connaît si bien la vie !

Je la laisse à ses trois cents foulards et à ses assiettes qu'elle s'est presque contentée de regarder — qu'elle règle l'addition ! C'est le prix à payer pour être insupportable. Je franchis la porte du bistrot, sans un regard pour la givrée qui s'égosille derrière. La vie, je la connais bien moi aussi ; c'est la mort ici le problème. Mais elle n'a rien compris.

— À six ans. Il me semble, enfin, que c'était à six ans, j'ai laissé aller tant de détails, depuis, je ne crois pas que je pourrais rattraper les âges pour chaque glas que le vieux père a sonné dans notre enfance. J'avais peut-être sept ans. De toute façon, ce qui importe, c'est la portée de l'acte, qu'il ait été accompli des siècles plus tôt ou hier, la marque n'en demeure pas moins là. C'était la première fois que le vieux père frappait, je veux dire qu'il me frappait. Je ne sais pas qui il a pu blesser avant ce jour-là, à sept ans, on ne s'émeut pas de la misère des autres, c'est vrai. Il n'y a pas de victimes, ce sont tous des bourreaux, c'est le refrain que l'on fredonne pour avoir une vérité à laquelle s'accrocher ou se pendre. Un coup de soulier sur le côté de la tête. On revenait du lac. Le vieux père se déchaussait, voilà. Une parole de trop. Un coup de soulier. Je me souviens du sang sur ma joue. Je m'en souviens parce que j'y avais passé ma langue, même, et je trouvais que cela avait un goût âcre de viande crue, celle que la mère nous obligeait à avaler les soirs où elle en avait marre. De sa cuisine, de ses poêlons, je ne sais pas. J'avais en horreur ces repas. Le liquide rouge qui s'étendait dans l'assiette venait contaminer la purée de pommes de terre ; le liquide rouge, ça donnait l'impression que la mère achevait d'abattre un homme à mains nues. Chaque fois, j'imaginais le vieux père, poitrine béante, échoué sur la nappe à carreaux. Et puis la nausée, la nausée comme une vigne grimpante en moi. C'était la première fois que le vieux père me frappait et ça ne s'est reproduit ensuite qu'à une ou deux reprises. J'en connais qui en ont pris cent fois plus et qui ont tout digéré. J'en connais qui ont pris la violence pour une marque d'affection et qui n'ont alors jamais manqué d'amour. On n'a pas été assez forts pour surmonter tout ça ? Pourquoi on a tenu à leur en vouloir à ce point ? C'était autre chose, non ? Parce qu'aujourd'hui je me demande, écoute, je ne dis pas ça parce que j'ai oublié, non, je n'ai pas oublié les courses dans l'escalier, mon crâne qui est allé se fracasser contre le mur, les jours de jeûne, enfermé dans ma chambre avec un énorme bandage et une sale tête. Je me suis mis à avoir franchement peur la nuit. Je rêvais que le vieux père s'introduisait dans ma chambre pour m'étouffer avec un coussin. Je cachais mon oreiller sous le lit pour avoir l'illusion d'éloigner tout danger. D'être sain et sauf. J'entendais ses pas au-dessus de ma tête et je m'y accrochais. J'entendais chacun de ses pas au-dessus de ma tête, à l'étage. On n'aura jamais su ce qu'il pouvait bien comploter dans cette chambre secrète. Et ce mystère-là, il était assez puissant pour alimenter mes nuits blanches, oui. Parfois, le père s'assoyait sur une chaise à roulettes et parcourait la pièce d'un mur à l'autre, enfin c'est ce que je présume. Tu n'as jamais pu t'en rendre compte, toi, de l'étage, mais coincé sous ce vacarme, j'avais l'impression qu'un train circulait juste au-dessus de moi. Longtemps j'ai cru que le plafond allait s'effondrer, mais il a tenu. Il a tenu et j'ai tenu aussi. Je ne vois pas ce que j'aurais pu faire d'autre. En tout cas, pas à cette époque, non. Et puis il y avait la mère. Qui se contentait de remuer ses potages et de retourner sa viande, de nettoyer toujours plus de surfaces propres, d'allumer la radio à un poste où on parlait toutes les langues sauf la sienne, sans jamais dire un mot. J'ai longtemps cru que le silence était une histoire de mère. Mais Viviane est différente. Quand elle ouvre la bouche pour parler aux enfants, c'est chaque fois pour aimer. Pas la vieille mère. Mais peut-on lui en vouloir, elle devait avoir peur, elle aussi, de dire un mot de travers. Je pense qu'elle n'était pas heureuse. Et je pense qu'elle ne l'a jamais su. Je veux dire qu'elle n'a jamais su qu'elle aurait pu trouver mieux comme vie, ça oui. Mais on ne la refait pas, c'est du passé, voilà tout. Le malheur, c'est qu'il y a trop de gens qui n'ont pas l'idée du bonheur et qui se contentent de peu. De toute façon, ça ne change rien, maintenant, rien au fait qu'en ce temps-là il n'existait pas un enfant qui se sentait plus seul que moi.

Juliette nettoie la table d'un coup de chiffon et, un instant, je revois la mère et son plumeau battre la poussière.

— Tu dis ça, tu le dis comme si ça venait d'arriver, Albert, comme si, comme si ça ne faisait pas des milliers d'années. Tu me parles de ça, du fait que tu te sois senti seul et tout. C'est pour me culpabiliser ?

— Non, ce n'est pas… écoute, c'est très loin, tu as raison.

Elle dépose une pile de feuilles devant moi ; une assiette offerte dans laquelle picorer. Et pourtant, ma faim s'enfuit à l'arrivée du plat.

— Je n'ai jamais cherché à t'empoisonner la vie, Albert.

— Je sais. J'ignore pourquoi c'est revenu me hanter, ce doit être la mère, ou bien… Tu veux que je te dise ? C'est comme grand-père. Je m'arrête au marché pour acheter un contenant de sorbet à la fraise, une fois par année. À l'anniversaire de sa mort, c'est idiot. Je rapporte du sorbet pour Constantin. Il adore ça. Il en redemande. Ça me donne l'impression de lui raconter grand-père alors qu'en vérité on ne dit pas un mot. Tu devrais venir à la maison, Juliette. Ça fait longtemps. Constantin serait heureux. Lorsqu'il aura atteint l'âge des souvenirs, je veux bien qu'il reste gravé de toi comme on l'est tous les deux de grand-père.

Bientôt, je laisse mes mains fureter à travers les pages, des mots me sautent au visage, brutales réalités. Une écriture d'enfant. Juliette reprend brusquement son manuscrit :

— Laisse grand-père, tu veux ? Il y avait beaucoup plus que grand-père. On était si jeunes, on n'a rien compris, Albert. Des fois, c'est sûr, je me dis que j'aurais dû rester. Mais à seize ans, avec toute cette tristesse sur le dos déjà, j'avais une certitude : si j'attends, je risque de tisser mon propre suaire. C'est ce qui s'est passé, au fond. J'ai fait l'égoïste, c'est vrai, je n'ai pas pensé que si on avait supporté jusque-là, c'était à la complicité que ça tenait. J'avoue que j'ai cru que tu prendrais peut-être aussi ton baluchon pour décamper. Mais bon, à ton âge, tu… Il a fallu que tu résistes encore un peu.

Elle fait danser ses feuilles entre ses doigts.

— Tu t'es remise à l'écriture ?

— Oui.

— D'autres fantômes ?

— Non, enfin, oui, en quelque sorte. Je parle de nous. Des vieux, surtout. Ce n'était pas facile, ça m'a pris des années. Je traîne ces histoires depuis si longtemps. Tu sais, il a fallu que je m'exile pour écrire à propos de tout ça, de… Être loin, m'installer ailleurs. Et puis, remettre grand-père sur les rails.

Sur les rails. L'expression me fait frissonner.

— Avec maman qui est morte, j'ai mis le point final. Tu sais, Albert, je n'ai pas voulu…

Elle me prend la main, délicate et en même temps sournoise.

— Ce que tu as vécu, ajoute-t-elle, c'est important aussi. En fuyant, j'ai enjambé des années qui ont été difficiles pour toi. Mais avant, avant cet épisode, quand nous y étions tous les deux, disons que tu détenais le beau rôle.

— Le beau rôle, enfin ! C'est écrit dans tes mémoires, ça ? C'est ta version, pas la mienne.

On reste le seul à se prendre un soulier par la tête, mais cette violence-là, au fond, est dérisoire, c'est ce qu'elle me dit. Un rôle, on le joue avec le sourire, voilà. Parce qu'on est homme, capable, parce qu'on se retient de pleurer. Parce qu'il y a pire, on s'en convainc. Je ne me souviens pas de Juliette la tête penchée pour éviter de la perdre sous le choc, non. Ça ne s'est pas passé ainsi.

— Mets-toi à ma place, lance-t-elle. Ose me dire aujourd'hui que tu aurais accepté de changer avec moi.

Je n'arrive pas à lâcher un mot ; ma pensée se perd dans le tourbillon de sa brutalité. Et puis, je rencontre un barrage que les souvenirs ont construit, qui m'empêche de me rappeler. Je n'arrive pas à me défendre, parce qu'à voir Juliette serrer contre elle ce manuscrit rempli de l'encre de nos déboires, je comprends qu'elle a raison. Son départ était la seule solution. Et je sais aussi qu'en d'autres circonstances je l'aurais suivie. Pas une minute ne s'est ensuite écoulée sans que je regrette mon inertie. Mais ça, je ne l'avouerai pas à Juliette. Inutile d'enfoncer dans la plaie le loquet de la porte que je me suis refusé à fermer avec fracas.

Sur la table, la sœur dépose pour de bon son sanctuaire de mots, sorte de drapeau blanc. Je me débarrasse difficilement de ma rengaine, rechigne encore un peu, puis pose enfin la paume sur son ouvrage. Je feuillette les trois parties de son œuvre un peu mécaniquement, je l'avoue. Je ne sais pas si elle attend de moi quelque chose, je ne lui offrirai pas de la lire. J'ai peur de détester ce qu'elle a déformé de notre souffrance.

Juliette sent ma réticence et c'est pourquoi elle glisse son manuscrit dans une enveloppe avant d'étaler devant mes yeux ses cartes de tarot. Elle cherche à me déstabiliser. Elle me nargue avec son sourire édenté de cheval miniature.

— Tu n'es pas venu pour qu'on se dispute, dit-elle. Je sais ce que tu cherches.

Cette manière de préméditation me secoue l'estomac.

— Juliette, tu connais mes réserves, je ne…

Elle mélange les cartes, puis les dispose. Elle met l'avenir à ma portée. Le tarot, pourtant, j'y crois autant qu'à la fin du monde pour demain. Juliette peut bien raconter le récit qui l'enchante, ça demeure de la supercherie. C'est ainsi qu'elle a orienté sa vie. Pour ce que j'en sais, son plus grand don, la sœur, c'est de mentir pour les besoins de la cause. On la paie, à vrai dire, pour enfiler un masque, se faire passer pour quelqu'un d'autre. Elle a étudié les langues, Juliette, pour répondre à des lettres, au final. Écrire à des enfants. Des enfants qui, à l'école, reçoivent le mandat de correspondre avec l'étranger. Un programme pour encourager une plus grande ouverture sur les peuples. Étendre les horizons. Ces jeunes, ils ont l'illusion d'une amitié qui traverse les frontières quand ils déposent leur lettre dans la boîte du courrier. Des centaines de missives, Juliette en reçoit trois fois par an. Elle jongle avec plus de quatre cents personnalités distinctes, maîtrise au moins sept langues, les autres, elle les invente. Elle s'installe à sa table d'écriture dans son logement miteux qui surplombe le cimetière du Père-Lachaise et elle répond soigneusement à toutes ces lettres. Sans en oublier une. Avec vue sur les tombes, elle ouvre les jeunes sur le monde.

Et puis, elle offre des séances de tarot. Je n'ai jamais vu que de vieilles femmes ou des suicidaires entrer dans son taudis. Elle leur expose le roman de leur vie et, peu habitués à ce qu'on leur fasse la lecture, ils partent convaincus que le lendemain débutera l'épopée tant attendue. On peut tout raconter à quelqu'un qui a le nez collé sur la fin de son histoire. Aussi, avouons-le, c'est moins cher qu'un psychologue. Aussi efficace ?

Je ne veux pas m'étendre sur le sujet, cela me placerait dans une position inconfortable entre la sœur et Maché, l'une finirait par fuir, l'autre par pleurer.

Elle n'a pas choisi une voie facile, Juliette. On ne part pas de chez soi si jeune, sans moyens, en s'assurant une vie de pacha. On bâtit un monde par-ci par-là, on creuse son identité dans des contrées sauvages, on suit les bourrasques où elles nous mènent. On veut seulement survivre. Je ne sais pas, je ne l'ai pas vécu. La solitude oui, mais pas comme elle. L'ombre de la mère et du vieux père restait toujours derrière.

— Tu sais ce que j'en pense, Juliette. Je ne crois pas que tu puisses m'aider avec, enfin avec tes tarots, je veux dire –

— Non ? Bon, alors, désolée. J'ai cru que tu étais venu pour ça.

Oui, non, j'imagine. Pour la morte, surtout. Parce que mes idées s'emmêlent. Je suis là pour, pourquoi suis-je venu, dis-le. Ta tête de boule de cristal en sait déjà bien plus que moi.

— On m'a conseillé de consulter une sor…, une voyante.

Elle pouffe de rire et gesticule, si bien que quelques cartes s'échappent de son jeu et s'en vont choir au sol.

— Conseillé ? se surprend-elle. Depuis quand ce qu'on te dit t'importe ? Et puis d'abord, je ne suis pas une voyante.

— Laisse les nuances, je, j'ai besoin de tes, de tes pouvoirs, voilà.

Son rire s'envole ; il ne reste plus que son œil sévère, celui qui redoute la confidence, l'annonce d'un drame qu'elle n'aurait pas vu venir.

— Que veux-tu savoir ? demande-t-elle.

— Eh bien, c'est… tes cartes peuvent-elles révéler, par exemple, les, des détails du passé ?

— Le passé ?

Perplexe, désormais.

— Je sais que, en un sens, tu prétends, oui, alors, tu peux prédire l'avenir, si ? Mais, tu vois, je… vois-tu, là, je voudrais accéder aux, disons, aux secrets, aux secrets d'une vie révolue.

Juliette glisse une main sur son interminable front, qui semble s'être allongé au cours de notre échange. Ses yeux roulent et elle laisse s'enfuir un profond soupir de découragement tandis qu'elle se penche pour cueillir sur le tapis *le Diable*, *le Jugement* et *la Mort*.

— Je ne comprends pas, souffle-t-elle. Qu'essaies-tu de déterrer ? Grand-père ? Encore lui ? Albert, non mais arrête, c'est vrai.

— Pas pour moi, Juliette. C'est pour quelqu'un d'autre.

— Oh.

Son regard farfouille un peu partout. Ses ongles tambourinent sur la table. Elle se lève, revient s'asseoir, se relève ; cette danse au gré de la musique du silence.

— Je ne peux pas, Albert.

— Mais si, allons.

— C'est pour lui, c'est ça ? Pour le père ? Je ne crois pas que ce soit une bonne idée. Fichons-lui la paix.

— La paix, tu as raison. Mais ce que je te demande n'a rien à voir avec le père ni avec grand-père. C'est pour une femme que tu ne connais pas.

Juliette laisse échapper un rire de grelots, puis un hoquet de soulagement.

— Dans ce cas, oui, je le ferai, annonce-t-elle. Tu n'as qu'à lui donner mon numéro ou amène-la, on pourra entreprendre une séance tous les trois.

— Je veux bien, mais je ne peux pas. C'est un cas, disons –

— Un cas ? Quel cas ? Elle est paralysée, impliquée dans un procès, quoi ?

Je secoue la tête avec insistance.

— Non, c'est plus compliqué.

— Plus compliqué, oui, c'est si compliqué avec toi, Albert.

Je ne vois pas comment j'aurais pu aboutir dans la simplicité : grand-père assassiné par les merveilles du monde, le vieux père claustré dans une pièce condamnée, la sœur qui déserte la maison à l'âge des poussées d'acné. On ne s'y fait qu'à demi. Les doutes surgissent, la tête tourne ; on passe sa vie à vaincre son haut-le-cœur.

— Tu vas m'aider ou non ? je dis. Autrement, je repars comme je suis venu.

— Tu te calmes. D'abord, cesse de faire des scènes et on arrivera peut-être à s'entendre. Ensuite, le passé, le passé, on peut en deviner des parcelles, oui, mais pour ce qui est de déterrer des secrets, je ne m'appelle pas Dieu. Si tu veux connaître cette femme, pose-lui franchement des questions. Mais attention, si c'est pour séduire, je ne veux pas m'en mêler.

— Séduire, mais enfin !

C'est de la provocation.

— Après ton départ, j'ai rassemblé mes affaires et je me suis installé dans ta chambre, à l'étage, pour trouver le sommeil. J'ai détruit notre tente, tu t'en doutes.

La confiance, elle avait disparu aussi, mais, en quelque sorte, j'espérais que tu reviennes. Avec le temps, j'ai compris que ça n'allait pas se produire. J'aurais voulu que tu… Je ne t'ai rien demandé. Je veux que tu saches que, malgré tout, je ne t'ai jamais rien demandé.

— Ça va, ça va.

Elle se laisse choir dans un fauteuil de plumes rose qui habille le coin de la pièce.

— Si tu y tiens, je t'aiderai, lâche-t-elle. Tu n'auras qu'à m'emmener auprès de cette femme.

Juliette m'observe. Ses yeux noirs se confondent avec l'extérieur, avec l'habit qu'enfile à peine le soir. Toujours eu cet air lugubre de pluie d'automne, Juliette : des cheveux qui basculent d'une couleur vers une autre, du rouge vers le jaune, et quelques résidus de teinture résignés qui sillonnent sa tignasse, pâle copie de l'arc-en-ciel des temps maussades. Un arc-en-ciel à l'ambition de toucher le sol. Crinière qui s'étire, s'allonge, prospère. Plus touffue de fois en fois. Plus longue, infiniment trop. Pratiquement un tapis pour ses pieds.

— Renard, soupire Juliette.

On ne la trompe jamais, cette sœur. Je ne la trompe jamais. Elle arrive à tout savoir, et c'est sans allusion à un quelconque don de voyance : je parle de complicité. Je parle d'entente tacite, d'une grande sœur prisonnière du même berceau que le mien. Une compréhension qui surpasse l'expérience commune, la traversée similaire, différente du lien qui unit tous les grands brûlés du monde ou les victimes d'amours déçues. Un calvaire semblable, certes, mais au-delà de ces regards lourds d'obscurité et de peur, au-delà de ces rendez-vous nocturnes sous des couvertures rugueuses, à l'abri des voix accusatrices et des pas saccadés, au-delà du partage de longs silences hantés de sanglots retenus, il y a eu des confidences. Avec Juliette, des codes secrets, un langage crypté, d'imposants débarcadères de sentiments coincés au fond de la gorge. La grande sœur couvait son frérot, et pendant ce temps, personne ne prenait soin d'elle. Grand-père l'entourait d'attentions, mais on l'a perdu trop tôt. Quelques années de plus avec lui auraient peut-être suffi à panser nos blessures. Elle a manqué de soutien, Juliette, d'accompagnement. Mais je ne réalisais pas, non. La solitude, des mondes imaginaires qui naissaient à travers ça.

— Il va falloir que tu m'expliques, Albert.

Entre nous, aucun secret. On s'est toujours tout révélé. Hormis l'ambition de son départ qu'elle a plutôt confiée à ses cahiers. Quant à moi, je l'ai appris quand je l'ai vue quitter le perron. J'étais âgé de treize ans et déjà contraint de traîner mon âme comme un poids mort. Elle est revenue une fois, Juliette. Cinq ans plus tard. Elle m'a tendu une note. C'était tout. Sur ce billet luisait son numéro, délicate insulte.

— Numéro trois, enfin, la troisième position. Cette carte, explique Juliette, peut nous en dire plus long sur le passé de cette femme. Des émotions ressenties jadis, des événements. Évidemment, les données resteront imprécises, à moins qu'elle coopère. Elle est amnésique, dis ?

— Non, pas vraiment.

— C'est une folle ?

— Mais non ! Elle est plutôt… morte.

Disant cela, je me reconstruis. On vient de recoller en moi les lambeaux de chair qui pendaient, sorte de brûlure qui s'apaise. Juliette se lève de son fauteuil en flamant rose. Elle exécute trois longueurs puis récupère son jeu de tarot.

— Elle est morte, répète-t-elle.

Soudain, Juliette est prise de convulsions. Elle éclate d'un rire sordide, s'abandonne au sol, et ses cheveux frétillent. Je ne sais pas ce qui me retient de partir.

— C'est une plaisanterie, si ? Elle est morte, Albert. Les tarots ne peuvent rien, qu'est-ce que tu, c'est maman, tu parles de maman.

— Non.

— Non ?

— Non.

Un instant, je me demande si, en effet, je ne parle pas de la mère. Mais impossible de recréer une image nette. Les contours flous de sa silhouette se perdent dans la clarté du regard de la morte. La fille du métro m'implore de tout son corps inerte. Les cris m'assourdissent. Non, ce n'est pas la mère, pas cette fois.

— Alors qui ?

— C'est un peu ça, c'est la réponse que je cherche. Qui ?

— Tu t'es trompé en venant ici, me lance Juliette.

— On m'a dit que les voyantes…

Elle gesticule. Son tapis de cheveux virevolte dans les airs.

— Oui, eh bien, je ne suis pas une voyante.

— Tu as raison, on n'y peut rien. Elle s'est tuée devant moi, c'est tout. Le métro l'a fauchée, c'est tout.

Le visage de Juliette se radoucit.

— J'ai marché l'autre jour, dans les rues, près de la station où elle est morte, j'ai marché pour la retrouver. Pas tout à fait, disons la connaître, oui. Tu riras, mais j'ai cette sensation qu'elle m'a choisi, qu'elle essaie de… Tu peux l'aider à me parler, peut-être. Juliette, je l'ai vue, j'ai reçu de son sang, de l'eau bénite, bon Dieu.

La sœur s'approche de la table. Elle étale ses cartes de tarot. Des gestes secs. Hautaine, elle m'ordonne :

— Tu t'assois, oui ?

Un mince sourire glisse au coin de mes lèvres. Me céder la victoire, une fois de plus. On sait tous les deux qu'elle n'a jamais osé me laisser perdre, jamais.

— Mais c'est inutile, tu verras bien. Il aurait fallu qu'elle soit… bon écoute, on va fonctionner autrement. Pense à elle, concentre-toi pour penser à cette femme. Choisis une carte.

Elle divise le paquet en trois et place les cartes selon un ordre précis.

— Viviane est au courant ? dit-elle.

— Pas pour le moment.

— Tu lui en parleras ?

Juliette retourne la troisième carte, celle-là, la seule. Un étrange lutin, la tête en bas, les pieds retenus par une corde. La sœur émet un gloussement.

— C'est le pendu.

— Le pendu.

— La carte du malheur, ajoute-t-elle.

— Hum.

— C'est la carte du malheur mais aussi celle du choix. Albert, c'est ridicule, arrêtons. La personne concernée doit être présente, autrement, les cartes ne signifient rien. Ou bien elles traduisent ta pensée parasitée, la tienne, pas celle de cette femme.

— Tu as tort, Juliette. Ça explique l'acte qu'elle a commis.

Juliette redevient sévère :

— J'espère au moins que tu te rends compte que cette révélation te concerne aussi.

Elle m'observe, sourcils crispés. La grande sœur protectrice.

— C'est du délire, Albert. Elle t'a choisi, elle t'a choisi, elle épie tous tes gestes, elle s'est réincarnée en toutes les femmes, elle va prendre possession de ton âme, elle contrôle le vent et les marées, non. Elle s'est tuée, tu es choqué. Pas de quoi écrire un roman.

— Mais elle a sauté à ce moment précis où je –

— S'il fallait que chaque passant sur le quai ait l'impression d'avoir été visé par ce geste. Elle ne s'adressait pas à toi, elle a décidé de mourir pour elle-même. Le métro, c'est un aimant pour les suicidaires. À Montréal, à l'époque, les trains étaient constamment interrompus. Montréal ou ici, c'est du pareil au même. Cette femme ou une autre, tu perds ton temps. Au lieu de harceler les morts, va gambader au parc avec Constantin.

— Tu ne comprends pas.

Comment aurait-elle pu comprendre ? Elle n'a pas d'enfant ni cette autre moitié qui l'attend lorsqu'elle rentre, sa Maché. D'ailleurs, elle ne revient jamais d'où que ce soit, elle demeure cloîtrée dans ce cagibi avec des êtres imaginaires depuis qu'elle a quitté le Canada. Isolée du reste du monde, de ceux qui plongent sur les rails, de ceux qui crient, et puis de ceux qui pleurent. Elle a le nez collé sur les tombes, obnubilée par les spectres. La dernière étape de la vie. Quand il ne reste plus que l'épitaphe, à jamais le nom creusé dans le marbre.

— À t'entendre, se révolte-t-elle, tu es le seul à tout comprendre.

Je me lève.

— Ne pars pas !

Il paraît qu'on ne détient aucune prise sur le départ des autres, chère sœur.

— Reste, je t'en prie. Qu'est-ce qui t'arrive ? fait-elle. Ressaisis-toi, tu as pris un sale coup de vieux. Aurais-tu… tu as commencé à perdre des cheveux, si ?

Sa figure s'attriste. Elle s'approche, m'étreint. Mon corps se serre. Je promène sur son tapis de cheveux une main tremblante. Juliette réalise que la fille du métro représente plus que la carcasse d'un raton sur la chaussée.

— Cette femme te perturbe à ce point ? demande-t-elle. Tu sais qu'elle ne reviendra pas ? A-t-elle seulement existé ?

Il fallait s'en douter, tant de tendresse pour amortir l'effet de paroles insidieuses. Juliette, petite médaille tournante. Le bon chez elle prépare à coup sûr le mauvais.

— Je vais me débrouiller, je dis en mettant fin à l'étreinte. Quant à toi, sors de ce trois pièces, il étouffe tes idées. Tu peux bien me parler de Constantin, de sauts et de gambades, tant que je ne verrai pas courir des enfants entre tes quatre murs, tu n'as rien à m'apprendre.

Dans ses yeux, elle le cache, mais je remarque ce voile de tristesse digne des journées au lac à jamais perdues. Les enfants et l'autre moitié, ce manque à combler, éternelle solitude.

— Pardon, dit-elle. Pardonne-moi, je vais t'aider, je vais me renseigner sur cette fille, je le ferai. Mais, penses-y bien, Albert, cette vie-là ne te regarde peut-être pas.

Juliette a renoncé à cet enthousiasme qu'elle épingle normalement à ses gestes ; les mains clouées dans ses poches, ses cheveux rangés, un regard fugitif. J'ai l'impression qu'elle ne veut pas me laisser partir.

— Tu es déçue ? je dis.

— C'est de l'inquiétude.

— Écoute, je suis seulement curieux, je ne fais rien de mal. Laisse Viviane se charger de l'inquiétude.

Le rire que nous partageons alors n'est qu'un rire de secours. Une sortie pour fuir la discussion. Pour ne pas tomber à nouveau dans le vif du sujet, dans ce qui blesse, retourne la poussière, pour rien.

J'enlace ma sœur une dernière fois, je lui offre l'armure de mes bras. Puis, je sors.

— Ah oui, j'oubliais, Yasmine a adoré ton dernier livre.

— Vraiment ? Écoute, je rendrai visite aux enfants bientôt, d'accord ? D'ici là, je vais aller à la chasse aux vieux journaux. Je parie que le nom de ta damnée doit se trouver quelque part. Espérons qu'elle en ait un.

Quelque part, son nom. Son nom. Creusé dans le marbre.

Je m'attends à trouver Maché assise à la table ; Maché et ses liasses de feuilles qu'elle rapporte du bureau, quelques aliments en train de frire sur le feu, la fenêtre entrouverte pour laisser s'évader les effluves de graisse. Je tombe plutôt sur Yasmine, affalée sur sa chaise, qui récite à haute voix un passage de son livre. Aucune trace de friture, aucun volet ouvert, que la lecture rocailleuse de Descartes qui s'élève dans le silence comme une homélie :

— *... recevoir jamais aucune chose pour vraie que je ne la connusse évidemment...*

Elle annote son ouvrage. Tourne la page, plisse les yeux. Se concentre. Je n'y change rien. Seule au dix-septième siècle.

— Ta mère est là ? je demande.

Elle lève la tête vers moi. Un regard, le plus insipide qui soit. Et, de nouveau, elle se penche sur son *Discours*.

— *... se présenterait si clairement et si distinctement...*

— Le repas, qui s'en occupe ?

Yasmine se mordille la lèvre supérieure. Ferme les yeux. Soupire.

— Tu vois bien que je lis, non ?

Je vois, je vois. Difficile d'en faire abstraction ; la grande se laisse instruire par des théories obsolètes, espérant résoudre le mystère de l'origine du monde grâce aux conseils abscons d'un philosophe au tombeau.

— *... n'eusse aucune occasion de le mettre en doute.*

La jeunesse a la crédulité facile.

— Bon, ferme ce livre.

L'insupportable Poméranienne, la sœur voyante plutôt volante et, à présent, le fossile savant : trop de personnages en un jour.

— Tu n'as pas un copain qui t'attend, dans le lit, que sais-je ? des travaux, une vie ?

Yasmine se redresse. Reine de perplexité. Sous l'émotion, son doigt glisse et son livre se referme sur une page perdue. Prise de panique alors, elle fait défiler les feuillets. La voir ainsi pédaler, les yeux gonflés par des larmes lourdes de frustration, j'ai la poitrine tordue de pitié.

— Le passage, c'était à propos du doute, je crois.

Ma preuve de bonne volonté. Mais la jeunesse a aussi la rancune facile.

— Dans ce cas, tu diras à maman que je ne viendrai pas dîner. Je ne vais pas revenir coucher non plus.

Elle me scrute du coin de l'œil, la tête penchée sur Descartes à chercher bravement sa page égarée. Je lui saisis le menton pour le soulever.

— C'est qui cette fois ? je dis.

— C'est Réal.

— Nom d'un chien, Yasmine, un autre ! Et puis, bon sang, il a quel âge ? Tu sais bien que ta mère –

— Mais c'est toi qui –

— Oh, et puis, laisse tomber.

Rien à faire de cette discussion qui ne la mènera nulle part ailleurs que dans un énième lit. Aussi, je viens de repérer la tour de journaux érigée sur le coin du comptoir. Yasmine en moins, je serai tranquille pour exécuter le projet de Juliette, la chasse aux noms. Je détruis la tour et la répands sur la table.

Sa liberté accordée, Yasmine grimpe en bourrasque dans sa chambre. J'hésite à la rejoindre pour jouer au père. Broder autour des effets néfastes d'une exposition du corps à l'excès, il faut le dire, c'est un peu ma bête noire. Maché finirait, j'en ai peur, par s'immiscer dans le discours — j'en viendrais nécessairement à justifier son mal de mère — mais bon, voilà, les deux femelles s'en veulent autant que les deux Corée. On peut s'attendre au pire. N'empêche que discuter avec Yasmine aurait pu, en d'autres circonstances, dissuader sa libido de jeune femme, je ne sais pas. Qu'y a-t-il de mal à m'imposer, comme j'ai évité de le faire pour Juliette à l'époque ? C'est peut-être ce qui a manqué, ce qui aurait abattu le voile d'incompréhension, et du coup l'inconfort de toutes ces hantises qui sont venues ensuite. Je ne l'ai pas fait pour grand-père, alors que j'aurais souhaité relier une cause à sa mort, et une destination. Yasmine n'est encore qu'un embryon de mauvaise foi. Une bouée lui suffit peut-être.

Mais les bouées attirent les noyades et Yasmine dégringole les escaliers — main au livre, sac au dos — avec ce sourire chantant de celle qui se croit libre comme l'air, puis elle défonce la porte d'entrée, non sans me prévenir au passage :

— Le rôti est dans le four!

Pas le temps de cligner des yeux devant sa jupe japonaise et ses talons Eiffel. Elle me dérobe le regard, la parole: un pickpocket du départ. Sa mère se scandalisera du vol.

Je pourrais la suivre, Yasmine, je veux dire la suivre et la ramener, lui tisser une robe de grand-mère, lui souder un scaphandre au corps, je pourrais, mais je n'en ai pas l'envie. Pas l'envie, pas la force ni le souffle. Mon souffle se prépare à la course aux journaux sur la table, à ce rallye aux multiples articles, trop brefs, trop sommaires, trop flous, l'accident trop brièvement évoqué, quelques lignes seulement sur la morte du métro comme si les autres catastrophes, elles non plus, n'avaient pas pris congé. Et je sais qu'on y parle d'elle, je me souviens des faits divers; on peut voir la foule sur la photo, la faïence orange malgré les tons de deuil, on peut voir le métro et presque entendre les cris. J'entends encore les cris. J'entends son gémissement, je me fraie un chemin parmi les cris et il y a sa voix, au bout du labyrinthe, sa plainte, très ténue, timide, elle m'appelle.

Enfin, je sais qu'on parle d'elle, c'est tout. C'est Trocadéro, c'est le matin, très tôt en matinée, c'est cruel, voilà. Elle est morte et on en parle, en quelques lignes seulement. Je retrouve ces lignes, les relis. Deux, trois phrases, tout au plus. Chaque journal a ses trois phrases tout au plus, mais dans ce tout au plus trois phrases, on ne la nomme jamais. On ne la nomme nulle part, aucun nom, bientôt on la surnomme la morte, croyant peut-être que, parmi tous ceux qui ont perdu la vie ce jour-là, on saura la distinguer du lot, la morte. Oh, à quelques reprises, *la fille du métro*, comme si elle appartenait à ce lieu, qu'elle y vivait, n'avait d'autre endroit où aller, destinée à s'y perdre. C'est peut-être ça, au fond, je veux dire c'est peut-être ce qui l'a poussée. Fuir l'étiquette. L'*inidentité*.

Bientôt je trébuche sur Gisèle Bourguignon, c'est donc ici qu'elle se cachait, la bichonne. Et nommée, en plus : on prend la peine d'écrire clairement son nom, en grosses lettres bien distinctes. Le fait qu'elle parle à n'en plus finir lui donne le privilège de voler la vedette à celle qui a choisi de se taire. Je retrouve dans l'annuaire le numéro de téléphone du journal. Au bout du fil, un homme éclate d'une voix fracassante :

— Vous avez un scoop ?

Un scoop.

— Il y a quelqu'un, oui ? Hé, ça vient ?

Nous y voilà, le sosie langagier du petit chien fou. Le débit, l'impatience : une tempête de mots qui frappe sans avertir.

— Oui, eh bien… j'ai peut-être une exclusivité, mais en échange, je –

— Un échange ? On n'échange rien ici, ce n'est pas un club, c'est un journal !

Avec sa voix de rogomme, je l'imagine bien une cigarette dans la gueule en train de menotter l'air de ronds de fumée. Les pieds sur la table, deux belles chaussures lustrées, cirées du matin par un collègue pour presque rien, sauf du chantage. Je réponds :

— Ce que je veux, c'est une information.

Il retire ses chaussures du pupitre, je l'entends d'ici, le froissement des feuilles qu'il dispose devant lui, et son stylo à plume, duquel il retire le chapeau subtilement. Il a mordu à l'hameçon. Sa voix suave tout à coup ressemble à une prière.

— Votre scoop, alors, c'est à quel sujet ?

— Une chambre secrète. Mais avant, je cherche un nom.

— Un nom ?

En vérité, mon imagination vient de prendre un mur. Je ne sais pas quoi inventer derrière la porte de cette chambre. Je rends mon diplôme, docteur ès tergiversations.

— Oui, voilà, un nom.

— Une chambre secrète, vous dites. Quel nom il vous faut ?

Je me doute qu'il en voit passer des nommés, il en voit passer des centaines, et un jour ou l'autre, les noms, tous les noms, ils se couchent sur papier et finissent par livrer le même sacré message. Pour lui faciliter la tâche, je lui récite l'article de mémoire — deux phrases, rien de sorcier, ça ou retenir l'alphabet de base.

— *Il semblerait que le métro ait heurté le corps d'une jeune femme affalée sur les rails de la station Trocadéro. De nombreux usagers ont été témoins de la chute de cette fille, dont Gisèle Bourguignon.* Alors, cette morte ? Comment elle s'appelle ?

— Je ne sais pas, répond-il d'un ton bourru.

Sa cigarette vient peut-être de s'éteindre et il remarque du coup que c'était sa dernière.

— Vous êtes qui ? lance-t-il soudain, et je sens traîner derrière cette réplique une ombre de suspicion.

— Écoutez, en échange de son nom, je vous laisse le mien.

— Aucune idée du nom. Et puis, je ne vois pas de quel article vous parlez.

J'en suis maintenant à tourner autour de la table, l'appareil ancré dans mon oreille, ma main tremblante collée à l'appareil. Le journaliste se racle la gorge :

— Si on a omis de nommer la victime, c'est sans doute qu'on ne détenait pas l'information. S'il y a enquête et tout. Autrement, on inscrit les noms, voilà.

Et puis le silence. Je n'y crois pas, il a raccroché. J'ai envie de me recroqueviller par terre et de pousser quelques sanglots ; cependant, je me surprends plutôt à frapper la table avec le combiné. Des ecchymoses apparaissent sur le meuble battu. Je suspends mon geste.

— Écoutez…

Faible grésillement, une petite voix nasillarde se détache du combiné que je porte à bout de bras. Je m'empresse de répondre à cet honorable journaliste ; envolés son air frondeur, son cancer du poumon et ses chaussures cirées à coups de menaces.

— Oui ?

— J'y pense, fait-il, c'est peu probable, ce papier.

— Je l'ai devant moi.

Je froisse les feuillets, les déchire, les lance un peu partout, je n'arrive plus à mettre la main sur cet article.

— Vous savez, reprend le journaliste, on évite comme on peut les histoires de suicide dans le métier.

Je ne saisis pas.

— Par principe. Pour ne pas, disons, encourager le geste.

Une griffe me lacère la langue. Je me retiens tant que je peux, mais c'est plus fort que moi :

— C'est ma mère, je dis.

Son mégot lui brûle les doigts.

— Hum.

Au point où nous sommes rendus dans la démesure.

— J'ai besoin de connaître le nom de ma mère.

Je ne l'entends plus. En fait, si, je l'entends respirer, mais c'est un souffle instable. Il doit s'être levé, contourner son pupitre, il doit vérifier autour de lui si l'un ou l'autre de ses collègues n'a pas toujours la main à la presse — avec un peu de chance, l'actualité a décidé de prendre des vacances. Il va se rasseoir et, pris de pitié pour mon âme endeuillée, il va me dévoiler le nom de ma mère morte.

Il toussote. Une toux timide. Une façon de tourner autour du pot.

— Disons, hum. C'est, vous, le nom de votre… je ne crois pas, l'article. Bon, euh, je vous offre mes sympathies, pour votre… ou enfin, pour cette femme.

Puis :

— Et, hum, pour le scoop ?

— Vous l'avez votre scoop ! je lui envoie avant de raccrocher.

Il peut bien se contenter de tout au plus trois phrases pour écrire ses articles. À protéger les détails comme il le fait, il ne reste plus grand-chose à dire. Même un père n'a aucune chance de savoir, en lisant ce journal, que sa propre fille vient d'être fauchée par un train. Si ça se trouve, quand je vais mettre la main sur le père de l'innommée, je lui apprendrai du même coup le décès de son enfant et il succombera devant moi à une crise cardiaque. Je me retrouverai alors avec deux morts sur la conscience, pour ce poltron de journaliste qui n'a pas eu le courage d'écrire la phrase qui manque et d'avouer ses torts.

Mais bon, il faut se résigner. Critiquer le professionnalisme ne m'aide en rien. Pendant ce temps, la case dans laquelle je devrais inscrire le nom de la morte reste blanche. Avec la Bourguignonne et Juliette qui ne m'ont mené nulle part, et cet amateur qui a volé mon scoop, tout m'invite à laisser la fille du métro reposer en paix. La sœur, encore, a tout à voir là-dedans ; elle a tant insisté pour que j'abandonne. Ça ne te concerne pas. Mais ce qui ne nous regarde pas se jette parfois sur nous à bras raccourcis. C'est comme le vieux père et sa cachette, le vieux père et son enfermement.

Courir dans l'escalier, courir dans le couloir, se prendre les pieds dans la carpette au bout du corridor, s'effondrer au sol, se tordre de rire, se tordre de rire, c'est vrai, il y avait ça, ces moments à quatre pattes, les yeux ridés par l'effort de bonheur, les dents tels des joyaux brandis, mais c'était aussi rare que les journées au lac.

Grand-père aurait pu nous avertir que les portes sont comme des yeux fermés sur nos désordres. Mais oui, grand-père, c'était le genre de phrases bien lourdes qu'il gardait dans sa poche pour les sortir en temps voulu. Mais le temps a tué grand-père avant qu'il ne déballe son sac. Alors nous n'avons rien compris.

La tornade de rires tout au fond du couloir nous menait inévitablement devant cette porte fermée. Un jeu. Un dragon à combattre au terme de l'aventure; derrière cette cloison se trouvait sûrement une princesse à délivrer du mal.

Nous écoutions. Le vieux père dans sa chambre secrète. Nos oreilles curieuses contre la paupière-close-sur-moult-désordres. Nous ne savions taire nos ricanements. Nos mains baladeuses sur le ventre du dragon, elles devaient irriter le vieux. Nous tentions naïvement de l'entendre exister. Si de l'autre côté ne provenait jamais grand bruit, nous en inventions.

— Il a parlé. Je l'ai entendu parler. Il y a quelqu'un avec lui.

— Il s'est mis à tousser.

Nous imaginions le vieux père au cœur d'un exercice intense, l'escalade d'un mont aménagé dans la pièce, un labyrinthe duquel il n'arrivait plus à sortir, des espaces sordides qui le laissaient en sueur, en lambeaux, en train de mourir d'épuisement.

Nos joues incrustées dans le bois, nous nous laissions bercer par le silence de cette porte vers l'inconnu. Comme en transe, à l'abri du danger, nourris par notre imaginaire.

Mais il fallait que le vieux père nous prouve que rien n'est éternel. La poignée pivotait. La princesse enlaidie glissait sa tête dans l'entrebâillement. Les dents jaunies, serrées, le regard pointé sur notre tempe. C'était fini désormais.

Nous n'avons plus recommencé.

Nous avions le malheur de piétiner le devant de sa porte ensuite, et le vieux en avait pour des jours à nous rebattre les oreilles avec le respect de ses convenances.

La mère se voyait contrainte de nous rationner aux repas. Deux piètres combattants nous étions, contre des ennemis plus forts que tout.

La poignée pivote. La tête de princesse et ses deux monstres dans l'entrebâillement de la porte. Des sacs plein les bras qu'elle laisse échapper à demi. Ses yeux de catapulte en voyant ma tête estampillée d'actualités pour avoir dormi un peu trop contre les propos oiseux de Gisèle Bourguignon.

— Que fais-tu à la maison ? dit Maché, pendant que Constantin me saute au cou et que Rodrigue m'envoie la main.

Ce que je fais là ? Je suis arrivé en retard à l'agence pour un loulou que l'excès de foulards autour du cou a rendu dément. Que dire ? J'ai prétexté une migraine pour échapper au patron, avec l'intention de soutirer la vérité à une voyante. J'ai plutôt hérité d'une colère et d'un lot de réprimandes. J'ai croisé la grande en rentrant au bercail ; elle m'a sommé de te dire qu'elle partait pour la nuit occuper l'entrejambe d'un mec au nom burlesque, *serial*. Il ne manque plus que le *killer* et on la perd pour de bon. J'ai appelé dans un club échangiste, me suis trompé en composant ; le message enregistré n'a pu apaiser mes tracas. As-tu d'autres questions ?

— Tu dormais ?

Elle dépose sur la table ses sacs-plein-les-bras.

— Qu'est-ce que c'est ? demande-t-elle.

Elle caresse la blessure causée par l'appareil, fronce les sourcils dans l'attente d'un verdict. Constantin s'approche de la plaie, pose ses doigts dans les trouées, se met à réfléchir. Que d'émoi pour un combiné échappé par gaucherie.

— On dirait, maman, que la table a mangé des termites.

C'est Constantin et l'envers dans sa tête, que n'inventerait-il pas pour me sortir du pétrin, ce petit. Mais Maché ne bronche pas. Elle attend ma sentence.

— C'est Yasmine, je dis.

— Je le savais !

— J'ai voulu l'empêcher de partir, je dis.

— Elle est partie ?

La panique. La colère. Maché recule. Les sacs qui s'appuyaient sur elle basculent. Avalanche de diversions, j'adore les coïncidences. Et pourtant :

— Tu l'as laissée partir ? s'indigne-t-elle.

Je lui désigne la table meurtrie, tout se termine par un soupir.

— Et le rôti ? Elle l'a sorti du fourneau ?

— Quel rôti ?

Elle se précipite sur le four en hurlant. Rodrigue cesse de saluer et se répand en pleurs. Constantin s'assoit par terre devant les sacs-plein-les-bras et commence à séparer ce qu'on conserve de ce qui n'est plus que purée.

— Tu dormais, alors ? reprend Maché en retirant du four ce qui aurait dû être un rôti, mais qui paraît s'être autodigéré.

— Peut-être. Je me suis assoupi, c'est vrai.

Son visage s'assombrit. Elle abandonne les vestiges de rôti sur le comptoir pour ramasser les sacs de victuailles à demi mâchouillées par l'impact. Elle enlève Rodrigue de son siège ballottant, secoué par Constantin qui s'est très vite lassé de jouer au concierge avec la nourriture.

— Ça ne va pas ? s'enquiert-elle. C'est ta mère ?

Elle en est encore à ce deuil.

— Je reviens de chez Juliette, elle ressentait le besoin de parler. J'ai quitté l'agence avant l'heure, tu comprends, je me suis dit, elle est seule.

Maché pose ses mains froides sur mes joues.

— Tu devrais te reposer, tu es brûlant.

Rodrigue balaie le sol avec ses genoux, il va se terrer dans un coin, s'assoit sur une chaussure. Sa mère le kidnappe. Constantin prend place à table et se fendille les doigts en grattant vigoureusement la plaie avec ses ongles. Le rôti sent la ferraille. Les fenêtres sont fermées.

— Je vais prendre l'air.

Maché se contente du silence. Elle me regarde filer ; une Sainte Vierge sur le bord de la porte, avec Jésus — ou Rodrigue — entre les bras. Je m'éloigne, en me retournant quelques fois, pour la rassurer, pour ne pas emprunter les manies de Juliette et ne jamais revenir.

La robe blanche de Maché virevolte sous la brise. Maché. Elle est belle, c'est vrai qu'elle est belle.

Son visage rugueux, humide, perlé — les vestiges d'une pluie qui vient à peine de s'arrêter. Ma main effleure sa peau grisâtre, je sillonne du doigt les traits qui la marquent, je l'observe dormir, témoin d'une vulnérabilité. Son corps est long, son corps est courbe, je m'agenouille à ses pieds, j'effleure son ventre. Son ventre verni et quelques écritures. Je me demande qui a bien pu choisir cette stèle, cette stèle déformée, silhouette maigrelette parmi toutes ces statures robustes, de quoi complexer la morte sur l'image qu'elle projette.

Monument morne, bloc dégarni. Tout n'est que décombres dans ce cimetière, tout n'est que cloisons et clôtures peintes de rouille, tout n'est que haies de cyprès affaissées, pierres mi-polies et bouquets fanés. Une sorte de jardin en ruine.

Les fleurs posées sur le tertre de la mère le jour de la cérémonie, ces fleurs ont été remplacées par de nouvelles, cette fois artificielles, qui résistent aux enfants qui courent. Qui résistent au temps qui court.

Partout des visages rugueux, humides, perlés. Un champ de pierres tombales. C'est à perte de vue. Elles sont cordées les unes à côté des autres comme les livres d'une bibliothèque, chaque reliure s'imprégnant de l'odeur de celle sur laquelle elle s'appuie. La mort ici, pourtant, ne dégage qu'un effluve, le même pour tout le monde. L'effluve, la terre mouillée, le peu d'espace.

Mes genoux empiètent sur le prie-Dieu du voisin pour lequel je ne veux pas prier. Mes condoléances, tout de même, à ses proches parents, les Salinger, s'ils ne sont pas enterrés eux aussi, l'épitaphe indique l'époque de la Seconde Guerre, toute une famille a eu le temps, depuis, d'être décimée. Et je me dis qu'il doit se montrer plutôt osseux, ou hargneux, le *neighbour*, dans son cercueil, oublié de tous, ses exploits de combattant anglais ensevelis sous un amas de terre promise.

Ça me paraît bien vide, un cimetière, quand on n'y inhume pas. Des gens se baladent — un livre à la main, la tête dans les pages : ils aiment se sentir vivants, viennent narguer les cadavres pour mieux entamer la journée. Des touristes. Ceux-là se prennent à admirer les Grands qui sont devenus si petits qu'enfin ils peuvent les piétiner.

C'est peu dire, on en rencontre de toutes les trempes. Des chanteurs sans studio qui offrent leur performance aux seuls — les macchabées — qui n'en ont rien à faire. Des coureurs sans piste à la recherche d'obstacles pour mieux se fendre le crâne. Ceux qui attendent la soupe populaire. Et les saltimbanques. Ces guignols qui vous appellent depuis le sentier — nul scrupule à interrompre votre méditation — alors que vous vous recueillez, silencieux, saisi d'émotion tout à coup, vous vous recueillez devant la stèle, attendant que l'on vous pardonne, ou je ne sais pas, mais vous laissez échapper deux, trois larmes… c'est sûrement ce que vous avez à vous reprocher. Et là, soudain, sans faire gaffe à l'émoi, ils viennent vous secouer l'épaule, se pencher sur votre peine, vous chuchoter à l'oreille :

— Euh… hum… pardon.

Ils veulent savoir où se trouve le monument de telle ou telle célébrité. Baudelaire, Beauvoir, Beckett. Et vous vous surprenez à leur répondre que ce Beckett ne vous dit rien ; ce que vous cherchez, vous, c'est la morte du métro. Ils s'en vont bredouilles, tout comme ils sont venus. Et tout comme ils vous laissent.

Comment tu vas, la mère ?

La mine un peu granitée. Harassée d'être plantée dans le sol. Déjà à bout de souffle, c'est l'histoire de sa vie.

Dis-moi, tu l'as vue ?

Ridicule, je sais. Parler à du roc. Parler à un nom gravé sur du marbre. Chercher une raison pour ne pas se parler à soi-même. C'est cela, ou bien j'aime à croire que les esprits se rencontrent. Et si la mère et la fille du métro discutaient ensemble au ciel ?

Tu lui as adressé la parole ?

La mère oublie de me répondre. De nouveau emmurée dans le silence.

Si c'est la paix que tu veux, tu la demandes et on te laisse tranquille.

Personne ne viendra plus la voir, pas de catastrophe, rien de nouveau ; c'est comme si elle n'était jamais partie. La solitude fidèle, pareille à une vieille amie.

Et puis, de toute façon, la solitude c'est ce cimetière, déjà, par convention. Présente. Partout. Dans le faux bouquet sur la pierre tombale. Dans le lac renaissant des larmes de la pluie, formé sous le nom de la défunte qu'on peut voir à l'envers. Dans mes genoux enfouis au cœur de la terre molle. La solitude. Tous ceux qui entrent dans ce jardin de ruines, par convention.

De là mon aversion pour les cimetières. Un lieu de faux plaisirs et de faux-semblants. Refuge de cadavres que l'on tente de distraire, mais dépouillés de conscience, mais dépouillés d'humour. Le sacrifice de l'ennui, pour un pardon bien inutile gonflé de souvenirs. Bon Dieu, il existe tant d'endroits pour les remous de mémoire où ça ne sent pas la mouche, le parfum de touriste et la litière de chat.

Alors, comment ça se passe au tombeau ? C'est dans tes tons ? Le papier peint et tout ? Je dois t'avouer, je trouve ça tout de même étrange, ce visage vert-de-gris, cette tristesse dans la pluie qui ruisselle sur tes joues. Ne plus t'entendre gémir, maintenant que les corbeaux s'y consacrent à ta place. On s'en serait bien passé, finalement, toutes ces années.

J'ai beau creuser, avec une pelle s'il le faut, je n'arrive pas à me souvenir d'une seule allusion de sa part à un morceau de bonheur. Chaque jour revêtait une tunique plus sombre que celle du précédent. La pluie battante. Festivités dans le voisinage. Voitures roulant sans doute pour fuir leur ombre. Peu importe, elle geignait. Pas grand-chose. Un léger grognement, un soupir. Suffisant, néanmoins, pour nous maintenir cois. Après tout, plus nous prenions de l'âge, plus nous nous trouvions conditionnés aux bruits. Puis aux silences. Ceux de la mère, mais ceux du vieux père, connu pour son mutisme. Connu aussi pour son absence.

Je pense à l'absence et je ne peux m'empêcher de voir surgir cette image du vieux dans son fauteuil usé, à deux doigts de sa fin. Impossible qu'avant de mourir il quitte ce monde de néant qu'il a entretenu au prix de moult secrets. Il va claquer, la bouche béante, un profond trou noir pour remplacer ce qu'il aurait pu avoir au fond du cœur.

Je pouffe de rire, tout bonnement. Un rire de fatigue, sans conviction. Un constat de pathétisme.

Dans l'allée principale, un homme me dévisage avec cet air de veuve insultée. Je lui envoie la main. Il grommelle et détourne la tête, puis poursuit sa routine. C'est un jardinier. Du moins, s'il ne l'est pas, il le cache bien. Un imperméable et des bottes de renfort, de la terre sur les mains, dans le visage, sur les pieds, un seau rempli de fausses fleurs de toutes sortes. Il vacille sur le sentier de pierraille. Et là-bas, tout au bout de l'allée, s'immobilise devant une stèle.

C'est l'heure de partir.

Je dérobe au *neighbour* ses roses rigides pour les déposer sur la tombe de la mère.

À la prochaine.

Je me lève avec peine. Les genoux de mon pantalon sont noircis de boue. J'ai l'air d'avoir œuvré à déterrer un corps.

Ah oui, j'oubliais, Juliette regrette d'avoir raté l'enterrement. Elle a trouvé dommage qu'il n'y ait pas de seconde représentation. Constantin te demande pardon d'avoir écrasé tes muguets. Et Rodrigue prie tous les soirs pour ton repos éternel.

Je me fraie un chemin au cœur des cadavres de granit pour atteindre l'allée principale. Sur le sentier, les roches encore humides de fin d'averse. Glissantes. En patinant, je rejoins bientôt le jardinier maintenant accroupi au sol. Il s'applique à enfouir les tiges de quelques fleurs en plastique dans le tertre d'un monument à l'apparence du siècle dernier — il y a vraiment des gens qui ont signé un contrat à vie pour entretenir la mort.

Mais alors c'est étrange. L'épitaphe. Le nom. Cette date. Et puis je tombe. C'est-à-dire que je dérape. Sur les roches luisantes. Perds pied. Embrasse la pierre. Déchire le coude de mon veston. Et reste sans bouger, la tête offerte au ciel. C'est comme attendre au milieu d'eux que les morts viennent me chercher.

Le jardinier s'approche, sa démarche chancelante me donne le tournis.

— Votre tête, dit-il.

Quoi, ma tête ? Qu'est-ce qu'elle a, ma tête ? Vous avez vu la vôtre ? De la fange pour remplacer les cheveux qui font défaut à l'âge de la calvitie. Des pupilles perdues sur deux continents éloignés. L'autre fixe à gauche, l'une fixe à droite, je ne me sens regardé de nulle part.

— Ça va, votre tête ? répète-t-il.

— Ça va.

Je lui brandis ma main pour qu'il me tende la sienne et me relève de terre. J'en ai maintenant partout, sur les coudes et dans le dos.

— Je vous conduis vers la sortie ? me demande-t-il, et puisque je me contente de remuer les lèvres, il retourne à ses bouquets factices.

Ce n'est pas la sortie mais son monument que je veux voir. Cette vieille ruine de stèle et cette date.

Toujours se fier aux chiffres. Dans mon métier, ils comptent autant que l'apparence. C'est ce qui arrive, seulement là, le problème va au-delà de la vocation. Je me dirige vers la pierre tombale. Le jardinier chantonne, il se retourne et alors il sursaute :

— Qu'est-ce que vous faites ?

— Elle est vraiment morte le mois dernier ?

Il fronce les sourcils pour scruter l'épitaphe. Son visage crispé s'adoucit. Une sorte de tristesse prend en otages ses traits. Il se rassoit par terre, se remet à creuser pour ses fleurs. Comme s'il se sentait mieux à leur niveau, celui des morts.

— Elle n'avait que vingt-six ans.

— C'est tout récent, je n'y crois pas, la pierre tombale… on dirait un monument ancien.

— C'est vrai, dit-il, la famille est attachée aux vieilles traditions. Des stèles surannées pour des drames tout frais, il y en a plusieurs dans le cimetière.

Il m'en désigne quelques-unes — de grosses dalles d'un gris mat, difformes, sculptées comme si elles avaient été arrachées au rocher d'origine —, mais ni l'une ni l'autre n'a l'intérêt de la première. Ni l'une ni l'autre, surtout, n'affiche précisément cette date.

— Je me souviens, enchaîne-t-il. Ils n'étaient que trois à l'enterrement. Si peu d'endeuillés, ça se voit assez rarement. Monsieur Jame, un homme à bout d'âge, sa femme s'appuyait sur une canne. Une autre dame, toute petite celle-là. Son visage, un champ dévasté, si vous voulez mon avis. Je me rappelle la scène ; c'est que je plantais des roses pas très loin.

Il montre du doigt l'emplacement où repose la vieille mère. Je note au passage l'absence de fleurs chez le *neighbour*, un petit amas de terre retournée. Le jardinier plisse le front. Il pousse un long soupir. S'éteint puis se ranime. Les fleurs, après tout, au service des cadavres, ont peu d'importance.

— Cette dame au visage ravagé, elle est restée en retrait pendant toute la cérémonie. C'est elle qui portait le bébé.

— Le bébé ? je dis.

— Oui, le bébé.

Il achève de planter ses gerbes et se lève.

— Les enfants, ils ont conscience de tout. Celui-là, il a pleuré du début à la fin de la mise en terre, si ce n'est pas réagir à la perte, alors dites-moi ce que c'est !

Puis il empoigne son seau et, sans attendre, patine jusqu'au bout de l'allée, où il s'installe pour fleurir une autre âme délaissée.

Les bébés, ça va, on sait bien qu'ils ont la tête de savants ; Rodrigue est pareil, pas un geste sans trahir sa lucidité. Mais lui, le jardinier. Avec sa valise de pétales en tissu, son faux air de nostalgie et sa démarche de chèvre broutant les plates-bandes. Lui, et sa version du drame. Lui que la date n'affecte que parce qu'elle lui rappelle les roses qu'il a fichées dans le sol. Qui ne sait pas que cette date gravée sur le marbre est celle du cri de Gisèle Bourguignon. Qui continue de distribuer ses pissenlits à tout vent comme si Ariel Jame n'avait jamais reçu un train en plein corps, ce jour-là. Ariel Jame, parce qu'il paraît — à en croire l'épitaphe — qu'il s'agit là de son nom.

Vraiment ? Ariel Jame, fille d'Irael Jame. Laissant dans le deuil cet homme-là et peut-être son épouse, et peut-être une sœur, une amie, une gardienne avec un bébé dans les bras. C'est tout. On se jette sur les rails et ça ne soulève rien de plus. Trois fossiles et un poupon traîné de force.

Ariel Jame. Te voilà. Ariel Jame, solitaire toi aussi. Rien de surprenant, au fond, prendre la solitude pour une raison de s'offrir au convoi. Je l'aurais deviné dans son regard, de toute façon, si j'avais insisté, ce matin-là, sur le quai. Si j'avais gardé mes yeux rivés aux siens, je l'aurais vue, la solitude, pareille à celle qui se cache dans le visage de Juliette ou celui du vieux père, mais je ne sais pas, je suis allé m'asseoir ; il m'a semblé alors que cela respectait l'ordre des choses.

Ariel Jame. J'avoue que j'espérais que tu te sois laissée mourir pour autre chose. Je m'attendais à une cérémonie royale, un départ avec éclat. La solitude, c'est vrai, mais, sur ce point, on est tous dans la même barque.

En vérité, plus j'y pense, plus le jardinier s'est planté. Trop occupé à prendre soin de ses fleurs, il a dû rater le mouvement de foule. La horde d'endeuillés. Le bébé l'a bien compris en s'époumonant : Ariel Jame, ça n'avait rien à voir avec la solitude.

Les gens seuls ne choisissent pas le métro à l'heure de pointe pour se laisser mourir. Ils engloutissent des pilules en cascade, s'envoient une balle au travers de la gorge ou bien s'enroulent une corde autour du cou. Ils écrivent un message à destinataire unique. Il n'y a pas pour eux d'appel au monde entier.

Alors, Ariel Jame, qu'avais-tu à mourir ?

Qui es-tu, Ariel Jame, sinon la fille d'un père, *que le seigneur te guide*, comme il est écrit sur la stèle ?

Si je pense à Maché, tout à coup, c'est que je ne retournerai pas à la maison. Elle m'attendra, comme hier, avant-hier, sur le pas de la porte, elle m'attendra pour le dîner en maudissant la mort de la mère et ses répercussions, elle m'attendra, inquiète, m'imaginant en pleurs sur la tombe de l'ingrate. Et c'est ce que je dirai parce que c'est un peu ça ; elle n'a nul besoin de savoir que l'histoire a dévié. Qu'un jardinier est entré dans ma vie pour me montrer le chemin. Que la mère devait à tout prix mourir pour me désigner ce jardinier. C'est un coup du destin.

Ariel. Je vais tenter de mettre la main sur Monsieur Jame. Il me semble qu'avec ce nom au creux des paumes, l'écart entre la fille du métro et moi se rétrécit. Bientôt, le mystère s'éclaircira. Enseigne lumineuse dans la nuit noire, Ariel Jame illumine la rue. Voilà, c'est ici que vous vous trouvez. Ici, nulle part ailleurs. Il n'y a pas d'avant. Il n'y a pas d'après. Que cet instant de vérité.

Merci, chère mère. Après tout ce temps, merci. Tu n'auras pas été qu'une mauvaise tête. Dans ton silence de carpette sale, tu auras au moins servi à me tracer le chemin jusqu'à elle.

Je descends l'allée principale vers la sortie. La pierraille s'est asséchée, le ciel, assombri. À la porte, un gardien quitte le kiosque d'information. Il verrouille avec une clé en sifflotant Mozart. De grosses bottes d'acier contre un morceau de classique. Quand il se retourne, il m'adresse un sourire forcé.

Avec l'expérience des années et la sensibilité qu'il a à siffler cette symphonie malgré ses airs de brute, ce gardien a dû apprendre à distinguer les victimes des flâneurs, les meurtris des faux jetons. Il doit connaître le nom des morts, aussi. Faire sa tournée, chaque soir avant de fermer, en mémorisant l'identité de chaque cadavre parce que c'est son travail et qu'il y met du cœur. Peut-être qu'il dresse des listes, qu'il retient l'emplacement de tous les macchabées, qu'il retrace leur histoire, s'organise des registres. Peut-être qu'il sait, pour Ariel. Un homme avec des clés, c'est idiot, j'ai l'impression que ça a le pouvoir d'ouvrir toutes les portes.

— Pardon, monsieur, je dis.

Il se retourne. Son trousseau carillonne.

— Dites donc, votre tête, ça se rétablit ?

Le gardien disparaît derrière le planteur d'orties.

— Faites une halte à l'hôpital, dit-il, on ne sait jamais, le danger de ces dalles. J'ai chuté plus d'une fois. Je me suis même fracturé le bras, c'était au début, je commençais à peine ici et puis clac ! Deux semaines cloué au lit !

Le jardinier a perdu le mauvais horizon de ses yeux grâce à des verres épinglés sur son nez. Un chapeau remplace la terre qu'il portait comme perruque ; au lieu de l'imperméable, un uniforme pour tenir compagnie aux clés. Maché aurait dit — ou plutôt ses collègues, quand on sait que la première emprunte à tout coup leurs diagnostics — que cet homme frôle la schizophrénie. Plus faux, du moins, que toutes les fleurs qu'il s'amuse à semer.

— Vous devriez passer chez le nettoyeur, votre costard, ose-t-il, vous avez l'air d'avoir joué avec les morts.

— Oui, ça va, je sais.

Seulement, je n'ai l'intention d'aller faire examiner ni mon crâne ni mon costume, qu'il se le tienne pour dit.

— Monsieur le *gardinier*, j'ai besoin d'une information.

Il lorgne l'enseigne de la cabine qu'il vient de quitter puis il décroche un rire de clochettes.

— Non, vous vous trompez, ce n'est pas moi, l'information. Revenez demain, moi, je ferme les portes, c'est tout.

— Et les fleurs ?

— Quoi, les fleurs ? dit-il.

— Vous fermez les portes et vous plantez les fleurs, non ?

— Les fleurs, ce n'est pas mon boulot, c'est autre chose, je les sème… par sympathie.

Il brandit son hochet de clés. Dans le désordre du tintement, je reconnais des notes éparses de Mozart.

— Vous aimez le classique, je lance à l'aveuglette.

Et il fronce le sourcil, piqué par la réplique.

— Qu'est-ce que vous voulez dire ?

— Eh bien, la musique, je veux dire, vous fredonnez, et puis votre trousseau, c'est une mélodie. Les grands classiques, vous aimez les vieilles traditions, comme la famille Jame, c'est bien ça ? C'est vous qui en parliez, tout à l'heure, ou du moins l'autre partie de vous.

Il s'esclaffe. Un bon vivant, cet homme-là, malgré l'imposture.

— Oui, possible, il hésite. Vous analysez toujours les gens de cette façon, du coin de l'œil, à première vue et au premier tintement de clés ? Parce que, je vous avoue, votre jugement, il craint : je déteste les classiques.

— Alors, dans ce cas, vous ne connaissez pas Ariel Mozart ?

— Ariel ? Vous voulez dire W. Amadeus.

— Non, je veux dire Ariel Jame.

Il se retourne et regarde la pierre tombale au loin.

— La fille, là-bas ? Vous en êtes encore là ?

Le gardinier s'avance, ses clés chantent à sa ceinture. Il me désigne la montre qu'il porte au poignet, mais au point où j'en suis, ça m'est franchement égal de lui faire perdre son temps.

— Écoutez, je veux bien vous aider, poursuit le trompe-l'œil, mais les renseignements sur les funérailles ou quoi que ce soit, c'est à l'information, et je ne suis pas l'information. Revenez demain, ce sera plus simple. De toute façon, je termine mon quart et je dois verrouiller les portes. Et vous, c'est comme ça, vous allez devoir quitter les lieux.

Je me suis trompé sur son compte. Un fainéant qui ne travaille qu'à demi ; l'autre moitié, encore, il la divise pour semer le doute dans le sol et secouer ses clés de voûte.

— Ouais, bon, ça va, je pars.

Mais je ne bouge pas. Il hausse les épaules et s'engage dans le sentier principal.

— Vous voulez m'aider, vous dites ?

C'est comme un cri des entrailles qui s'extirpe de moi tout à coup.

— Eh bien, aidez-moi ! La femme, la jeune femme, Ariel Jame, vous savez quelque chose, non ? C'est vrai, après tout, vous côtoyez les morts deux fois par jour, pour les fleurir et puis les enfermer, vous devez bien savoir…

Il pouffe de rire. Ses clés cliquettent alors qu'il revient sur ses pas.

— Je ne sais pas ce que vous faites dans la vie, mais vous devez aimer votre boulot, ça c'est sûr. Si vous aviez une idée du nombre de cadavres qu'on enterre, quand même, il y a de quoi devenir dingue. C'est comme vous dites, je me contente de verrouiller les portes et de m'assurer que les clochards déguerpissent pour la nuit. Je plante des fleurs, aussi, puisque vous y tenez, mais pas question de déterrer le passé de chacun des locataires de la place ! Et puis les morts, je ne vous apprends rien, ils sont loin d'être démonstratifs. Ce ne sont pas eux qui vous remercieront de l'intérêt que vous leur portez.

— J'imagine. Ou peut-être que vous n'êtes pas assez attentif. Vous ne croyez tout de même pas qu'ils crieront pour faire tourner les têtes ?

Non. Ils inviteront les autres à crier pour que vous tourniez la tête, et voilà, vous apercevez la jeune femme sur les rails, au bas du quai, elle vous lance ce signal qui ne se capte pas. Ce signal qui est à l'intérieur de vous, prisonnier à l'intérieur de vous, entremêlé dans le tricot de tous les souvenirs de grand-père et les secrets cassants d'une famille de porcelaine. Le signal, il est là, flottant au creux de toute l'indifférence du monde que vous entretenez, il n'en reste à la surface que l'écho. Le sentiment. La certitude. Que cette morte-là a quelque chose à dire. Et vous vous lancez sur ses traces, vous cherchez à fouler ses pas, mais partout sont des pas et partout des traces laissées par tous. Dans le pêle-mêle, sa piste a disparu. Et finalement vous vous dites qu'il ne reste plus que vous pour déterrer sa marque. Finalement, vous vous dites qu'il n'y a qu'elle et vous.

— Ariel Jame, c'est ça ? demande le gardinier en désignant la stèle fraîchement ornée de fleurs factices. Ce doit être sa fille, la fille du pasteur Jame.

— Un pasteur ?

— Enfin, je dis pasteur, mais il n'exerce plus depuis longtemps. Je crois qu'il tient maintenant un petit commerce sur l'île Saint-Louis. Des chaussures, il me semble. Mais pour le commerce, oubliez-moi, je n'y ai jamais mis les pieds.

— Sur l'île, vous dites, son commerce ?

— Pas seulement le commerce, ils ont un appartement à la pointe de l'île. Ce sont des Américains. Très sympathique, la petite famille. Plutôt malheureux, le drame, les drames. Enfin, le drame de tout le monde, je veux dire. C'est malheureux.

Un vrai gardien, finalement, cet homme-là. Le bon et la brute, les fleurs et la chanson, je savais bien que le trousseau ne s'y trouvait pas pour rien. Je lui bredouille un merci, il me lance un nouveau sourire, sans manigance, sans imposture, tout ce qu'il y a de plus sincère.

— Alors, c'est pour cette femme que vous vous baladez depuis des heures dans le cimetière, dites ?

— En partie. Pour ma mère, en fait, mais jamais que pour elle. C'est comme vos fleurs. N'eût été les clés, vous ne viendriez pas les semer.

Il me dévisage, mais cette fois avec cette petite ride d'incompréhension à l'orée de ses paupières.

— Vous savez, l'info, c'est pour votre tronche que je vous l'ai donnée. Vous m'avez l'air d'un foutu désespéré.

Alors il se retourne et reprend son chemin, le trousseau de clés greffé à sa ceinture, carillonnant une ultime mélodie de Mozart. Amadeus.

L'hôtel Lambert se dresse devant le quai d'Anjou.

De la fenêtre du séjour de grand-père, on pouvait apercevoir les cloches de Notre-Dame et une parcelle de l'île Saint-Louis qui s'insinuait entre les bâtisses. Il comparait la structure de notre Cathédrale à celle, plus élancée, de la Basilique du même nom à Montréal, je me souviens. Les week-ends chez grand-père, il m'initiait à l'art architectural.

La rue passante, les édifices qui s'élevaient de plus en plus vers le ciel, les voitures stationnées qui se compactaient. Plus je grandissais, plus les monuments semblaient se refermer sur moi.

C'est étrange.

Je passais des heures assis dans le fauteuil près de la vue à tenter de m'imprégner du paysage. Grand-père désignait le terrain vague au bout de la rue, dans l'angle mort de la fenêtre. On le voyait à peine, on se contentait de l'imaginer. Le terrain vide. L'immeuble qu'on allait rebâtir dans les prochaines années. Grand-père disait :

— Tu vois, c'est à toi tout ça. C'est devant toi. Ils ont mis à terre pour que tu reconstruises.

Le balcon surplombe le jardin, la façade observe la Seine, l'hôtel a l'air de chercher à se jeter quelque part.

Quand il est mort, ça m'a pris de vouloir regarder derrière, de m'accrocher à sa voix que je charriais difficilement sur le chemin sinueux de l'avenir. Je restais sans bouger souvent. Dans l'attente d'une poussée, on aurait dit. J'attendais grand-père et ses encouragements : un réconfort impossible.

Et puis, j'ai rebâti. Les édifices et le terrain vague laissé par le deuil, à l'intérieur. J'ai construit sur la douleur. Il me semblait qu'avec Juliette qui creusait le tombeau d'un autre monde auquel je n'avais pas accès, il ne restait plus que les fondations du futur pour me soutenir.

On dirait que l'hôtel va s'élancer dans le fleuve. J'ai l'impression qu'il penche, comme s'il tenait à peu de chose.

Le vieux père criait de plus en plus dans ma cellule de briques. Il criait des insultes. Des ordres. Je veux bien, mais pour l'écoute, il aurait simplement pu apprendre à parler.

Il criait chaque fois que nous allions chez grand-père. Il criait dans la voiture, jusqu'à destination, puis dans l'escalier. Et tandis que nous sonnions à la porte, Juliette et moi, impatients, il nous sermonnait. Lorsque grand-père nous a quittés, tout est rentré naturellement dans l'ordre. Enfin, je veux dire, on a cessé de sourire et le vieux père a cessé de crier pour un temps. Il a repris les brides d'un mutisme tout aussi sauvage.

Il va plonger. Éclater. En millions de morceaux. L'eau va remonter. Éclabousser. J'en aurai sur moi, sur ma chemise, sur mes lunettes. Je n'y verrai plus.

Je ne sais pas ce que je préférais, le calme ou la tempête. Au final, l'accalmie n'a pas empêché Juliette de déserter notre tente. Elle a laissé la chambre en terrain vague. Il n'y avait rien à reconstruire, cette fois. Tout dans cette pièce avait été, de toute façon, érigé sur du vide. Une tente qui recouvrait des paroles de hargne, où deux enfants blâmaient un père pour un cœur soudé dans le roc, et puis cette assurance de n'être pas nés à la bonne place.

Juliette est partie. Parce qu'imaginer un monde meilleur ne lui suffisait pas. Parce qu'elle a dû entendre parler de liberté, et l'idéal, on le garde d'ordinaire pour soi.

J'ai cherché l'air sous une tente effondrée. Le vieux père allait brûler les livres de Juliette, le moral de la mère et mon enfance fragile. Son visage toujours froid de n'avoir aucun sentiment.

Quand grand-père est mort, il n'a pas versé une larme. Au salon funéraire, il s'est contenté de faire le cinquième mur et de secouer la main de vieilles connaissances inconnues. J'attendais que le vieux père faiblisse, qu'un grand-oncle lui chuchote un souvenir à l'oreille, qu'il s'éprenne de sensibilité. J'aurais ri, peut-être, de le voir pleurer. Je n'aurais pas ri. Je n'attendais que cela, voir le vieux s'écrouler sous l'émotion pour que je coure l'étreindre et puis que tout s'efface. Je me disais que grand-père méritait qu'on pleure ainsi pour lui. Et je n'ai jamais tant pleuré à l'intérieur.

Le pasteur Jame habite tout près. À côté de l'hôtel. J'avance vers l'entrée. J'hésite à frapper. Les pasteurs me font peur, ce sont des religieux. Je me dis qu'il claquera la porte sur mon air catholique, sur mon air de vouloir mettre mon nez partout, ça n'étale pas sa vie, un pasteur, ça la confie en quelque sorte à Dieu, ça n'a que faire d'un mélodramatique qui trimballe des idées de cadavre un peu partout. Ça ne s'intéresse pas à l'intérêt des autres, surtout si ça a une fille qui vient de se donner en festin au train. Ça expie ses péchés. Ça prie. Ça guide. Ce n'est rien que je connais et c'est ainsi que je regrette de saisir le heurtoir et de faire vibrer la porte, mais je n'y peux rien. Je me trouve si près du but. Je sais qu'elle est derrière cette cloison, la fille du métro. Lorsque j'entrerai, des vapeurs de son parfum m'envelopperont et je saurai, alors, qui est Ariel Jame. Puis, il y aura ces portraits dans la demeure, des portraits d'elle cloués sur les murs, je la reconnaîtrai.

On m'ouvre. La porte grince de tous ses gonds. On se tient en retrait derrière. On me prie d'entrer, ainsi j'entre. J'ai l'impression de m'introduire dans un manoir hanté. L'air si lourd, un million de fantômes empilés dans le hall.

La dame cachée par la porte apparaît. D'énormes cernes sous son regard d'épouvante. Ses os, telles des lames, transpercent bientôt sa peau. Ses cheveux noirs pendouillent sur ses joues. Si ce n'était de son reflet cadavérique dans le miroir au fond de la pièce, je la confondrais avec l'une de ces présences spectrales qui flottent au-dessus de nous.

Elle me prie d'avancer et referme la porte. Un monde vient de s'éteindre. Le bruit du ressac de la Seine sur les rebords des quais. Les voitures qui ronchonnent. Les passants enjoués. Plus rien des cris de l'extérieur. L'hôtel Lambert s'effondrerait qu'on n'en aurait pas vent.

L'ambiance éthérée rappelle celle d'une église. Engourdi par les effluves de l'encens, étourdi par la foi, je prends appui sur un meuble d'appoint. Les murs se rejoignent au centre de la pièce en un arc en ogive. Les rideaux vantent leurs broderies d'or. Un chant liturgique danse dans l'air, en provenance des cieux. Je pense à Ariel Jame et à toutes les raisons qui ont dû la pousser sur la voie ferrée : la fausse richesse, l'excès de foi, de telles parures n'emplissent pas une vie. Je préférais le bruit des vagues à cette atmosphère de jugement dernier.

Et voilà qu'on s'amène, à coups de pas sur le carrelage. Un homme imposant surgit dans le hall. Il astique sa moustache en spirale, le visage éclairé. Un veston noir, collet monté, collet serré, collet étouffant. Il se racle la gorge, le pasteur Jame, je parie.

— Vous venez pour l'enfant, n'est-ce pas ? C'est étrange. Je ne sais pas pourquoi, je m'attendais à une femme.

C'est ce qu'il dit. Et alors ses yeux s'embuent. Des larmes s'insinuent sous ses paupières, et je ne suis plus sûr de vouloir être ici.

— Pardonnez-moi, c'est que, ajoute-t-il en essuyant son visage du revers de la main. Oui, c'est terrible ce qui lui est arrivé.

Terrible, c'est vrai, il a choisi le bon mot. Il regorge de foi, Monsieur le Pasteur, et de vocabulaire. Terrible existence, chère Ariel, au point de disparaître. Je regarde l'homme, hébété, je ne sais trop comment me comporter, il hoquette. Ravale sa tristesse. Range son dictionnaire.

— Je l'ai vue, dis-je, hésitant.

Je crains que Monsieur le Pasteur n'écarquille les yeux. J'ai peur qu'il ne me désigne la porte afin que je la prenne, un point c'est tout. Sans contempler tes portraits, au revoir Ariel. Peut-être son père préfère-t-il ne pas tout comprendre ; on s'endeuille mieux dans l'incertain, c'est ainsi pour tout le monde. Mais il sourit plutôt.

— Vous l'avez vue. Sa photo ? Dans le journal ? On a publié une annonce.

À mon tour de patauger. L'information me laisse perplexe. Ont-ils diffusé un communiqué liturgique ? « Notre sainte fille a rendu l'âme. Retournée auprès de Jésus, à l'origine des choses. Prière de nous rejoindre pour un peu de soutien. Le pasteur Jame et son épouse. Dieu vous bénit. » Portrait inclus : la figure défoncée d'Ariel sur cliché.

— Quel genre d'annonce ? je demande.

Il penche la tête et plisse les yeux comme si, tout à coup, il ne voyait plus clair, comme si, à son tour, il était pris du doute.

— Enfin, une annonce pour l'enfant. Vous l'avez… pourquoi êtes-vous ici ? s'inquiète-t-il. Vous n'êtes pas venu pour l'enfant ?

— Je ne sais pas.

C'est vrai, je ne sais plus. Suis-je venu pour l'Enfant ? Ariel, suis-je ici pour l'Enfant ? Ce sang sur mes verres, alors, ce sang que tu as craché, c'était donc une piste pour me mener à l'Enfant. Enfant du ventre de la mort. Pourquoi suis-je venu, bon sang, pourquoi suis-je ici ? Pourquoi ne me suis-je pas contenté des bras ouverts de Maché qui, dans sa robe de nuit en toile d'ange, ne cherche qu'à voler à mon secours ? Pourquoi n'être pas resté pour le dîner, tous les dîners, auprès de Constantin, de Rodrigue, afin de les border tout un chacun ? Pourquoi suis-je venu pour l'Enfant ?

— Ce n'est pas l'Enfant que j'ai vu mais Ariel. Au moment de sa mort.

Il étouffe un couinement de surprise. Ses yeux se dilatent et un instant je crains qu'il ne s'évanouisse au milieu des fantômes, mais il se ressaisit. Sa figure se durcit. Il empoigne mon épaule, l'agrippe de toutes ses forces.

— Vous l'avez vue… mourir ?

À regarder ainsi se déformer les traits de son visage, dans l'émoi soudain, je ne sais plus si je l'ai vue mourir. Il me semble que toute image s'est évanouie. Il me semble que ces visions proviennent d'un rêve, s'embrouillent.

— Monsieur le pasteur, je ne suis pas ici pour creuser votre plaie, non, vraiment, c'est autre chose. En fait, je me disais que, peut-être, vous pourriez me dire, en fait –

— Pourquoi êtes-vous venu ? Que cherchez-vous ?

L'éternel retour de l'incompréhension. La boucle impossible à boucler. Ce que je cherche, à vous de me l'apprendre, Monsieur le pasteur Irael Jame. À vous de me prouver que la fille du métro a vraiment existé, Irael pasteur Jame. Qu'elle n'est pas née seulement pour s'éteindre. À vous de me parler de son passé et de cet Enfant qui sent le Christ à plein nez. À vous de me raconter son histoire, ce qu'elle a accompli, Ariel Jame, qui elle prétendait être. Peut-être, enfin, informé de son parcours, saurai-je reconstituer le moment de notre rencontre — où nous nous sommes vus, elle et moi, quelque part, jadis, au hasard des coins de rue — et ainsi je vous dirai qui j'étais, jusqu'à ce que je comprenne qui je suis, et vous saurez ce que je cherche. Dès lors, nous vivrons heureux, jusqu'à ce que la mort nous achève. Amen.

— J'aimerais vous entendre parler d'Ariel Jame. Vous étiez son père.

— Son grand-père.

Grand-père, dit-il. Les cartes se mêlent et s'emmêlent. Je savais qu'il ne fallait pas faire confiance à ce gardinier fourbe.

— Où puis-je trouver le pasteur Jame, dans ce cas ?

— C'est moi.

— C'est vous.

— Le père d'Ariel est mort il y a vingt, vingt-cinq ans.

Il y a vingt-cinq ans, grand-père s'est éteint aussi. Le visage vers la vitre à regarder peut-être ce fragment de l'île Saint-Louis, peut-être la pointe de l'hôtel Lambert qui, alors, n'avait pas dans l'idée de se laisser submerger par la Seine, une fenêtre de la demeure des Jame, peut-être, derrière laquelle agonisait le père d'Ariel, à jamais orpheline.

— Alors, Monsieur Irael Jame pasteur, comment pouvez-vous m'aider ?

— Si vous n'êtes pas venu pour l'enfant, je crains de ne vous être d'aucun secours.

— Cet Enfant dont vous parlez, c'est celui d'Ariel ? je demande.

— Le seul.

On n'a pas vingt-six ans sans laisser de problèmes derrière soi quand on meurt.

— Il a quatre mois, ajoute le pasteur. Les yeux à peine ouverts, Dieu que c'est injuste.

— Elle n'en voulait pas ?

— Qui sait, elle n'en parlait pas, elle ne parlait de rien, dit-il d'une voix enrouée.

Il s'assoit tout à coup dans un fauteuil en cuir veillant près de la porte. L'air essoufflé. Égaré. Je me rends compte de l'âge qu'il porte au bout de ses bras. Ses mains striées enserrent les accoudoirs du siège, ses pieds tremblent au sol, tremblent. Tremblent. Bientôt, je me demande si ce n'est pas plutôt le sol qui tremble à ses pieds. L'hôtel Lambert s'est enfin élancé dans le fleuve et entraîne Paris avec lui.

— Je, elle n'a jamais trouvé ce qu'elle cherchait, je crois. L'insatisfaction, vous voyez, c'est le pain quotidien de beaucoup d'entre nous. Il y a des gens qui ne savent pas être heureux.

Il tente de se lever, mais retombe aussitôt dans le gouffre du fauteuil, à bout de forces. Écrasé.

— Enfin, le vrai malheur, pour moi, marmonne-t-il, c'est cet enfant qu'on abandonne. L'annonce visait à lui trouver une famille. Janie et moi… Janie et moi sommes beaucoup trop vieux pour le petit. Tous les matins, elle nous attend au bord du lit, la Faucheuse. Ce n'est pas une vie pour un garçon de cet âge.

— Il faut l'envoyer dans une clinique d'adoption. Avec les journaux, vous allez attirer n'importe quel psychopathe.

— Mais vous !

Oui, eh bien…

— Janie et moi croyons au destin.

Évidemment, le destin, pourquoi l'oublier ? Grâce à lui, il s'en faut de peu que je ne me retrouve avec un poupon dans le creux des coudes.

— Je ne suis pas là pour l'Enfant.

Je crois entendre alors s'élever l'écho de pleurs au loin, derrière la porte. Ariel Jame ressort des limbes. Je revois son corps démantelé sur les rails. Ses lèvres entrouvertes pour souffler des mots qui se sont perdus dans le vacarme. Elle a laissé aller ce qui lui restait à dire. Et nul n'a capté son message.

— Avez-vous retrouvé des adieux ? je m'enquiers. Une note qu'Ariel aurait écrite avant de partir, ce matin-là ?

Son menton tremblote. Ses paupières se referment pour lui permettre de revisiter le moment du départ.

— Elle est partie le soir, en début de soirée, le ciel rouge promettait un lendemain lumineux.

Dans ma langue, cela s'appelle le lever du soleil. Il est temps qu'il renouvelle son dictionnaire.

— Elle nous a étreints, Janie et moi, raconte-t-il, puis elle a embrassé le bébé avant de sortir. Elle nous a annoncé qu'elle ne reviendrait pas. Une lettre d'adieu aurait été inutile. Son visage parlait pour elle, je vous assure.

Sa figure était crispée par la douleur. Ses cheveux plaqués sur ses tempes. Sa tête dans un angle interdit. Il n'y a rien à ajouter.

— Nous l'aurions retenue, mais c'était, non. Pour peu, elle se serait jetée devant la première voiture. Si on l'avait suivie, je sais que, la fatalité. Elle était résolue.

— Enfin, elle a tout de même attendu le matin pour –

— Non, s'entête-t-il. C'était le soir.

Je déteste les vieillards à la mémoire racornie. J'y étais, j'ai tout vu. C'était ce matin-là, au sortir du métro :

— Des tonnes de gens hurlaient, les bras en éventail. Personne ne s'est penché. Personne n'a seulement tendu la main.

Et moi, je me suis écarté. Me suis assis derrière tout cela. Comme un lâche, comme un lâche.

— Je doute qu'il y ait eu autant de témoins, s'obstine le pasteur. Minuit approchait quand on nous a avisés de son décès. Et puis, il y a peu d'usagers à la station Jourdain.

— Trocadéro.

— Elle ne sort jamais à Trocadéro. C'était Jourdain, tout près de chez Sam, son ami.

C'était Jourdain ? Non. Impossible. Il me semblait, ce matin-là, un matin habituel, je. De toute façon, je ne descends qu'à Trocadéro. La couleur des murs, le sang sur la faïence orange. Tous les jours, même heure, mêmes rails, mêmes passagers.

— Écoutez, Monsieur Irael pasteur Jame, on vous a annoncé un faux décès la veille.

Le vieillard se lève péniblement, ses yeux se plissent, imitant la peau sur ses mains.

— Qu'est-ce que vous dites ?

— À l'aube. Ariel s'est fait frapper par le métro à l'aube.

S'intensifient alors les pleurs, cette douce mélodie de l'au-delà traverse le hall de son air vaporeux.

Le pasteur me dévisage et s'éloigne, d'une démarche incertaine, chancelante. Il pose lentement les doigts sur la poignée en or de la porte vitrée — grand juge au fond de la pièce. Puis :

— Je crois, cher monsieur, que vous ne cherchez pas la bonne fille.

Quel aplomb pour un vieillard à la mémoire détraquée.

— Notre Ariel s'est enlevé la vie au milieu de la soirée, ce n'était pas à la station Trocadéro. La nuit entière, nous l'avons passée sur ce quai de la station Jourdain à regarder des ouvriers déloger un à un les morceaux de sa chair d'entre les rails.

Je n'arrive pas à y croire. Le gardinier m'a dupé dans le détail. Bravo, chère mère, pour cette fausse piste. Les fables fallacieuses d'une mère indigne.

— Je suis désolé, dit le pasteur en poussant la lourde porte.

De l'autre côté, apparaît une courte dame avec un poupon dans les bras. L'Enfant. Qui pleurniche à s'en décrocher la mâchoire. Mélodie sans rythme. *A cappella*.

— Tant d'individus se suicident dans le métro tous les ans, à New York la même chose, s'exclame le pasteur. Enfin, vous voyez ce que je veux dire : si ce n'est pas Ariel, c'en est une autre, vous la trouverez.

Je me retourne pour quitter cette cathédrale surfaite. Dans le mouvement vers la sortie, les fantômes en profitent pour s'enfuir. Le pasteur, dans un dernier élan, ne peut s'empêcher de prêcher pour sa paroisse :

— Pensez tout de même au petit. Emmenez-le, il –

— Les enfants, ce n'est pas ce qui me manque, je lance en refermant la porte. Ce n'est pas ce qui manque.

À la pointe de l'île, l'hôtel Lambert surplombe toujours la Seine. Je n'ai pas raté l'événement. Je n'ai pas raté la chute qui ne saurait tarder.

— Juliette, tu veux un enfant ?

Elle regarde autour d'elle à la recherche d'un objet perdu.

— Hum, attends que je réfléchisse. Tu vois un homme dans la pièce ? L'enfant du Messie, oui.

C'est à cause d'eux. La mère, le gardinier, ce pasteur cordonnier, le bébé Fontaine des Innocents, et même Maché, avec cet air de catastrophe naturelle sur le visage qui ne veut plus disparaître. Ils m'ont trompé.

— La petite-fille du pasteur, c'en était une autre, j'ai perdu ma soirée, Juliette, pour la mauvaise morte.

— Albert, c'est sûrement elle.

— Elle s'est tuée sur les rails le même jour. Comment pouvais-je savoir ? Et puis, soudain, Ariel dans une autre station. Pas à Trocadéro, non. Maintenant, tout est à recommencer.

Juliette s'empare de son jeu de tarot. Elle emmêle les cartes sur la table.

— Ils ont commis une erreur, c'est tout. Tous les quais se ressemblent, ils, c'est la même fille, j'en suis sûre. C'est elle, tu peux cesser de chercher.

— Non, je te dis que c'en est une autre. De toute façon, je n'y retourne pas. Le religieux me collera son bébé sous le bras sans plus tarder.

Maché m'attendra munie d'une grenade qu'elle lancera sur le nourrisson pour le faire fuir. Rodrigue se découvrira des élans de jalousie. Constantin ouvrira une manufacture de figurines en pâte à modeler. Yasmine trouvera en ce bébé un allié pour vaincre sa mère. La catastrophe se prépare.

— Dans ce cas, me dit Juliette, tu vois bien que tu perds ton temps. Tu ne trouveras rien.

Allons, ce n'est pas si compliqué. Une femme a avalé un train, on va finir par en parler. Ses parents témoigneront. Bientôt, des manifestations auront lieu dans les rues. Un remous suffit à la ramener. Un remous. Je conçois mal ce détachement de Juliette. Elle connaît pourtant l'obstination mieux que moi. Toutes ces années pendant lesquelles elle a continué d'écrire, malgré le feu dans le foyer qui aurait décimé l'œuvre de sa jeunesse.

Ce secret, je ne l'ai appris que plus tard. Je lui en ai tenu rigueur aussi pour ça, me garder de plus en plus à l'écart. Sa fugue. Je l'ai regardée s'enfuir comme on observe le vent emporter dans sa folie les chapeaux. Elle a franchi le seuil puis secoué la barrière, adieu.

Peu avant son départ, elle me confiait que le vieux père avait mis la main sur ses écrits.

— Il avait bien une cachette, lui-même, et on ne l'a jamais profanée. Je le déteste, tu entends ? Je le déteste.

Une cachette, Juliette ? Qu'avais-tu à cacher ? Jusque-là je croyais que notre tente couvait tous nos secrets. Infime trahison, mais qui paraît si grande quand on cherche à comprendre.

— Il a tué grand-père.

Non, il a causé beaucoup de mal, mais il n'a pas tué grand-père, Juliette. Grand-père, je l'ai trouvé, il dormait paisiblement. Je n'ose pas supposer la délivrance. Une rupture d'anévrisme, grand-mère l'a confirmé avant de partir vers le Sud où elle a fini ses jours dans le calme des pâturages. Accablé, grand-père, par le manque d'émerveillement. Mais celle-là reste une théorie d'enfant.

— Tu as raison, sifflait Juliette, il n'a pas tué grand-père mais plutôt nos souvenirs. Albert, j'ai perdu tous mes mots.

Des mots, ce n'était rien pour moi, des mots, ça se refaisait. Mais le vieux père s'était emparé d'un manuscrit qu'elle rédigeait la nuit. Des feuillets sur lesquels elle rapportait chaque image, la gloire de grand-père, la torpeur de nos vies. Il les avait lus. La scène se serait terminée dans les cris, mais je n'y étais pas. Il aurait tout jeté au feu, je n'y étais pas. S'était-il débarrassé de toutes ces pages ? Il y avait bien deux ans, pourtant, qu'on n'avait pas mis en marche le foyer qui mourait dans de vieilles cendres. Je ne me souviens pas d'avoir suspecté une odeur de fumée évanouie, ni même d'avoir vu s'éteindre un jardin de tisons au creux de l'âtre, non. Je me souviens seulement du départ de Juliette, exaspérée de tout perdre.

— J'ai perdu tous mes mots.

Rien d'autre ne comptait alors pour elle. J'ai tenté d'emprunter les moyens de grand-père pour la retenir. Les belles phrases qui réconfortent ou sèment je ne sais quel apaisement. Mais mes discours ne l'ont pas convaincue. L'œuvre de toute sa douleur, il n'en restait plus rien. Plus tard, dans son exil, elle s'est remise à écrire. Seulement, elle a inventé des histoires de revenants pour mieux enfouir grand-père au fond des catacombes.

— Tu m'écoutes? dit-elle. Cette chasse ne t'apportera que des ennuis.

Du regard elle me supplie de tout abandonner, comme si elle venait d'apercevoir sur ses cartes magiques l'annonce d'une tragédie. Puis, à contrecœur, elle se dirige vers son sac. Elle en sort divers papiers aux contours déchirés.

— J'ai feuilleté des journaux au mail.

Je retiens un sourire satisfait. Même si ce n'est que par dépit, Juliette met de grands efforts à ne pas me décevoir.

— Le nom de cette femme, c'était Ariane?

— Ariel, je rectifie.

— Oui, eh bien, dans tous les cas, on ne mentionne aucun suicide, annonce-t-elle, retrouvant sa sévérité.

Elle envoie valser les coupures de journaux sur ses cartes de tarot.

— Même que, des fois, je me demande, s'emporte-t-elle, si tu n'as pas tout inventé.

— Je n'invente rien. L'article avec photo, tu l'as? Tu as vérifié les faits divers?

Elle affiche une moue perplexe en ramassant les articles.

— La photo? Si tu parles du bébé d'Ariane, enfin Ariel, oui, je l'ai vu. Mais des photos de cadavres, ça dépasse les bornes.

Juliette assène un coup violent sur le dossier de la chaise, qui se met à se bercer en geignant. Le craquement des lattes de bois sous le va-et-vient. Nos regards se croisent. Grand-père vient de reprendre son siège sur les planches du perron près du lac.

— Je t'en prie, Juliette, ne doute pas de moi. J'ai le sentiment qu'un mystère se cache derrière la mort de cette fille.

— Je ne doute, enfin, peut-être qu'il faut chercher autre chose qu'un suicide, c'est tout ce que je dis. Un accident, si elle est tombée par mégarde.

Juliette se mord la lèvre inférieure. Enfant, ce geste la trahissait; prise en flagrant délit d'affabulation.

— Il n'y a pas eu d'accident, Juliette. J'y étais. J'ai tout vu. Son corps nu et ensanglanté, son –

Elle brandit dans les airs les articles de journaux.

— Prouve-le-moi, montre-moi cette photo dont tu parles. Si tu veux mon avis, les journalistes maîtrisent l'art de multiplier les versions. D'un journal à l'autre, les événements couverts héritent d'un dénouement différent. Je te parie que tu ne cherches pas le bon drame. Elle s'est pris les pieds dans ses lacets, elle a chuté, ça arrive. Ou, encore, c'est une sans-abri, elle s'est endormie sur la voie. Ou, tiens donc, une apparition, hop!

Ça n'a aucun sens.

— Albert, reprend-elle en me jetant à la figure les coupures de journaux inutiles. L'as-tu vue sauter?

Oui, je l'ai vue. Je l'ai, quand je me suis retourné, des femmes criaient, je crois. Je crois m'être retourné, persuadé qu'au bout d'un cri on découvre toujours quelque chose. Une fille se trouvait sur les rails. Je l'ai vue sauter, se précipiter la tête basse dans le ventre du précipice, comme une Portugaise qu'on oblige à se marier.

— Non, je ne l'ai pas vue sauter.

Juliette s'assoit sur grand-père dans la chaise à bascule. Elle prend sa tête, frotte ses tempes, puis expulse un long râle.

— Sais-tu ce que je pense ? Elle a été assassinée.

Juliette ferme les yeux. Elle ronge toujours sa lèvre ; je me mets aussitôt à mordre la mienne. Une tension s'élève dans la pièce. Un lourd refrain d'horloge, tic-tac et tac-tic.

— Se dévêtir avant de s'enlever la vie, poursuit-elle, c'est assez rare. Tu as dit qu'elle était nue, si ?

Nue, les membres désarticulés.

— Et il y avait du sang sur son corps, c'est ça ? Tu as dit ensanglantée.

Il me semble qu'il y avait du sang sur elle, sur sa poitrine, sur ses seins lourds, mais je peux me tromper. J'ai peut-être confondu le sang avec les motifs de son pull, un vêtement moulant de la couleur de sa peau.

— Une chute d'un mètre ou deux, pas du vingt-neuvième étage ! Des ecchymoses auraient suffi, personne ne se vide de son sang pour si peu, ajoute la sœur.

Je n'y avais pas pensé. C'est étrange, en effet. Elle ne saignait pas, non, je me souviens maintenant. Elle portait un tailleur couleur crème avec des motifs écarlates.

— Tu es sûr, Albert, de ne pas avoir rêvé ?

Je voudrais la faire taire en lui montrant les preuves, mais le projet est impossible, celles qui concernaient la morte se sont effacées.

— Ne me prends pas pour un fou.

— Je ne dis pas… Mais avoue que cette histoire est sordide. Ç'aurait pu aussi bien être un homme de la Gestapo qui revenait après des années, se rappelant le mal qu'il avait causé dans les couloirs du métro ; quand, tout à coup, un ancien soldat américain apparaît, muni d'une carabine, et voilà, fin funeste. Sur les rails, troué au cœur, tu le confonds avec une femme, il fallait nettoyer tes lunettes.

Je la dévisage, abasourdi. On se demande où pousse toute cette imagination.

— Tu devrais en parler à Viviane, finit-elle.

— Non.

— Elle est psy.

— Ça ne change rien.

— Oh, Albert, j'aurais aimé t'aider, mais je ne vois pas comment. J'ai l'impression de ne pas être la bonne personne pour ça.

Tu vivras d'impressions toute ta vie, ma sœur voyante. D'une certaine façon, elle a raison, cette nudité et ce sang ne sont pas anodins. Ce matin-là, une femme s'est tue. Cette chute représente bien plus qu'un remède à la douleur. C'était dans ses yeux, je me souviens, la peur.

Sous les couvertures, Maché dort déjà, le visage enseveli, ses bouclettes qui se dispersent, son ronronnement. Sa peau est vernie par le reflet de la lune, sa joue creuse et son cou, dénudé. C'est en soupirs et soubresauts qu'elle m'accueille, locomotive pour un voyage de nuit.

Je me glisse près d'elle. La regardant, je contemple une toile de musée, les traits, les mouvements de la peinture. À la recherche du mystère de l'artiste. On tente de lire le chef-d'œuvre dans ce qu'il a de si naturel, d'incarné. Maché, qui respire désormais en émettant ce sifflement presque inaudible, qui laisse s'échapper subtilement d'entre ses lèvres un mince filet de salive, dans cette ambiance de clair-obscur, elle dort comme un ange de Raphaël perché sur son nuage.

Je pourrais lui souffler sur la nuque, la réveiller à coups de douceurs, promener sournoisement ma main sur ses fesses qui se prélassent sous les draps dans la plus pure innocence, mais l'intention file aussitôt venue. Je suis exténué, oui. J'ai envie de laisser ma tête heurter l'oreiller. J'ai envie de sombrer dans un sommeil sans morte, cette fois, à l'orée du cauchemar. Me laisser submerger, et…

— Si tu as faim, je t'ai gardé des brochettes et des pommes de terre.

Maché se tourne vers moi. Froide. Blême. Contrariée. J'entreprends de lui effleurer l'épaule avec ce qu'il me reste de force pour contracter un muscle, et elle se recroqueville. Je retire ma main avec prudence, je ferme les yeux, les ouvre. Le lit tremblote. C'est Maché qui sanglote en silence.

Un couinement, son corps-séisme. Mais je n'ai pas envie de parler. Ce qui la tracasse, je ne sais pas. Cela m'indiffère, à vrai dire. Je vais me contenter de dormir. Qu'elle gazouille encore, c'est promis je ne lâche pas un mot. Ou bien ça nous mènera à une discussion en flammes et le ton grimpera d'un décibel à chaque larme versée. Nous y passerons la nuit, c'est comme ça, passer la nuit à tenter de se vendre des idées qui ne s'accordent pas, à se cribler de reproches, à se griffer, armés jusqu'aux dents d'amertume, en ruine notre volonté de fermer l'œil ensuite — et j'en ai trop besoin pour passer à côté. Nous nous séparerons, l'un et l'autre aux extrémités du lit. Une distance entre nos corps, un passage, pour permettre à l'eau de glisser sous les ponts jusqu'au lendemain. Et au petit matin, le même manège : nous nous jaugerons, fiévreux d'orgueil. Ce sera celui ou celle qui évitera de parler le premier. Le rondo habituel.

De toute façon, c'est connu, les larmes sont sédatives. Pleure, pleure, Maché, pleure un bon coup. Après quoi tu dormiras, le visage élastique, les maux de tête en attente dans la file du réveil, et ce chagrin fugace oublié rue des Vapes.

Je referme un œil après l'autre, tout doucement, de peur que le froissement de mes cils ne me trahisse. J'entrouvre la bouche pour donner dans le commun. J'épaissis mon souffle. Je joue à l'endormi, m'y laisse presque prendre. Jamais elle n'osera, elle connaît le mouvement impétueux de mes dernières nuits, Maché, elle sait bien…

— Je sais que tu ne dors pas, Albert.

Je n'arrive pas à y croire. Des dons de voyance, comme Juliette. Impossible de s'esquiver dans cette maison, Maché n'en rate pas une. Omniprésente, elle ronchonne avec son murmure miellé, dans le sens de collant, d'inextricable. Maintenant, elle se confondra en paroles accusatrices, et je serai contraint, toute ma vie, d'encourager l'honnêteté.

— Ça ne va pas ? Qu'est-ce qu'il y a, Machérie ?

J'emprunte une voix de pneu crevé, une voix tirée d'un faux sommeil interrompu. Sans trêve de comédie, j'ouvre péniblement les yeux, craignant le pâle reflet d'une lune presque évanouie dans le néant. Éveil brutal bien simulé.

— Arrête, Albert, je ne suis pas dupe, tu ne dormais même pas.

Maché se retourne, fait face à la fenêtre, crée un pan d'ombre entre elle et moi. Et puis, surgit ce dilemme que son retrait engage : la laisser ruminer ses pensées oiseuses qui sentent le surchauffé et sombrer dans l'abîme léthargique des songes — car il doit être quatre heures à l'heure qu'il est — ou jouer du coude contre le matelas pour l'atteindre, elle et son air d'escargot avec coquille grand format pour y passer la nuit.

— Albert.

Mes yeux se referment, comme des portes coulissantes où personne ne passe plus.

— Pourquoi tu reviens si tard, Albert ?

Elle fera une scène. De toute façon, elle fera une scène, alors que me sert de me soumettre pour l'instant à ses préliminaires ?

— Tu me réponds ?

Mes paupières s'alourdissent.

— ALBERT !

Bon, ça va.

— Oui, Machérie, je sais, c'est –

— Au bureau, les psys disent que je couve peut-être une dépression.

Euh, hum, pardon ? Diagnostics empruntés, ce soir ? Non. Pas de parasites dans cette discussion nocturne promise à l'oreiller.

— Et toi ? je demande.

— Quoi, moi ?

— Qu'en penses-tu ? Tu es psy, non ?

Elle exhibe ses griffes manucurées.

— Tu veux rire ! Je ne peux pas m'auto, me, ce ne serait pas professionnel, tu le sais bien.

— Dans ma profession, s'en remettre à autrui est un signe de faiblesse. J'ai un contrat, je me charge de l'évaluation, des esquisses, si advient une erreur, je gère. Construire un bâtiment comme si c'était chez moi. C'est la règle. Il me semble que la psychologie, c'est pareil. Ton corps, ta tête, nul n'y voit plus clair que toi. Et puis tes collègues ont une fâcheuse tendance à –

— À quoi, Albert ? Une tendance à quoi ? À comprendre ce que tu ne veux pas entendre ?

Maché se redresse. Les couvertures volettent. Elle s'assoit en enfonçant avec violence ses poings, l'un dans la chair du matelas, l'autre contre la peau de ma hanche qu'elle écorche avec sa bague du même coup.

— Je n'arrive pas à y croire, ajoute-t-elle. Tu dénigres mon métier, Albert, ça te semble si simple d'évaluer l'état des autres. Ils me consultent justement parce que j'ai étudié pour être en mesure de les aider, parce que j'ai des compétences. La vie n'est pas une formule mathématique, ceci égale cela.

Enragée, elle pose un pied au sol en agrippant son oreiller pour me frapper avec la taie.

— Tu as tellement d'assurance, Albert, de suffisance. Mais tu ne détiens pas toutes les réponses, je te l'assure. Tu devrais –

Mais je n'écoute déjà plus. Je connais trop bien la suite. Elle m'invitera à consulter sa horde de collègues encombrantes, ou alors elle me sermonnera, tu devrais expulser de ta tête cette morte effarouchée qui joue à cache-cache, cette morte qui alimente ta rage, te transforme. Seulement, Maché ne sait guère ce que promènent mes pensées, tandis qu'à mon tour j'ignore ce qui sillonne les siennes. C'est cette distance entre nous qui l'amène à quitter en furie la chambre, en laissant traînasser à sa suite la couverture de laine qui me couvrait les pieds. C'est cet entêtement qui explique que nous finissons par nous assoupir l'un et l'autre dans deux lits éloignés.

Un matin prévisible, ensuite. L'air alourdi d'un malaise. Installés à la table, c'est en automates que nous tartinons nos croissants secs, évitons nos regards fleurets.

Le silence, criblé de gloussements de mastication, pèse comme un toit qui s'effondre. Et voilà que Yasmine s'en mêle, adieu l'espoir de rétablir la charpente.

L'infatigable fugueuse surgit dans la pièce tel un bulldozer pour abattre les murs. Jusqu'aux chevilles, ses longs bas censés frotter les genoux dévoilent des jambes frêles et blanches. Et les cuisses se devinent sous une jupette rouge à franges. Pas de maintien pour sa veste qui survit grâce à deux boutons attachés à l'aveuglette. Une partie de son col lui gratouille le menton ; là s'enroule un foulard pendouillant jusqu'à ses pieds. Le contour de ses yeux, traits de charbon qu'elle cache derrière une tempête de cheveux gluants. Un chapeau enfoncé au plus profond sur son crâne. Petite tête aux oreilles retournées. Porcelet. Porcelet au sortir d'une mare de boue. Porcelet repoussant.

Maché et moi nous regardons enfin, sciés par l'intrusion. J'enfourne mon croissant d'un geste d'ogre, j'avale tout, interdit. Cette fois-ci, Yasmine s'est réfugiée dans de beaux draps. Je demande :

— Alors, Réal ?

— Réal ? s'enquiert Maché qui, tout compte fait, n'a pas entendu parler de ce numéro-là. Et Simon ?

Yasmine envoie balader ses chaussures au fond de la penderie, libère sa crinière de lionne puis rugit :

— Tu rêves ! Simon, ha ! De l'histoire ancienne.

— C'est Réal, maintenant, j'ajoute.

Elle balance son sac sur ses souliers, claque les portes du placard.

— Non, ce n'est pas Réal maintenant ! Ce n'est pas Réal maintenant parce que Réal, c'est le plus grand des connards ! C'est bon, là ? Je peux y aller ?

La catastrophe file dans l'escalier.

— Où as-tu passé la nuit, Yasmine ?

Maché se lève et appuie ses deux paumes sur le rebord de la table avant de plonger l'entier jugement que porte son regard de mère dans les yeux bouffis de sa fille qui chancelle.

— Dis-moi où tu as passé la nuit, Yasmine.

La minute qui suit en est une de meurtre avorté. Deux femmes qui se fixent sans arme pour se tuer.

— Tu veux que je répète ? articule Maché.

Puis elle saisit Yasmine par les épaules, la secoue violemment avant de la lâcher et alors fond en larmes en s'assoyant au sol. Les mains sur ses paupières, elle crie à travers son hoquet :

— OÙ ÉTAIS-TU ?

— Qu'est-ce que ça peut te faire ?

— Ça peut, c'est que, parce que je veux t'aider.

— C'est toi qui as besoin d'aide !

Ça hurle de partout. Ça hurle de Maché petite brebis égarée, gisant par terre à bout de souffle. Ça hurle de Yasmine qui saccage dans sa ronde les chaises en scandant « tran-quil-li-té » comme si elle appelait du renfort. Ça hurle de Rodrigue aussi, parce qu'il est temps qu'il se lève, le pauvre, se dégourdisse les jambes. Réveille-matin des plus désagréables, sa bouille de coq qui chante pour secouer la basse-cour. Et bien sûr, ça hurle de Constantin ; l'opéra familial se glisse jusqu'à ses tympans, il déteste être exclu alors s'empare du soprano. Mais il y a plus :

— J'ai fait pipi, papa !

N'en rajoute pas, petit homme. Je profite de cet intermède pour m'éclipser, aller le rejoindre, lui demander naïvement de placer ses doigts de fée dans mes oreilles, histoire de jouer à perdre des bribes de la dispute au passage. Seulement, rien n'y fait. J'ai l'impression que Maché va retourner la plaie jusqu'à ce que le sang ait bel et bien coulé dans tous les sens.

— Où as-tu dormi, Yasmine ? Réponds ! RÉPONDS ! Si tu as couché dans la rue, ma fille, tu n'as plus qu'à empaqueter tes affaires et à y retourner !

Puisque c'est comme ça, Constantin et moi échangeons nos rôles. Je protège sa douce innocence en le privant de son ouïe, évitons qu'un autre rejeton ne soit traumatisé par les déflagrations de sa mère.

— On t'a offert un toit, une maison, Albert et moi, une chambre où tu es libre de laisser traîner tes satanés bouquins comme ça te chante, mais si tu veux que je te dise, la prochaine fois que tu dévalises une librairie, reviens donc avec des livres qui vont t'apprendre à vivre un peu…

Et sa phrase se perd dans un souffle. Bien des choses se perdent dans un souffle.

Quand je reviens auprès de Maché après avoir renouvelé les draps de Constantin, Yasmine a déjà fait trembler la maison en claquant la porte de sa chambre. Maché repose, inerte, sur le tapis, appuyée contre le mur sous la fenêtre, la tête penchée sous l'hésitation du soleil. D'infimes particules planent avec les rayons jusqu'à son cou. Je nous revois, Juliette et moi, enfants, étendus sous la vitre dans le séjour, sur l'ombre illuminée, attendant de mourir asphyxiés de poussière.

— J'étais chez ma sœur.

Maché redresse la tête, ses yeux forment des entailles fragiles qui me questionnent.

— Hier. Tu voulais savoir où je me trouvais hier. Chez Juliette.

Ils m'implorent. Je ne sais pas ce qu'il faut dire :

— Le temps va changer Yasmine, tu verras.

Je ne suis pas doué pour les sentiments :

— Il a accompli des miracles avec toi.

Alors je ressors l'humour. Mais ça ne fonctionne pas.

— Albert…

Ces plis sur son front. Cette inquiétude. Quelle mauvaise idée de revenir sur le passé.

— Je ne veux pas qu'elle répète mes erreurs, tu comprends ? fait Maché.

— On n'hérite pas nécessairement des vices de nos parents.

Le vieux père déambulait de pièce en pièce, à l'occasion, déambulait sans un mot pour personne, lançant de lourds regards à qui croisait son chemin, à la mère qui fondait sous la pression. Ses sourcils et ses yeux, je me souviens, s'élevaient en prière et, soudain, elle arborait cette grimace, une grimace telle qu'elle paraissait, à certains moments, avoir vieilli de trente ans. Elle vieillissait à chaque repas du soir, quand le vieux père quittait sa chambre secrète, quand nous l'entendions du séjour ; chacun de ses pas dans le couloir au-dessus de nos têtes, chaque craquement sinistre. Il descendait une à une les marches, prenait son temps, et nous courions nous asseoir devant nos plats pour qu'à son arrivée il n'y ait plus qu'à manger et repartir. La mère, en épouse bien domptée, posait les couverts sur la table à la seconde précise où le vieux père y posait les yeux. Tout n'était qu'une question de regard, oui. Nous l'aurions décortiqué de toutes les façons possibles, nous l'aurions évalué sous tous ses angles, le regard du vieux père n'aurait pu être autre que l'iceberg en pleine mer : froid, errant et dangereux.

— On se détache, il faut se détacher.

Il se levait, toujours prompt, le vieux père, sortait de table sans sourciller, retrouvait sa chambre aux secrets d'où il ne ressortait que bien plus tard, infiniment plus tard, pour se glisser sous les draps près de la mère. Je ne sais pas si elle dormait. Quand elle allait se coucher, nous pouvions l'entendre souffler, c'est tout. Épuisée, on aurait dit, de ne rien accomplir, ou bien c'était nous qui étions épuisés pour elle.

Parfois, Juliette et moi étions encore éveillés lorsque le vieux verrouillait pour la nuit la porte de la chambre aux mystères. Nous inventions, sous notre tente de couvertures, des mondes où les parents dormaient enlacés et où la famille était un grand lit, rassurant et douillet.

— Je voudrais qu'elle s'ouvre, Albert, qu'elle me parle, je, je voudrais qu'elle apprenne…

J'ai essayé d'apprendre, j'ai essayé, c'est vrai. Quand Juliette est partie de la maison, j'ai tenté d'approcher l'homme sauvage. Mais aucun stratagème n'influençait le tempérament du vieux père, non. C'était cela, rien d'autre : un père qui ne nous laissait jamais la moindre chance de prouver quoi que ce soit.

— On suit certaines traces, et les autres, on tente de tout son soûl de les fuir en courant.

— Qu'est-ce que tu dis, Albert ?

— Nous transmettons à nos enfants nos bons côtés, c'est vrai, mais bien souvent, comme Yasmine, ils ne cherchent qu'à braver la bête noire qui repose en nous. Le vieux père, il n'a rien voulu transmettre, ni le bon ni le mauvais, et, tu vois, c'est cette indifférence qui a tracé notre route, à Juliette et à moi.

La raison si précise des pleurs qui ne savent pas couler.

— Albert, tu, est-ce que ça va ? Ça va aller ? Tu ne parles jamais de, pour ton père, c'est…

De l'inquiétude. À nouveau de l'inquiétude dans son regard de mère, dans son regard de femme. Elle se lève, arpente la pièce d'un bout à l'autre, épie en alternance ma tête d'étourdi et le plafond.

— Laisse-la, Machérie.

— C'est ce que je vais faire.

Elle apprendra.

— Mais j'ai peur qu'elle prenne les mauvaises décisions, confie Maché. Un bébé, tu sais bien que ça ne se commande pas.

Maintenant oui, via le journal. Les petites annonces.

— Je voudrais tellement que Yasmine n'ait pas à –

— Ta fille sait très bien ce qu'elle fait, je dis.

— On ne choisit pas, Albert.

Chaque fois qu'elle fait référence à cette époque où elle n'existait pas pour moi, chaque fois, elle se renfrogne. Un sentiment de honte, j'arrive à le déceler dans son air abattu. Cette tentative de garder enfouie dans ses vestiges l'ère préhistorique de son parcours.

— On ne choisit pas.

On ne choisit rien, c'est vrai. Autrement, Maché ne se serait pas retrouvée en cloque à l'âge des mamours intrépides, Juliette aurait vendu notre histoire à cent mille exemplaires, la mère serait morte à l'heure du repas un jour de grisaille comme les autres, et moi, j'aurais trébuché devant la stèle de la vraie morte, avec adresse tenant lieu d'épitaphe, ou mieux, j'aurais tendu la main, ce matin-là, j'aurais tendu la main, mais on ne choisit pas.

— Si ça peut te rassurer, je dis, on ne fait pas toujours les bons choix.

Je lui montre le plafond.

— Et quand on ne choisit pas, ça ne veut pas dire que c'est le malheur qu'on récolte. Tu as eu Yasmine.

Elle lève les yeux vers le haut, encore une fois, les yeux vers où Yasmine se terre ou vers le ciel. Puis, elle me regarde et emprunte les traits d'ange dont elle garde tout près le masque hypocrite.

— Toi, Albert, elle t'écoute toujours comme si tu étais son père, elle te voue une confiance absolue, je t'assure. Tu pourrais… Si tu allais lui parler ?

Yasmine se berce sur son lit. Elle a troqué son déguisement de ballerine moderne pour une tenue tout en fleurs et elle est pelotonnée sous une épaisse couverture de laine qui lui donne l'allure d'une fillette.

Des livres éparpillés forment une sorte de cerceau de pierres autour d'elle à la manière d'un feu de camp. Elle tapote avec détachement l'une ou l'autre des pages qui l'attisent. Au fond de la pièce gît, dans l'ombre, une bibliothèque dénudée. Sur le sol, bien en retrait du lit, je devine le roman de Juliette sous une reliure gravée d'étoiles difformes. Je passe la porte et rejoins l'ouvrage qui erre sur le tapis. Yasmine lève sa mine de condamnée vers moi.

— Je peux le prendre ? je dis.

Un léger hochement de tête, sans complément. Son anneau de pierres retient son attention, elle se concentre pour délivrer de son fouillis le *Discours de la méthode* afin de le feuilleter ensuite et de lire passage après passage des formules qu'elle a dû, déjà, avoir relues plus d'une fois. Manège de dévote suspendue à sa bible, devant des écrits qui, tout au long de sa vie, lui ont fourni des traces pour y poser les pieds.

— Tu sais, Yasmine, les réponses ne se trouvent pas dans les livres.

Elle laisse s'effriter les pages au bout de ses doigts, les pages glissent en s'excitant tel l'oisillon dont les ailes battent pour tenter un envol puis s'affaiblissent. Le livre, parvenu à ses fins, se referme.

— Quelles réponses ?

À constater l'implacable indignation qui semble faire ombrage à ses traits, je réalise que je ne suis pas la ressource idéale. C'est une histoire de femmes, à mon avis, une histoire de gifles et de répliques cinglantes. Un cas pour la tribu de Maché, un cas désespéré. Et aussi, elle a des livres, Yasmine, pour y ranger ses émotions. Rien à confier, pas besoin de me parler, non, Juliette, elle avait ses papiers. Elle pouvait y inscrire noir sur blanc qu'elle envisageait de fuir, y inscrire qu'elle n'en pouvait plus, mais elle ne disait rien. Elle pouvait tout écrire, mais je n'ai jamais su.

Je m'apprête à quitter la chambre dans un effet de brise passagère, respectant la douceur de l'âtre qui crépite sur le lit, je dirai à Maché que sa fille a le langage rudimentaire, le discours déficient, la langue fourbue. Qu'elle préférait se taire plutôt que d'expulser son fiel, que, qu'elle…

— Dis, Albert, est-ce que tu sais qui nous sommes ?

… m'a parlé de philosophie.

La torturée me pose les questions existentielles. Que répondre. Des formules toutes tissées qu'on lâche dans la nature pour montrer qu'on sait vivre, mais on ne sait rien du tout ? Des âmes déchirées. Des fantômes avant l'heure, aurait élucubré grand-père. Mais bien sûr aussi que cette réponse ne suffira pas à apaiser ses incertitudes, car elle n'apaise pas l'ombre des miennes.

— À mon avis, la grande, c'est, tu vois, ce n'est pas en sautillant la nuit que tu résoudras cette question d'identité. C'est du mal à ta mère que tu causeras, rien d'autre, et elle éraille déjà le fond du bocal, crois-moi.

Yasmine me fixe avec des yeux de biscuits marseillais. Pas pu m'empêcher de lui saupoudrer une morale, c'est bien pour la réprimander, après tout, que je suis monté ici. Je sens qu'elle travaille la façon dont elle m'enverra paître : en désignant la porte avant que je la referme pour un départ sans tragédie ou en me lançant une poignée de livres auxquels elle accorde une moindre importance, je ne sais pas. J'ai pris les mots de sa mère, les ai transformés en formule magique, jouons franc jeu maintenant, et puis mon cœur se tord devant son immobilité, Yasmine, devant son souffle diffus, les larmes qu'elle retient de Maché, qui hésitent à paraître. Je me risque :

— C'est en dedans de toi, j'imagine, c'est là qu'elle se cache, ta force, et puis, qui sommes-nous ?

Son visage s'éclaire, elle crispe les mains sur la vérité de Descartes. J'ai l'impression qu'elle attend de moi la clé de ce questionnement nébuleux. Elle me supplie avec ses yeux en desserts, gâteau, glaçage, deux yeux lustrés, pleins d'un espoir que je ne pourrai satisfaire. Crier à l'aide pour compenser mon ignorance.

— Parle à ta mère, peut-être. Des questions du genre, c'est à peu près ce qu'on doit lui poser tous les jours. Elle a bien dû y trouver une réponse, depuis le temps.

Yasmine fait l'effort d'un marmonnement, une espèce de « peut-être » coincé entre ses dents polies d'orgueil. Elle laisse s'installer un malaise avant de se mettre à partager ses craintes. Bientôt, il n'y a plus de barrière pour la tenir à l'écart. Des confidences fusent, de tout ordre, elle s'indigne, se répand en excuses, fustige, fanfaronne, franchit largement la limite de l'explication élémentaire à laquelle je me suis habitué, et me voilà piégé dans son intimité. Mais peu importe, peu importe, vraiment, écouter cette plainte de jeune adolescente égarée ne peut être pire que de supporter l'humeur acérée que Maché traîne avec elle comme un couteau de poche.

— Une étudiante de mon école s'est suicidée.

C'est ainsi que se termine sa diatribe enflammée. Suicidée. Une étudiante de l'école. Et ses paupières qui ondulent. J'avais oublié la morte du métro. La morte qui, dans l'essoufflement de cette seule parole de Yasmine, se reconstitue. Mon corps, empalé. Un grattement, la pointe d'une lame, irrite mon thorax. Un goût amer de vomissure dans le fond de ma gorge. Mes aisselles se noient, et ces bouffées de chaleur ! Je me retiens au chambranle de la porte pour ne pas déguerpir comme un traître débusqué, pour ne pas quitter la pièce, la maison, quitter tout ça, je ne sais pas, pour de bon, pour un temps, poursuivre, retrouver cette fille, je dois bien retrouver cette fille.

Le regard de Yasmine se braque sur ma détresse, tels deux points en signe d'interrogation. Je me souviens qu'elle a parlé de suicide, avec le trémolo au creux de la voix, et cette dernière qui semblait sur le point de se fendre dans un craquement sinistre. Je me souviens qu'elle a parlé de suicide, derrière un visage si vide qu'il laissait croire à l'affaissement d'un monument ancien, d'une candeur enfantine. C'est ça, d'une candeur enfantine. Je voudrais lui expliquer la méthode, lui transmettre comme un pan d'héritage ce savoir acquis au gré de l'expérience, l'avertir que la curiosité se transforme. Je voudrais la mettre en garde contre le danger de l'obsession, contre le sentiment d'impuissance qui se faufile, mais surtout lui rappeler que la bataille n'est pas gagnée. Grand-père aurait clamé haut et fort: « Se greffer à ses convictions pour survivre au péril. » Je voudrais lui expliquer tout ça, la faire entrer dans mon monde, je voudrais. Seulement, à la vue de Yasmine qui retire de son livre un signet sur lequel se côtoient une photo de la vieille mère et quelques mots — des vœux aux endeuillés —, je comprends qu'elle ne rumine pas les mêmes idées que les miennes. Il n'y aura pas de recherche, il n'y aura aucun mystère, elle veut seulement se recueillir pour ces gens-là qui partent.

— J'ai peur de la mort, Albert.

C'est vrai, la mort à cet âge, la mort, c'est grand-père. Ce sont les escapades au lac, qu'on recrée en souvenir, tout ce qu'on oublie, la raison de s'éloigner des cimetières.

— Tu sais, cette fille, m'apprend Yasmine, elle s'est tranché les veines. Ils l'ont dit, ça a circulé dans l'école. On raconte que c'est un inconnu qui a découvert son corps en se promenant dans le quartier. Sur son balcon. Tu as compris ? Devant tout le monde. Elle s'est tuée devant tout le monde.

Elle s'est élancée sur les rails devant tout le monde.

— Mais il n'y avait personne.

Et le quai du métro pullulait de lève-tôt.

— S'il y avait eu quelqu'un, un voisin, peut-être.

Ça n'aurait rien changé. Elle serait morte quand même.

— Il aurait pu... quelque chose, la sauver. C'est triste, je trouve.

J'aimerais bien rester coi devant ces mots que Yasmine souffle avec l'haleine de l'atrocité, cette putride odeur de cadavre qui fourmille partout dans Paris, qui a vaincu cette tranche-veineuse, Ariel Jame et ma fille du métro. J'aimerais bien. Mais des images me viennent en simultané : celles du corps en verre éclaté sur les rails de métal, et puis celles du vieillard, de grand-père, croupissant au creux d'un fauteuil sous l'égide de l'air tragique d'une symphonie funeste. Ces cadavres complotent l'épidémie et, bientôt, il n'y aura plus qu'eux, dans une guerre à l'interne, plus qu'eux, infatigables, pour s'*entrehanter* stupidement. Je lui dis :

— Les choses ne se passent pas nécessairement ainsi, les choses. La plupart du temps, on meurt à bout de souffrance, de maladie, c'est vrai. Des gens combattent –

— C'est comme grand-mère. Maman dit que grand-mère a succombé à un cancer.

— Il semblerait.

Je jette la réplique avec nonchalance. Je ne vois pas quelle autre attitude emprunter quand on me parle de la mère recroquevillée sous l'ennui, souillée par des relents d'intolérance, la mère qui mourait par à-coups déjà dès sa naissance, la mienne.

Yasmine attend. Yasmine au minois assombri, et ce signet dans les mains qu'elle caresse. La chaleur suffocante de la culpabilité m'enveloppe.

— Ça me désole, dit-elle, pesant lourdement chaque syllabe pour écraser mon sentiment, l'étendre à perte de vue. Tu ne le savais même pas, c'est ça ? Tu t'en fichais ?

Elle imprime, sur une page du *Discours* qu'elle appose sur son visage, la naissance d'une larme qui gondole bientôt dans l'éternel. Vais-je lui dire que cette mort-là, celle de la mère, en est une de longue date, et qu'une vie misérable l'a achevée bien avant que la maladie l'emporte ? Vais-je revenir sur mes paroles, revenir sur ces gens qui combattent ? Qu'est-ce que ce sera après toute cette désolation ?

— C'est ce que je voulais dire, Albert. Ce qui m'effraie, tu vois, c'est qu'on s'échappe en laissant dans le monde, pour unique trace de son passage, un vague souvenir. Je n'arrive pas à me rappeler l'enfance, chaque fois je réinvente, chaque fois –

Tout est oubli. Fumée qui s'estompe. Mais ce qui marque ne s'efface jamais. Je voudrais le lui dire en évoquant grand-père. Vestige de la préhistoire, gravure sur les parois des grottes humides. Cela se conserve.

— … et puis quand on meurt –

Elle vient de poser le doigt sur le problème : la mort. Lorsqu'on part, c'est un monde que l'on retire aux autres ; cette essence même qui leur permet de reculer, de tâter leur mémoire fuyante. La mort, indomptable voleuse à la tire.

Je ne retrouverai pas la fille du métro, la fausse Ariel Jame. Balayées, toutes ses traces. Quitter complètement le monde, lui soustraire chaque parcelle, ne rien laisser. J'aurais souhaité connaître la source, les racines de son mal, l'emplacement du tertre dans son jardin secret où l'herbe a poussé noire. Élucider ses adieux. J'aurais aimé crever le bulbe du mystère, me rappeler cet instant possible où le regard de cette femme aurait effleuré le mien, où ses lèvres se seraient ouvertes pour une mélodie enveloppante, un morceau de voix égaré. Connaître la fille du métro avant qu'elle ne s'envole comme du pollen au vent, et peut-être, peut-être, empêcher ses pétales de se faner dans l'oubli.

J'aurais souhaité que grand-père me tende la main, j'aurais pu tenter de le garder en vie.

— Albert ?

Yasmine se lève et pose sur mon épaule sa frêle paume d'enfant-femme. Ondoient ses deux joues alors qu'elle gruge la berge de ses lèvres avec fureur.

— Tu crois que c'est normal que je me sente coupable ? dit-elle. Je l'ai rencontrée une fois, peut-être, pas plus. À l'école, son nom est sur toutes les lèvres, mais, Albert, je ne me souviens pas d'elle.

Si seulement je connaissais son nom. Je pourrais le retourner, je ne sais pas, le tenir entre mes mains, le manipuler comme un objet d'art, avec émerveillement, les yeux de grand-père auraient chatoyé de bonheur. Avec son nom, les portes que l'on me verrouille au visage perdraient peu à peu de leur serrure, avec son nom, la clarté salvatrice.

— Penses-tu que je pourrais aller à la morgue ?

Yasmine aux yeux que les remords embrouillent tels deux bibelots recouverts de poussière.

— Son cadavre doit bien y être encore, suppose-t-elle.

Je hoche la tête.

— Oui, sans doute.

Hoche la tête en buvant son idée.

— Les funérailles, je ne crois pas que j'en aurai la force, c'est, c'est beaucoup trop ancré dans le deuil, c'est... pour ceux qui choisissent les larmes. Moi, je voudrais seulement me rappeler son visage, tu vois ? À la morgue, on doit bien pouvoir rendre visite aux morts. Ça se fait, dis, ces choses-là ?

Le teint de Yasmine ne m'a jamais semblé si clair, presque lunaire dans la nuit grise. Le visage. Son idée. La solution ultime, elle l'a jetée, un centime dans la fontaine, mais c'est celui-là, le centime, c'est le bon, je le vois, il brille. Je repense à tous ces avertissements de Juliette qui m'a mené en barque, ces impressions de mauvais augure, ces dédales fantaisistes, et elle qui côtoie si peu la réalité. Cette réalité de cadavres promis à la morgue, étendus sur un lit couvert de soie, et leur peau flasque qui glisse de tous côtés, leur peau blanche, cette réalité qui les dissèque pour en découvrir les plus infimes secrets, qui les vide pour qu'il ne reste en eux que les os, les tripes, la moelle, mais surtout, surtout, qui les inscrit dans un registre, parce qu'il doit inévitablement y avoir dans ce monde une liste des morts, autrement, l'existence serait sans aucune répercussion sur l'avenir et plus rien n'aurait de sens. Ce serait disparaître. Bel et bien. À jamais. Et personne ne détiendrait la vérité.

— J'irai avec toi.

Je lui annonce cela en souriant stupidement, porté par une brise de plénitude.

— À la morgue. J'irai avec toi à la morgue.

J'ai droit à une moue plaintive, avec des sourcils qui, en duo, plongent en un mouvement de réprobation.

— Non. Tu rigoles ? Qui t'a demandé de venir, Albert ? Je suis capable de me rendre là-bas toute seule, qu'est-ce que tu crois ?

— Certainement.

Et à cela rien ne s'ajoute puisque ma langue a fourché. Ce que je voulais vraiment dire, c'était : j'irai moi aussi. À la morgue. J'irai à la morgue. Je demanderai à rencontrer le médecin légiste, un coup d'œil aux dossiers, j'exigerai qu'on me fournisse une fois pour toutes le nom de cette fille qui, au sortir du métro ce matin-là, laissa le train lui déchirer le corps, l'anéantir, en même temps que moi.

Yasmine quitte la pièce. Elle se retourne un instant et enfonce enfin son regard apaisé dans le mien, qui erre à des milliers de lieues de là.

— Allez, sors de ma chambre maintenant.

Je serre contre ma cuisse ce roman de Juliette que j'emporte, ce roman sur lequel apparaît un cliché de son visage impassible, puis j'accompagne Yasmine, comme un père qui n'est pas un père, mais qui ne s'y prend pas si mal.

— Avec son nom, tu peux facilement mettre la main sur une photo de ton amie, je lui dis.

Elle sourit. Je voudrais l'avertir de ne pas étirer cette histoire, de laisser la mort filer, autrement elle s'empêtrera dans ses filets et n'en sortira plus. Elle demeurera prisonnière de cette image envahissante du bonheur se prélassant sur un lit satiné, immobile, froid, terne et inexistant.

— J'ai aimé parler avec toi, Albert. Ça m'a soulagée.

Un clin d'œil pour l'encourager, avec un bras que je passe autour de son cou. J'ai aimé parler avec toi, Yasmine. Ça m'a éclairé.

Nous descendons au salon où Maché dresse mentalement une liste de ses sombres pensées, assise en statue dans le fauteuil du coin, sans émettre ni murmure, ni grondement, ni gospel.

— Tu bavarderas avec ta mère.

Cette fois, c'est un ordre que je souffle à l'oreille de Yasmine, qui acquiesce et soupire. Je ne serai pas monté dans le havre luxurieux pour rien, non. Ça s'arrangera.

Tout s'arrangera.

Il y aurait lieu de se croire dans un parc, de s'asseoir sur le banc de bois verni qui patiente en bordure du chemin dallé et de s'offrir un sandwich, un orchestre, de respirer l'air frais en profitant du calme, si ce n'était de ces arbres, leur feuillage terne, couvrant d'un champ d'ombre l'allée qui mène en serpentant à la porte principale du bâtiment de brique brune. La morgue. Pardon. L'institut médico-légal. Parce que ça sonne moins glauque, que ça évoque moins les morts, qui pourtant gèlent à l'intérieur, que ça laisse l'impression que c'est davantage une spécialité qu'une fatalité, mourir.

Aux fenêtres du premier étage sont greffés d'imposants grillages noirs. Ils confèrent à la bâtisse une allure de prison. Une simple question de style, cet habillage. Il ne sert qu'à rendre l'endroit repoussant, non à empêcher quiconque d'en sortir. Qui voudrait s'enfuir d'une morgue ? Avec un peu d'imagination, j'arrive à me représenter une horde de cadavres plaquant leur visage crevassé entre les barreaux, secouant leurs bras dans le vide, s'entassant en amas contre le métal pour s'extirper, s'évader, revenir au monde. Je longe la façade de l'édifice, mon épaule frôle la brique et affronte les mains qui jaillissent à travers le grillage. On m'agrippe, me retient, piaille à mon oreille, des gémissements inaudibles. On tente de me montrer ceci, on me désigne une ombre au fond de la pièce, et j'ai beau saisir à bras-le-corps la barrière, insérer ma tête pour y voir, je ne distingue qu'une masse au sol, une masse difforme, de laquelle des cheveux s'échappent en filets de sang. Une femme, c'est cela. Elle a le corps fracassé et, ainsi étendue au-delà des barreaux, elle paraît dormir entre deux rails de fer. La fille du métro.

Quand je me retourne, elles ont disparu, toutes, les mains, les ombres, la masse. Seuls quelques roucoulements de pigeons anéantissent le silence du jardin ; les feuillages frissonnent autour du bâtiment — les morts aussi ne sont que passagers.

Je pousse l'immense porte rouge servant de cloison entre les deux mondes et, une fois à l'intérieur de l'Institut, je me dirige vers la première âme qui vive. Une jeune femme scrute à la loupe des clichés de pompes funèbres étalés sur son bureau tels des morceaux de casse-tête qu'elle s'obstinerait à emboîter les uns dans les autres. Vêtue d'un tailleur ajusté couleur bordeaux vieilli de dix ans. Ses cheveux, maintenus en rondelles derrière sa nuque, mettent en valeur, en équilibre sur son nez d'équerre, de très légères montures entourant deux petits verres — des demi-lunes. Ils ont la même utilité que les grillages à l'extérieur. Une entreprise de parure, tout compte fait, cet Institut médico-légal.

Lorsque la réceptionniste prend conscience de ma présence, elle lève vers moi ses yeux, puis feint un sourire avant de ranger soigneusement chacune de ses photos dans un porte-documents à plat sur son ventre, soustrait aux regards curieux.

— C'est pour visiter ? me demande-t-elle, et je remarque que son impeccabilité s'arrête à sa dentition : une rangée de dés calcifiés s'extirpant d'entre ses lèvres comme un dentier mal ajusté.

— Je voudrais voir le médecin légiste.

Ma phrase demeure en suspens ; la jeune femme semble prise de court. Un instant, elle promène son regard vers une porte que j'imagine tapie au fond d'un corridor, la seconde suivante, elle fixe le téléphone en hésitant à en soulever le combiné. Elle conserve, dilemme ou pas, une froideur irréprochable.

— C'est impossible, finit-elle par articuler. Impossible.

Comment, impossible ? Rien jamais n'est impossible, à moins que le médecin légiste ait lui-même rejoint la troupe de macchabées, couché sur sa civière glacée entre un obèse à l'appendice perforé et le postérieur gonflé d'un cuisinier victime d'une surconsommation de poudre à lever ; reposant près du corps trituré d'une femme écrasée par un train. Trocadéro. Très tôt, le matin. Peut-être le médecin légiste est-il la fille du métro ou alors est-il mort sous le métro, peut-être avait-il une fille qui prenait le métro, ou bien le métro a pris sa fille, sa vie, ou peut-être est-il finalement en vie ? Le médecin légiste n'est pas mort. Rien, non rien n'est impossible.

— Je vous en prie, c'est de la plus grande importance.

Elle dirige à nouveau son regard filtré par ses lentilles lilliputiennes sur l'appareil téléphonique. Puis, avant de se lever et de mettre à l'abri, dans un tiroir, ce cartable si précieux qu'elle portait jusqu'alors en bavette, elle ajoute :

— Donnez-moi un moment.

Un moment pendant lequel elle disparaît à l'angle du mur dans une démarche de cheval errant. Le hall embaume un violent parfum de fleurs mortuaires. Ça me rappelle le cimetière, la mère, le gardinier, puis cette fausse piste sur laquelle ils m'ont envoyé. La famille Jame. Ariel. Cette fois-ci, pas d'erreur. Ces gens qui répondront, d'incontestables professionnels, ils ne se trompent jamais. Ils savent autopsier la vérité.

Je vois la scène d'ici : le médecin légiste, de son laboratoire, flaire ma détresse, il range ses instruments. Aussitôt, il court jusqu'ici dans son sarrau de pureté blanche, les paumes maculées de sang de cadavre disséqué. Il me tend la main en toute amitié ; sans façon, je réponds, et il frotte sa barbe grisâtre avec ses doigts, la peinturlurant, du coup, d'hémoglobine. C'est un vieillard, presque atteint de nanisme, dont le vêtement de travail s'étend comme une robe de mariée à ses pieds. Son nez est couvert de poils, et son crâne, de cheveux perdus dans une broussaille énorme, une coiffure à la Einstein. Les scientifiques hébergent presque tous ce trop-plein de cheveux, à croire que l'intelligence ne sait plus, chez eux, sous quelle forme déborder. Enfin, Einstein s'enquiert de ma requête ; je lui raconte tout, de la chute au cri puis au choc, de la chasse au cimetière au calvaire, jusqu'à ce que, impressionné par mon acharnement, il me fournisse le précieux nom de la victime. Nous nous séparons ensuite, de sorte qu'il puisse essuyer ses mains collantes ailleurs que dans son excès de pilosité. Quant à moi, je m'assois un instant sur le banc du jardin mortuaire avant de retourner à l'agence, transporté par une vague impression du devoir accompli.

Mais rien de tel ne se produit. Le jeune cheval en tailleur me rejoint, en secouant la tête dans tous les sens.

— Désolée, elle est occupée. Souhaitez-vous lui laisser un message ?

Elle est. Un message. Une femme ? Non. Vieillard nain, où te caches-tu, toi qui me révélais le nom de la fille sans poser de questions ? C'est peine perdue. Elles ignorent tout de la mort. Les femmes sont des machines à procréer. Donner la vie et la migraine. Des Maché. Elles pleurent autant devant la tombe que sur l'oreiller. Si seulement elles voulaient coopérer. Elles nous scrutent tandis que sous la torture nous nous extériorisons. Elles cisaillent nos paroles. Je sais ce qu'elle dira. Comme Juliette, elle croira que j'exagère. Elle s'inquiétera de ma famille, elle présumera que je cherche à tout détruire. Remettra en question le bien-fondé de ma démarche. Elle négligera l'essentiel, ce nom qu'elle refusera de me laisser découvrir. J'imaginais un vieillard, avantagé par toutes ces années d'expérience, tous ces drames déjà vécus, ces pertes. L'homme aurait appuyé sa main plissée sur mon épaule. La souffrance commune, un vin que l'on partage en éminents connaisseurs. Cette image, il me semble, correspond mieux que nulle autre au personnage, à cette idée que celui qui étudie la mort de si près parvient à en maîtriser tous les rouages, à en résoudre tous les mystères, à la contrer, à s'y soustraire, puis à atteindre nécessairement l'immortalité.

— Non, pas de message, je dis. J'ai besoin de renseignements.

La jeune femme ressort sa loupe pour m'examiner.

— À propos de l'autopsie ? C'est le magistrat qui fournit les résultats à la famille, je ne peux pas vous aider.

— Il est ici, le magistrat ?

— Non, il vous faudra le contacter par téléphone.

Elle retourne à son siège. Elle reprend le document rempli de photos qu'elle étend devant elle. Elle se concentre sur sa tâche. Je simule une quinte de toux. Elle sursaute. Cette histoire de morte, je m'en serais bien passé.

— Eh, hum, oui ? me lance la pouliche. Qu'est-ce que, c'est pour le magistrat ? pour la défunte ? Vous êtes de la famille ?

— Non. En fait, c'est ma mère.

Ses demi-lunes quittent son nez. Elle les fiche dans sa coiffure et, bras croisés, attend la suite de mon récit.

— Je voudrais connaître le nom de…

J'hésite. Elle complète :

— Votre mère ?

Elle se lève promptement.

— Ce n'est pas rare, dit-elle. Plusieurs enfants abandonnés à leur naissance débarquent ici un jour ou l'autre à la recherche de leurs parents. Mais il faut savoir que plusieurs corps non identifiés sont livrés à l'Institut. Évidemment, ça pose certains problèmes, pour rétablir les liens de parenté et tout. Vous allez devoir nous fournir une preuve. Ensuite, nous pourrons procéder à quelques recherches, vous –

— Ce n'est pas ma mère. C'est une femme. Je veux seulement –

— Nous comprenons. Le déni, c'est… Oui, ce sont des situations difficiles, la mort, et surtout si vous n'avez pas connu votre mère. Mais, à mon avis, l'admettre, c'est déjà fouler une grande partie du chemin.

Le déni, mais enfin. Qu'est-ce que c'est que cet Institut ridico-légal, qui permet aux parents d'abandonner leurs petits sans avoir de comptes à rendre à personne?

— Ce n'est pas ma mère.

Son visage s'assombrit. Elle approche sa main du téléphone, tranquillement.

— Si vous n'êtes pas de la famille, nous ne pouvons rien pour vous, à moins que vous vouliez visiter la chambre froide.

Les corps, non. On a dû l'enterrer, depuis le temps. L'incinérer. Sa carcasse concassée.

— Elle est morte il y a déjà plusieurs semaines, je précise.

Ses traits s'adoucissent, se relâchent, elle-même se rassoit.

— Certains cadavres restent dans cette chambre très longtemps, à vrai dire, tant que l'autopsie n'a pas satisfait les exigences des autorités chargées de l'enquête. On ne peut procéder à la mise en terre que lorsqu'elles en donnent l'autorisation. Enfin, l'enquête, c'est selon la nature du décès. Comment est-elle morte?

— Un cancer, c'est ce qu'on dit.

— Eh bien, dans ce cas, le corps n'est plus ici.

La jeune femme saisit les images de pompes funèbres, les emmêle puis les dispose à nouveau sur le bureau dans un tout autre ordre. Je vois en elle Juliette et ses cartes de tarot étalées pour donner, je ne sais pas, l'illusion de sens. Rangez ces photos, ma chère dame, la mort n'a aucun sens.

— Vous savez, poursuit-elle, nous hébergeons, en ce moment, un vieil homme conservé au sous-sol depuis plus de trois mois.

Vingt-cinq ans.

— Il a été retrouvé dans le jardin des Tuileries.

Son fauteuil.

— La poitrine transpercée, le cœur dépecé.

Le manque d'émerveillement, ce n'était que le manque d'émerveillement, je vous le dis.

— Et il n'avait sur lui aucune pièce d'identité.

C'était grand-père.

— Personne n'a réclamé le mort. Et l'enquête, ils ont sans doute abandonné l'enquête.

La conversation déraille. La pouliche espère sans doute que je perde patience. Elle attend que je parte. Elle patauge. Nous pataugeons tous.

— La défunte, vous connaissez peut-être la date de son décès ? demande-t-elle.

Je la dévisage, incertain tout à coup.

— Ma mère ou la femme ?

Ses sourcils se cramponnent l'un à l'autre.

— Laquelle cherchez-vous ?

Derrière cette figure impassible, derrière cette façade qui lui tient lieu de masque, oui, derrière tout ça, je vois poindre le piège. À cet instant, je suis pris de tremblements. Mon esprit perd le nord, une boussole au milieu d'une décharge de ferraille.

— Les deux, je, un peu des deux.

C'est ce qui sort de moi, et pourtant, laquelle je cherche ? Sans doute que ce n'est pas la mère ; elle n'a jamais quitté son poste, je l'aurais trouvée aux chaudrons si je l'avais voulu. Mais je n'ai pas voulu, je me suis tenu à l'écart, je me suis éclipsé. Accuse-t-on la vie, dis donc, chère mère, quand à soixante-dix ans il ne reste plus de soi qu'une carcasse sculptée de vide et des cheveux fuyants ? Survit-on réellement à la vue de son enfant qui pousse la porte du foyer, quand de l'écho sur le pavé résonne un chant de haine ? Comment une mère subsiste-t-elle sous cet air de liberté que sifflent les talons au sol ? Un air qu'elle n'a jamais fredonné, et ne connaîtra jamais. Je me demande s'il suffit ensuite de servir chaque repas du soir au même homme de carapace vêtu — contrat d'éternité — pour croire à une vie comblée. Je me demande ce qui a pu pousser la mère à se soumettre à l'insondable caractère du vieux père, à se contenter du néant. Je soupçonne le soulagement qu'elle a dû ressentir en avalant sa maladie à la manière d'un remède.

Mais c'est la fille du métro que je cherche.

— Elle est morte un mardi.

Je lui indique la date, tapie parmi d'autres au creux de ma mémoire. Dans un carnet, elle prend des notes comme si, subitement, elle avait laissé s'envoler sa cape de sentiments fictifs, comme si, en ce moment, ses semblants de lunettes servaient à lui éclaircir la vue, à lui révéler l'ampleur de ma détresse.

— Elle était jeune, vous savez. Dans la vingtaine. Un visage rond… Elle a été frappée par un métro. Trocadéro. Je vous jure, jamais rien vu de tel.

J'ai vu grand-père, un matin, vieilli de mille ans. La figure et les mains blanchies par un sang fatigué. Ses paupières enfin closes sur des yeux condamnés au noir. Et ces merveilles, grand-père, d'un nombre que tu disais incalculable, les as-tu toutes contemplées pour te permettre de nous quitter ainsi ? Je ne reconnaissais pas de regrets dans ses traits, cette posture paisible, une paume sur le cœur et l'autre, sur un livre. Un ouvrage effeuillé. Jamais, depuis, je n'ai pu m'endormir avec un livre. Il me semblait que je ne me réveillerais plus ensuite, que cette image était celle qui annonçait la fin.

Grand-père portait un tricot bleu. Sur ses épaules s'étendaient, tels de la neige, quelques cheveux blancs innocemment tombés de sa chevelure, les feuilles d'un chêne fouettées par des vents d'hiver. Dans la pièce, le corps figé exhalait la mort comme un café laissé froid sur la table. Je le savais absent sans lui avoir dit mot, tout m'apprenait son décès, jusqu'aux rideaux qui pendaient, solennels, attendant qu'on les ferme pour évacuer la scène. Je le savais absent, mais je n'ai pas pleuré. Je me souviens d'avoir capté l'odeur, une telle décharge, j'ai su dès lors que c'était le point de non-retour. Jamais ce parfum d'humanité — le tabac, les fraises et le soleil — ne renaîtrait de ses cendres, plus jamais.

Il n'a pas vécu longtemps, grand-père, à peine le temps de saupoudrer mon enfance de jours heureux, de m'enseigner l'émerveillement, et puis, adieu. À peine dix, onze ans. Il a vécu onze ans de ma vie. Je me rappelle son corps léger, presque flottant. J'imaginais l'âme s'extirper par les pores, se dissiper devant moi. Tout s'envolait devant ou en moi, je ne sais plus. Et la symphonie de ce vieux tourne-disque à la voix enrouée criait, interminable, elle criait à ma place. Je me souviens de tout. C'était beau, mais tellement laid. Je n'ai jamais rien vu de tel.

— Je cherche son nom.

Une phrase bredouillée. La réceptionniste, quant à elle, s'adresse au combiné. Ses lèvres plantureuses dérapent contre le microphone, ses dents heurtent la conversation. Puis, elle pose une main sur l'appareil en chuchotant:

— Il nous faut une attestation ou alors un prélèvement sanguin. Pour établir le lien de parenté avec la défunte. Écoutez, je suis désolée, dit-elle en désignant d'un geste du menton le téléphone auquel elle impute une part de responsabilité. C'est la procédure.

La procédure, une autre pratique médico-spéciale. Bien sûr, le tour est joué. Il ne me reste qu'à dérober aux parents de la morte un peu de leurs empreintes, si tant est que la fille ait un nom qui puisse me mener à eux. Ou bien je plonge les mains dans la plaie du cadavre des Tuileries, assoupi dans l'hiver de la cave depuis mois et marées, en espérant qu'il ait été l'arrière-arrière-grand-père de la fille du métro. Si ce n'est pas le cas, tant pis. Le sang d'un cadavre, de toute façon, perd ses propriétés, non?

Le sang chaud de cadavre. Les éclaboussures, je me souviens. Un sourire éhonté s'en mêle.

— J'ai du sang.

La pouliche décroche un rire amplifié; il résonne comme un clocher d'église.

— Par chance.

J'en viens à la même conclusion. Mais au fond la chance n'a rien à y voir. La notion de destin gravite en planète dans ma tête. La fille, des rails, Trocadéro, ce matin-là, des cris, la foule, ces cris, les bras, les cris. Des images en rafale. Son corps, les plaintes, ses plaintes, ce banc, mon banc. Inoccupé, le banc où je me suis assis pour mieux ne rien voir. Pour échapper au spectacle, mais me voilà, et ce spectacle qui se recrée chaque seconde et encore. Ce banc en retrait pour mieux fermer les yeux. Ce banc, et le sang. Ce sang. Son sang.

Paris ressemble à un enfant qui dort, à Constantin qui dort, recouvert d'une couverture de laine chaude, oppressante, Constantin au creux de l'obscurité, et ce mobile lumineux qui tournoie au plafond, ces reflets éphémères sur les murs, un ronronnement ténu, Paris.

Je pousse la porte grillagée du jardin. Recourbée et instable, elle flageole sous l'emprise de deux gonds aussi rouillés que les souvenirs qu'ils évoquent. Juliette. L'enfance abandonnée derrière. Les jupes et les foulards franchissent la clôture. Tout se referme. Le pur grincement, oui, le pur grincement de la perte.

Adieu, Juliette, adieu ! Et je secouais la main, dans l'imaginaire, pour la saluer, comme on le fait pour les voyageurs d'aller-retour, ceux qui ont prévu de revenir. Mais je n'ai pas bougé. J'ai à peine ouvert les yeux, à peine. Je voulais creuser dans la cour le tombeau de l'existence et me jeter à l'intérieur. Mourir. Je voulais la rejoindre, mais je l'ai regardée partir. C'est ce qu'on se contente de faire face aux voyageurs clandestins.

J'atteins la porte de bois verdâtre. De la peinture écaillée. Le porche faiblement éclairé par deux lampions. Des ombres dansantes. Je franchis le seuil dans un craquement à réveiller les vieux spectres de notre jeunesse. À l'intérieur, le carrelage blanc de lune, il miroite ; j'y entrevois le pâle reflet de ces pénibles journées d'antan.

Le vieux père, dressé d'une chemise lui pendouillant sur les cuisses, le teint pâli par l'impatience, longeait la pièce d'un mur à l'autre. Marmonnait, entre ses dents sifflait ; la colère. C'était avant de gravir l'escalier, et ce regard du haut des marches, sorte de faisceau flamboyant qui scrutait nos moindres faits et gestes, nous accusait. Nous demeurions figés, effrayés, transparents. Non, le père, nous n'irions pas embarrasser ton repaire. Non, je t'assure, nous n'irions plus risquer notre vie à tenter de démasquer la tienne.

La mère aux bras osseux, perdue dans sa vieille robe à fleurs, s'affairait à frotter les carreaux, les mêmes, incessamment les mêmes. J'aurais brisé ces carreaux pour qu'elle s'enfuie, mette fin à ce rituel étouffant. Ensemble, nous aurions pu partir en voyageurs incertains. Partir quand il s'enfermait loin de notre tristesse dans cette chambre secrète fermée à double tour. Le temps qu'il nous aperçoive, d'une lucarne, traverser le jardin, il aurait été trop tard, trop. Une autre vie déjà devant nous. Nous aurions dû partir. C'est ce que je crois.

Mais non. L'air, toujours, planait. Difficile pour nous de respirer. Les rideaux gris, rabattus jusqu'au soir, tuaient le soleil ; nous étions coupés du monde. De l'autre côté de la vitre, ce n'était pas la rue, pas même notre reflet : nous ne voyions rien, nous n'étions pas capables de voir plus loin qu'ici.

C'est ce que cette maison évoque. Le grondement de la porte quand elle s'ouvre. À dix-neuf ans. Pour enfin tout laisser derrière soi. Les talons qui flottent jusqu'au-dehors, trop d'années après que cela eut dû se produire.

Trop d'années pour partir au galop. Un départ sage. Rien d'aussi soudain que celui de Juliette. Un au revoir qui a laissé moins de marques. J'ai annoncé, simplement : je m'en vais. Pas eu de scène, pas de remarque, seulement ce lourd silence qui ne s'est jamais permis de délaisser l'endroit. Et moi qui me suis enfin donné le droit d'être libre. Avec grand-père pour me guider dans la ville, je suis parti. En sacrifiant le corps fluet d'une pauvre mère usée, et celui, indifférent, d'un vieux père aigri, ruminant des colères anonymes.

Je me trouve devant cette porte, et rien de l'enfance ne s'efface. On s'en éloigne pour lui creuser une fosse, l'enterrer. Et à côté, un chemin qu'on imagine se dresser là pour nous. Un tapis rouge pour nos pieds sans chaussettes, enfin. Mais tout est faux. On n'en sort jamais. On y revient sans cesse.

La dernière fois que je suis entré dans la maison, le décor était recouvert de poussière. Sur le plancher, un tapis de tourbe pour éponger le bruit des pas. Des décombres dans tous les recoins. Les vieux mocassins de la mère devant la cuisinière, comme si elle y était encore à brûler les *pancakes* ; la main à la pâte, le corps ailleurs. Tout scintille aujourd'hui, mais il n'y a plus trace d'elle nulle part. Seule une enveloppe décachetée trône au centre de la table pour remplacer la corbeille de marmelade. Tout scintille aujourd'hui, excepté le vieux père. Incrusté dans son fauteuil de cuir sale. Il récupère le temps en bâillant coup sur coup devant cette ruine de foyer éteint depuis le big-bang. On dirait qu'un vent de nulle part a emporté sur son passage toute cette saleté qui régnait dans la demeure. On dirait que la mort est venue nettoyer et qu'elle a oublié le vieux père par mégarde.

— C'est toi ?

Une voix chevrotante, gutturale, un hurlement sans cri cette fois, un marmonnement. La vieillesse a atténué son ton. Il ressemble à un débris. Un amas de débris en suspension entre deux espaces incertains ; quelque part en vie et, pas très loin, sur le tapis du trépas. Il ne tourne pas la tête tandis que j'entre dans le séjour, il fixe l'âtre endormi. Il s'attend peut-être à voir surgir des cendres une bête logée là sous la suie. Ses mains striées de replis s'agrippent comme elles peuvent aux deux bras du fauteuil. Peut-être a-t-il peur de tomber. Tranquillement son regard cherche à s'évanouir, ses paupières clignotent. De la même manière, les lueurs d'une lampe sur la table vacillent. Elles hésitent à mourir. Plane cette tension insoutenable. On dirait que tout, d'un instant à l'autre, risque d'être perdu.

— C'est moi, je dis.

Ses lèvres remuent. Une tentative pour laisser s'échapper quelques mots, quand le manque d'habitude les confine au fond de sa gorge. Les étouffe.

Je m'assois devant lui sur le sofa. Assez près de son corps pour remarquer qu'il tremble continuellement. Depuis combien de temps se dessèche-t-il dans ce fauteuil déformé ? Depuis combien de temps laisse-t-il dans ce fauteuil l'immobilité avoir raison de lui ?

— Alors ?

Je m'adresse à un fossile. Ce sont le vide et l'odeur de l'âge qui me répondent. Un fabuleux mélange de préhistoire et de souvenirs, ou de souvenirs de la préhistoire.

Le vieux père qui sentait le tabac : des relents plus humides, caverneux, que ceux soufflés par grand-père lors des journées au lac. Le vieux père qui déposait son ombre quand il entrait dans une pièce. Et nos cœurs battaient comme des ailes de mouches affolées.

Mort. Il a l'air plus mort que la fille du métro qu'on a déchiquetée, plus mort que grand-père sous son morceau d'opéra, affalé dans un siège — un trône — qui le soutenait, un livre entre les doigts, ou un sceptre. Je m'approche pour le secouer, le réveiller. Ses yeux éclosent. Il ne sourit pas, mais j'en conclus, à son expression froide, j'en conclus qu'il perçoit ma présence. *Présence.* J'hésite, après tout, ce retour n'est que passager ; c'est l'absence qui règne entre nous deux, et c'est une histoire inchangée.

— Alors, tu emploies une femme de ménage ? je dis. Tu reçois de la visite ? Il serait étonnant que tu aies toi-même passé l'éponge.

J'énumère la liste des grand-tantes qui auraient eu l'amabilité de blanchir son parquet, dans le but de rendre ses années de sursis moins poussiéreuses, tout aussi misérables. Il ne réagit pas. Une statue à jamais séquestrée dans son marbre.

Par moments, il tourne les yeux vers moi, mais il n'a rien à dire. Il se contente de jouer du regard comme il l'a toujours fait. Se parle-t-il à lui-même quand sa solitude le rencontre ? Entretient-il quelque forme de langage pour ne pas tourner au vinaigre ? Je me demande quelles toiles se tissent à l'instant dans sa tête.

— Eh bien, le père, dis-moi que tu as bougé de ce fauteuil depuis la dernière fois.

— Dernière fois ?

Il bredouille. Avec le ton d'un questionnement. Il a dû oublier que je suis venu déjà, il n'y a pas longtemps. Son esprit vagabonde parmi de vagues réminiscences, l'éclat de ses yeux se ternit. Depuis combien d'années cet homme n'a-t-il pas bougé d'ici, de cette maison qui empeste la haine tel un rejet d'égout ? De l'air nouveau, tu n'y as pas songé ? Tu aurais dû ouvrir la fenêtre, et t'y jeter.

— Constantin se porte à merveille. C'est un petit génie. Il envisage de devenir architecte à son tour. Rodrigue, on le fera pontife, je crois. Les prières et tout le reste, ça le connaît. Tu serais fier de lui.

Je me demande s'il entend ce que je lui dis. Comme de la laine de verre, son visage qui ne laisse rien passer.

— Yasmine, tout en promesses ; elle fréquente les suicidaires et les couches-culottes. Mais ce sont les femmes, tu sais, elles ne cherchent à obtenir que ce qui est intouchable.

Pas un poil chez lui, pas un poil où que ce soit ne s'excite. Un frétillement, c'est tout, une veine qui s'affole près de sa gorge, et son cou incliné, plié pour mieux rendre le sommeil inconfortable.

— Juliette va bien aussi, c'est vrai...

Je crains que le simple usage de son nom, parfois à peine cette langue qui fourche, ne provoque chez lui de soudaines convulsions, un arrêt cardiaque, je ne sais pas. Juliette, le tabou. Elle a choisi de partir, disaient-ils, elle a choisi de partir, eh bien qu'elle ne repasse plus cette porte. Ni en parole ni en pensée. J'y ai songé longtemps, moi, pourtant. Même dans l'interdit. D'une certaine façon, je jouais la révolte. Pour créer, un peu comme ma sœur, mes propres personnages.

J'ai l'espoir que les années aient adouci l'esprit de rancune. J'ai l'espoir que la mort de la mère ait amplifié le sentiment de perte. Mais suffit-il, l'espoir ? J'arrive à humer, il me semble, un parfum de regret qui évolue dans l'atmosphère. Ce n'est plus très loin, le père. Un jour, ça se rendra jusqu'à toi.

— Ce n'est plus une fillette, tu sais. Elle est devenue quelqu'un, Juliette, épanouie, je voulais que tu le saches. Elle est heureuse, je crois.

C'est ce qui importe. Mais je ne prends pas la peine de l'ajouter. Loin me vient l'envie de lui reprocher ce qu'il a fait de sa vie ou de la nôtre. Et, de son côté, nul intérêt. Quelques clignements subtils et le mouvement de ses narines ne suffisent pas à témoigner de sa présence. Il a l'air d'un drap étalé sur un sofa. Rayé de plis, mais sans plus. Le vieux père couvre le meuble. Muet.

Je n'aurais pas détesté qu'il me parle. J'avais imaginé, quelque part au détour de mes divagations, cet échange entre nous ; il y avait là l'occasion de dire adieu à tout le reste. Je préparais la livraison d'une cargaison d'amertume rangée au fond de ma cage. Me débarrasser de toutes les caisses entassées.

— Le père, parle.

Cette fois, il remue la tête. Son regard devient vitreux, une fenêtre opaque, et on ne voit rien au-delà.

— Parle.

C'est tout ce qu'il baragouine, mais le mot a tant de poids que je me retrouve déchiré par cet ultimatum lancé. Soit il m'invite à lui cracher mon fiel, soit il s'est contenté de répéter mon injonction avec ce qui lui reste de salive. J'aimerais croire qu'il est ouvert à la discussion, je veux y croire. Il est grand temps que je m'exprime, une fois pour toutes.

Je lui dirais, je ne sais pas, je lui dirais de taire ses hurlements qui me sont restés coincés dans le fond de la gorge. Je lui dirais, le silence, je lui dirais de l'abattre, et le mépris, laisser un peu d'espace pour moins d'indifférence. Je lui apprendrais que la mère est morte en cuisinant ses pâtés comme on prépare un enterrement, non il ne l'a pas su, il n'a jamais daigné lever les yeux vers elle. Je lui demanderais s'il a souffert. Autant que nous. Je lui demanderais, je déballerais mon sac, mes tripes, tout ce dégoût, mais le courage me manque. Le courage m'a toujours manqué. Je me lève. Pour partir. Il dort, n'est-ce pas ? De toute façon, il dort, ça ne servirait à rien. Sur la table basse, devant sa carcasse squelettique, je dépose le roman de Juliette. Il ouvre les yeux. Il me regarde. C'est le moment, ça y est.

— Tu vas mourir bientôt, je lui dis.

Il sourit. Un pantin. Il a l'air d'un de ces vieux pantins dont les cordes des commissures des lèvres se tendent à l'infini pour la pire des grimaces. Il est là, imprégné par les stries du fauteuil dans lequel il ressemble à une plaie purulente, et il sourit. Ça me répugne. Je me sens creux, brisé. Je me sens amputé de la dernière partie de mon corps, amputé du cœur.

Jamais il n'a souri avant.

Noir. Tout, noir.

Je marche en blessant sur mon chemin un soulier au talon qui s'émiette. Le plancher grince comme une vieille chaise à bascule, celle dans laquelle grand-père fumait sa pipe — ses yeux, deux reflets de vagues fugaces qui émergeaient du lac —, celle qui balançait son corps sur le perron de la maison de campagne, cette chaise qui criait.

Mes pas crèvent la nuit.

J'ai l'impression de marcher dans la brousse un soir d'assassinat lunaire. Je rencontre la table — elle me poignarde la hanche —, j'agrippe la chaise, le dossier, un repère vers le couloir à gauche qui prend l'allure lugubre d'un tunnel infini. Il me semble alors que j'ai du mal à respirer.

Il souriait. Bêtement. Un pendu bravant l'humanité.

Le mur. Je m'appuie au mur; le crâne me brûle.

J'espère qu'il souffrira. J'espère que sa tête claquera sur le carrelage, oui, les carreaux trop blancs de la cuisine où nous ingérions notre repas, toujours le même buffet de haine qu'aucun des membres de cette famille n'est encore parvenu à digérer. Je souhaite qu'il s'étouffe avec ces miettes de pain qui lui décorent la lèvre, qu'il s'étouffe comme on le faisait avec notre rage et puis notre envie de hurler. Notre malaise. Hurler notre impuissance, jusqu'à ce que le vieux père fracasse la porte de cette éternelle chambre aux mille et un secrets et dévale l'escalier pour foncer droit sur nous, secouer nos petits corps tremblant de manque d'amour, hurler jusqu'à ce qu'il cesse de serrer fort nos bras, jusqu'à ce que les contusions disparaissent, les maux, les souvenirs, le vieux père, tout ce qui me rappelle l'enfance, excepté Juliette, qui me rappelle la liberté.

Je m'assois par terre, je ne vois plus. Tout s'est brouillé tout à coup. Rien n'existe. Même le plâtre derrière moi manque à me soutenir. Je me tiens au néant.

— Papa.

En sourdine. Comme venu de très loin, d'il y a longtemps, d'un instant qui n'a jamais eu lieu.

— Papa ? Qu'est-ce qu'il y a, papa ?

— Rien. Ça va.

— Tu es triste ?

— Retourne te coucher, Albert, retourne…

— Papa ? Qu'est-ce qu'il y a, papa ?

Je me cramponne au mur pour me relever. La porte. Je l'atteins. La porte. J'entre chez Constantin. Ce petit crapaud ne dort pas, les jambes repliées sous son torse maigrelet, les fesses recouvertes à demi d'un drap souillé par cette tendance qu'il a à ne pas se retenir la nuit.

— Papa… le bruit, c'est toi ?

Je retire sa couverture puis le couvre d'une nouvelle couette. Je la dépose sur sa peau froide, la remonte jusqu'à son cou, ses petites oreilles brillent dans le rayon de la lune. Je lui caresse les cheveux, il ouvre un œil, le referme aussitôt. J'ai envie de m'étendre à ses côtés, qu'il se réveille au matin entre les bras d'un père, sous des draps chauds et secs victimes d'aucun déluge, d'aucun cauchemar.

— Ça va. Ce n'est rien. Dors. Endors-toi.

Mais le lit est trop étroit. Le lit sous la chambre secrète, et ce refrain infernal du plancher qu'on décape. Ou autre chose.

Je me contente d'un baiser sur sa nuque. Je rejoins ensuite, de l'autre côté du corridor, la grotte où Rodrigue repose au creux d'une barque de bois, emmitouflé sous des douzaines d'édredons. Son petit crâne luit, étincelant, telle une perle dans son huître. On dirait une momie naissante, on dirait que sa tête se balance, et ma tête, ma tête résonne, son embarcation tangue sur les flots, je me retiens. Parce que mes jambes flageolent, parce que je me sens fondre. Sa bouche s'entrouvre, son menton remue... sans doute a-t-il senti tressauter mon cœur, trembler mes mains.

Un faisceau de lumière en provenance du lampion sur la commode, là-bas, forme une croix sur son front. Ses lèvres rondes s'agitent en vue d'un sermon, son âme de paratonnerre élevée au-dessus de tous. Un sermon qui s'échauffe et s'éteint. Rodrigue reprend son sourire coi et redevient momie stratifiée. Je sors de la caverne, du tombeau, de la vallée, de tout ce que ce petit représente d'olympien, je retourne aux prairies qui s'assèchent ; quand j'entre dans la chambre, Maché me tourne le dos.

Comme elle a, c'est incroyable, le souci du détail dans le sommeil. Blottie tel un fœtus dans le désordre du lit. Ses cheveux épars en cordons d'ombilics bien taillés. Tout chez elle est naissance avortée. Ses cuisses découvertes. La lune éclaire à peine ses chevilles vissées l'une à l'autre. Lueur timide. Qui invite la tendresse, mais c'est tout. Ça ne va pas plus loin.

Les chaussures près de l'entrée, deux pas vers la fenêtre, puis je m'assois. Dans le fauteuil noir, froid, ouvert à la manière d'un cercueil attendant le macchabée qui en fera son siège. Je m'assois et le cuir me saisit jusqu'au sang.

J'ai l'impression de crier, mais c'est faux. Tout demeure enfermé, tout me coule dans les veines et s'obstrue. Je voudrais la réveiller, Maché, m'*immaculer* avec elle, lui raconter l'histoire : de la morte du métro au vieux père qui sourit. Mais ce serait lui enlever ce qu'elle a de plus beau.

J'abandonne. Ma tête au dossier, mes deux bras au vide, et l'idée de la rejoindre. Mes doigts frémissent. L'obscurité m'enveloppe. Mais il est là quand même, il est là, je le vois. Le reflet de mon corps mollasson à travers le miroir aux portes de la penderie. Il est là, peu à peu il s'efface sous la nuit qui rabat mes paupières tranquillement... Le vieux père ! Je me redresse aussitôt. Rictus ingrat incrusté dans la glace : cette image de moi qui n'est finalement que mirage.

Le vieux père me regarde. Ma cage thoracique se révolte au creux de ma poitrine. À l'intérieur, un cadavre oublie de mourir. Je cherche l'air, il me manque, je le cherche et tout ce qui s'offre à ma vue, c'est cette rangée trop droite de pulls compactés au fond de la penderie. Ils paraissent ballotter sous une brise inexistante, impossible de les ignorer. Je me lève, ce sont les vêtements qui m'appellent, une douce voix de lin qui frôle des rides de soie. J'écarte, je prends, je balance. Où est-elle, cette chemise ? Il doit être deux heures. Deux heures, mais demain, il me faut déposer à la morgue cette chemise trempée de sang, ma preuve d'identité, monnaie d'échange pour enfin connaître le nom de la morte. Me délivrer de l'impuissance qui me ronge, cela depuis la mort de grand-père.

On ne voit rien dans le noir. Tous ces vêtements maintenant sur le sol, ces ombres qui balaient le plafond, ils posent sur moi leur regard inquisiteur, me cernent. Bataillon armé. Et Maché, toujours, dort dans le tumulte. Ma tête va exploser. Exploser, ma tête va. Le vieux père veut m'empêcher de trouver un sens à tout ça. Alors, c'était cela ton but ? M'imposer ton échec, me léguer tes faiblesses, tes peurs, tes mains qui tremblent, vie misérable au creux des paumes, et puis t'en aller ? Ce sourire-là, le père, c'est signer ta défaite. Je te la ferai avaler avec tous les reproches, les absences, tous les blancs que tu as laissés dans ma vie comme ceux laissés entre les mots dans un ouvrage interminable. Sans commencement ni fin. Le manque.

C'est son nom qu'il manque, à la fille du métro, et cette chemise que je ne trouve pas parmi des pulls et des robes qui s'emmêlent.

— Où étais-tu ? marmonne-t-elle, cette voix de pot de miel abandonné sur la table, une écaille rugueuse en surface.

Maché ne dort plus.

Elle se lèvera, j'en ai peur. S'installera pour de bon devant mon visage noirci par un odieux mélange de colère et de fatigue, me sermonnera. Tu n'as pas tenu ta promesse. Encore. Tu recommences, Albert.

— Pourquoi tu arrives si tard ? dit-elle en offrant son dos à la lune.

Deux yeux ciselés, implorants, épuisés.

— Chez mon père, j'étais chez –

— Bien sûr…

Un pianissimo pour remplacer le monocorde dans sa voix. Elle reprend sa position d'embryon. C'est décidé, pas de questions ce soir. Plus un mot, pas un soupir, si bien que j'en viens à douter de cette seconde, passée déjà — Maché m'a-t-elle regardé dans la nuit ? —, une seconde d'éclairage, et peut-être me suis-je alors senti moins seul au cœur de ces vêtements échoués. Mais la chemise. Ces cintres nus. Pendus. En rang. Les mains vides.

— Machérie…

Immobile. Elle brasse dans son sommeil un mélange de torture et d'irritation. Les larmes, je le sais, s'écoulent en cachette pour ne pas la trahir. Ses yeux ouverts sur autre chose, maintenant, que ma silhouette démunie.

— Machérie, tu m'entends ?

Un cheveu frétille, je le vois.

— Dis, tu as une idée où peut se trouver ma chemise blanche ? Tu sais, celle qui était tachée. Deux, trois gouttes de sang, à peine. Je n'arrive pas à –

— Albert, laisse-moi dormir.

Aucun tremblement dans sa voix. Je ne décèle aucun grésillement. Des mots lancés sans émotion.

Avec autant de froid que la pluie battante. Aucun spasme d'épaules qu'elle soulève d'ordinaire quand la colère l'ennuie. Aucun mouvement convulsif de bras vers son visage pour essuyer cette larme de chagrin en exil sur sa joue. Aucun reniflement. Aucun. Elle s'accommode trop bien du silence.

J'abandonne au plancher les pulls et les robes. Finalement je me glisse à ses côtés. Entre les draps que Maché a laissés s'empiler dans mon pays du lit. Je risque une main dans l'antre de son cou. Son corps ne se crispe pas ; mais il ne s'offre pas non plus.

— Elle est dans la buanderie.

— Je –

— Je n'ai toujours pas réussi à faire partir les taches. Laisse-moi dormir.

Aucun sanglot, ni armistice. Aucune tentative de communication. Elle donne à son indifférence le plein droit de parole. Je me perds dans d'insolites imaginaires où Maché aurait subi un nettoyage cérébral, séchage, repassage, où finalement on lui aurait saisi toute trace d'humanité, de sensibilité, de *Machénéïté* : cette caractéristique qui la distingue de toutes les autres.

C'est sans espoir, ce soir. Je ne parviens pas à rejoindre les doigts lourds de Morphée. La tête en escapade, je flotte quelque part, non loin, entre des rêves qui se confondent, entre deux rails de chemin de fer, mon oreille paralysée contre la porte de la chambre secrète à l'intérieur de laquelle, étrangement, Maché se répand en larmes sanglantes.

Quand j'ouvre les yeux, j'aperçois des coulures rougeâtres aux arêtes des murs. Ce n'est pas la première fois, je me souviens de ce sang qui fuit. Combien y a-t-il de morts à l'étage, dans la chambre secrète du vieux père ? Combien d'enfants avalés par les trains. Où sont-ils ? Des noms se gravent au cœur des traces de sang. C'est cela, le registre des morts. Je cherche le nom de grand-père, je cherche celui de la fille du métro. Ce ne sont que des lettres qui se suivent et se nouent, mais il est là, certainement, quelque part entre les rosettes, il est là qui se détache. « Il est là », me souffle Juliette à l'oreille. Elle manipule une plume d'oiseau ; entre ses doigts, une aile s'envole. Ses yeux sans éclat. Des yeux noirs, les ténèbres et la peur. Juliette écrit sur le papier peint, elle trace mon nom. *Albert. Albert. Albert.* Je ne ferme les yeux qu'après avoir surpris le sang, en chute libre, effaçant l'inscription, les indéchiffrables signatures des morts sur les murs, le registre, la plume, Juliette, les yeux, le noir.

Plus rien ne survit à ce cauchemar.

Au matin, Maché n'est plus recroquevillée de son côté du lit. Les draps, froids et rigides, se retrouvent plissés par son départ. Elle a laissé derrière elle un parfum de lilas et d'obstination. Et ma chemise blanche sur le dossier du fauteuil, jurant dans l'ombre de la chambre.

Rodrigue n'est plus à l'abordage. Ses bandelettes de momie errent dans sa corbeille en un amas informe et mystérieux.

Constantin a échappé à la noyade. Ses couvertures produisent une succession de vagues fondues dans un ressac où trône l'inexistence.

À l'étage, l'absence de Yasmine est aussi manifeste. Des livres forment sur le sol un désert de pages.

Le *Discours de la méthode* de Descartes embrasse la moquette. Je lui assène un coup de pied impulsif et l'envoie paître au bas de la bibliothèque. Quelques feuillets subissent l'ablation et des morceaux de phrases pendouillent comme les organes vitaux d'un vieux corps disséqué. Yasmine risque de m'en vouloir jusqu'à la fermeture de l'éternité.

Je me penche pour recueillir les résidus de savoir :
diviser chacune des difficultés en ;
de parcelles qu'il se pourrait et ;
requis pour les mieux résoudre.

Je les recollerai. C'est comme pour les figures déformées de ses amants, elle ne remarquera rien, elle. Où se trouve tout le monde ? La maison est vide. Chaque pièce de la demeure paraît avoir été décimée. Une épidémie de peste noire. L'équipage s'est jeté à l'eau, ils ont tous disparu, pouf ! Maché. Elle les a emportés, voilà. Elle a fui avec le reste des matelots, m'a laissé orienter le navire dans les sillons d'une mer hypothétique. Capitaine déchu. Une fusée de détresse projetée au hasard.

Je mets le cap vers la chambre. La chemise, toujours, m'envoie des signes, soudée au corps du fauteuil, sorte de gilet de sauvetage. Ils sont tous à la morgue. Je veux dire, je dois me rendre à la morgue ; ils sont tous à l'école. Au bureau. Chez la gardienne. Dix heures. Déjà en retard. Aucune envie de retourner à l'agence. L'équation des segments rectilignes de plus en plus me paraît fausse. Que pouvons-nous construire avec autant d'incertitude ? Des plans chimériques, des projets irréalisables, cette histoire de morte introuvable les laisse en suspens. J'empoigne la chemise par le collet.

Surprise.

Je la tourne et retourne. Où est le sang ? Il n'y a aucune marque sur le vêtement, que des touches rosées, pâlichonnes, par-ci par-là sur la manche, dans le trait de la couture, se fondant dans le tissu opalin. Maché a souillé ma chemise, je n'y crois pas ! Ma preuve ! C'est, non. Disparue. C'est. Un affront.

Mais elle ne pouvait pas savoir. Comment elle aurait su ? Elle est dévouée, elle a cru bien faire. Elle a… effacé ma preuve. Ils comprendront. Ils comprendront, j'en suis sûr. Devant mon hébétude, devant ma dérive, ils ne pourront que compatir. Ils verront bien. Les taches rosâtres. C'est impossible. Plus rien. Il ne reste plus rien sur cette chemise, il ne reste plus rien de l'image, ou enfin, pour la retrouver. C'est comme si tout ce drame n'avait jamais eu lieu.

Et le silence pour remplacer les cris.

Ce matin, il me semble que l'Institut a perdu ses allures de pénitencier. Il arbore plutôt les attributs d'un jardin botanique : outre les pigeons qui, où qu'ils aillent, ruinent le paysage, les oiseaux virevoltent et chantonnent pour m'accompagner vers la porte. Même un sourire, je le sens se placer, recouvre les traits tendus de mon visage.

Malgré cela, j'ai cette prise d'otage en pleine poitrine, ce serrement étranger. On tambourine, mais ce n'est rien. La manifestation d'un malaise bénin, quelque chose du choc nerveux. Mon corps anticipe une bonne nouvelle, participe aux palpitations en ce jour de fête. Oui, voilà, c'est sûrement la fébrilité.

Les continents se morcellent, les pays s'érigent, Paris se bâtit, on construit cet édifice en fond de flore ; l'univers a été créé pour qu'on en arrive là. Aujourd'hui, je me retrouve devant cette porte rouge dans l'attente d'une réponse. Un monde entier me pousse sur le chemin dallé. Il me semble, en effet, que l'espace et le temps ont travaillé à me ramener vers elle. Depuis que cette femme s'est élancée sur les rails. L'heure a sonné, et c'est alors que j'entre.

Le carrelage ne m'avait pas paru si blanc la dernière fois, non. Les murs, si nus. Sans fenêtre ni peinture. Blanc, vide, silencieux. Je m'avance. Le comptoir laminé, j'y dépose ma chemise. Je prends soin de la disposer de façon à mettre en valeur les taches rosâtres. J'emprunte cet air nonchalant d'un homme qui se hasarde à une requête insignifiante. Mais encore, la nervosité ; peu s'en faut que je ne m'évanouisse, au fond.

La pouliche, la même, coiffée de son beignet disgracieux, porte un chemisier vert lime sous une salopette évasée. Un peintre en bâtiment n'aurait pu être mieux habillé. Elle lève la tête ; au même moment, ses joues fardées se fendent sous sa gaieté.

— Qu'est-ce que c'est ?

Elle tapote la chemise, la retourne en tous sens, l'examine, des coutures aux boutons, elle passe chaque fibre au peigne fin. Assurément, elle apercevra le sang. Sur cette manche qu'elle caresse à l'instant du pouce. Elle comprendra. Sans poser de question. Elle s'y connaît, voilà. Ses demi-lunes ne servent qu'à repérer la mort. Elle me priera de la suivre dans ce long couloir que l'angle du mur dissimule. Nous aboutirons à une porte métallique derrière laquelle nous attendra le cadavre impatient de la fille du métro. Nous l'habillerons de ma précieuse chemise. Elle s'ajustera parfaitement aux courbes de sa poitrine.

— Je ne sais pas ce que vous…

Cet air perplexe. Orné de ces lunettes inexpérimentées.

— Je voudrais parler au magistrat maintenant, je dis.

— Monsieur, je –

— Qu'est-ce que je peux faire de plus ? Je vous ai remis ma preuve d'identité. Regardez !

— Cette chemise ?

— Le sang.

Elle recule. Un réflexe surprenant chez qui travaille au cœur de la chose et s'offusque à entendre le mot. Je saisis la manche, la secoue. Elle plisse le front, scrute en couturière le pan suspect du vêtement. Puis le rire. Sardonique. Pourquoi faut-il toujours que quelqu'un rie, pleure ou crie ?

— Vous souhaitez qu'on procède à un test d'ADN, peut-être ? Écoutez, monsieur, c'était une plaisanterie, cette histoire de prélèvement, de procédure, vous –

— Vous pouvez le faire, de toute façon, ce test. C'est son sang.

La femme laisse alors tomber la chemise, qui s'abat au sol, un bruit mat. Celui d'un corps qui s'effondre sur deux rails.

Je m'approche. Elle frissonne. Me paraît toute frêle un moment. On dirait que chacun de ses membres se rétracte. Tentative d'invisibilité peut-être ou, je ne sais pas, la peur. Je pose une main sur son épaule, j'inspecte son visage, je lui parle de si près que l'intimité de mon souffle la fait blêmir. Pourtant, je ne veux pas l'effrayer.

— Je dois connaître son nom, vraiment.

Elle fixe le carrelage, n'ose plus bouger. Ses mains tremblent, je le sens. Ma main. Les secousses du train qui arrive, tous ces témoins baissent les bras, se retirent, saisissent un siège ou s'en vont, ma main tendue vers elle. La fille du métro se lève, sa chemise blanche imbibée de sang. Elle tient à peine sur ses pieds. Effleure ma peau. Ouvre la bouche pour se nommer. Et le train laisse ses doigts entre les miens.

— Je ne le connaïs pas, je…

Son nom en échange de la chemise, voilà ce que je veux. Faire du troc. Apprenez-moi ce que vous savez d'elle, en retour je me ferai Magellan, je parcourrai le monde à la recherche d'une jeune femme fuyante. Je commence à croire qu'elle n'a jamais voulu qu'on la retrouve. Aussi têtue que tous ces êtres envolés ; recoller les morceaux après qu'ils se sont dérobés, ça relève du miracle. Égoïstes, ils nous laissent sans indices, s'effacent sans offrir quoi que ce soit, sinon une impression confuse de bonheur perforé.

Je n'en peux plus, qu'est-ce qu'elle attend ? Je veux dire, elle a accès à une série de dossiers, et puis, les cadavres, elle doit bien visiter les morts chaque soir pour les nourrir, effectuer sa tournée du zoo, lancer des bouts de chair fraîche. Régalez-vous, c'est tout ce qu'il vous reste avant que vous ne disparaissiez à jamais des mémoires. Délectez-vous de l'humanité de ceux qui doivent marcher à jamais sur vos traces, dans l'ombre du souvenir que vous avez laissé, rongez ces vivants qui tranquillement se désagrègent. Je vous hais, morts apathiques. Ariel imposture, la vieille mère, et grand-père sur ta chaise, tu ne sauras jamais, grand-père, le mal que ton absence…

— C'est moi qui l'ai poussée.

La pouliche me regarde, épouvantée. Et pourtant, ses yeux doux. Bleus, verts. Je pense à Maché, dont les yeux bruns, sombres, se dissipent comme des cachettes, si obscurs que parfois j'oublie à quel point les habiter soulage, j'oublie les étincelles qu'on peut y déclencher en frottant bien ensemble de vieilles pierres sèches, des corps. J'oublie qu'ils sont humides. Et puis pourquoi, pourquoi Maché, trésor de femme, ne comprends-tu pas ma requête ?

— Écoutez, monsieur, vous, je, si vous… le nom, c'est…

Elle se trouve encore là, figée d'une crainte de fillette.

— C'est le médecin qui s'en occupe, je n'y peux rien, vous comprenez ?

— Eh bien, faites-le venir.

Je retire enfin cette main moite que j'ai laissée languir sur son épaule. La chaleur me ronge les joues. Qu'est-ce qu'elle attend pour bouger ? Le monde ne s'est pas construit, le monde, dans l'immobili, dans l'im, mobilité. Il faut que je m'assoie, je. Je m'écra, m'écrase sur le siège de la réceptionniste. La chemise tachée, elle s'en saisit, se met à courir, puis disparaît, on dirait, avalée par le mur.

Les murs blancs, le plafond s'abaissent, tout se resserre. Comme si le hall se refermait. Une petite boîte. Tout est raccourci pour être mis dans un cercueil.

— Mes condoléances.

L'ombre de la jeune femme est sectionnée par la silhouette imposante d'une dame en sarrau bleu. Le médecin. Presto, je me lève. Elle me domine, m'examine. Aucun scalpel au bout des doigts.

— C'est affreux, je sais. Quoi de plus dur que de perdre ceux qu'on aime. Nous compatissons, oui. Ici, à l'Institut, nous partageons votre souffrance.

Ses lourdes paupières se baissent longuement. Elle s'attend peut-être à ce que je profite de l'intermède pour sangloter sur son épaule, ou je ne sais quoi. Quand elle les ouvre, il est déjà trop tard.

— Je vous prie de partir.

Une voix grave m'enrubanne. Me lie la langue, littéralement.

— D'où vient ce sang, aucune idée. Et je vous assure que je n'ai pas envie de l'apprendre. Vous devez savoir une chose, monsieur, à l'Institut, le temps nous manque pour nous occuper de causes réelles, alors cette histoire -

— Ce n'est pas une -

— Je n'en doute pas, mais -

— Ce ne sera pas long, je vous -

— C'est trop long.

Ses talons crissent sur les carreaux. Elle regagne son couloir, le menton pointé vers sa subalterne, toujours pantelante, les genoux prêts à fléchir sous la pression.

— Écoutez, docteur, je...

La main sur la poignée interrompt son geste. Une porte moins éloignée que je ne croyais. Un corridor moins infini.

— Les morts ne peuvent pas vous remercier. Moi si.

Elle se retourne.

— Les morts, c'est mon travail, je n'ai pas besoin de remerciements. Maintenant, si vous ne quittez pas les lieux, je vais alerter la gendarmerie.

Catégorique, le médecin se retire. Elle retourne palper ses cadavres ingrats. Seul demeure l'espoir qu'elle prête attention à la chemise laissée sur son bureau. Quand elle aura tordu le vêtement et verra le sang s'écouler goutte à goutte, elle reviendra. Ce n'est pas qu'une histoire, une vie a bel et bien été perdue.

La réceptionniste profite de ses verres pour fuir la torture de mon visage. Quand je l'implore, elle feint un abcès au plancher, les paupières rabattues comme des rideaux de fer. C'est la fin, ne me reste plus qu'à sortir.

Dehors, le vent m'absorbe. Il geint en fouettant ma peau ; les morsures qu'il m'inflige lui font mal, aussi. C'est le matin encore et, en vérité, il fait presque nuit. Le ciel s'effondre, un long voile d'ombre sur la promenade. J'ai le cœur au bord de la mer.

L'aurore. Nous accueillions les premières couleurs du jour, le réveil du pays. Il y avait plus d'une heure que nous longions la Loire en voiture, je contemplais sous le couvercle du ciel un paysage qui m'était connu et me fascinait, me permettait d'oublier les grondements de mon ventre secoué par le mouvement. Juliette, tout près, griffonnait sur une planchette à dessins quelques notes, quelques boucles, quand les lueurs de l'aube le lui permettaient. Le vieux père l'astreignait à se taire, encore et encore, il entendait le cri de ses pensées sur les feuilles. La mère dormait. Elle dormait toujours en voiture, aucun moyen d'y échapper, elle avait horreur de ne pas prévoir ce qui viendrait au-devant d'elle, horreur des chemins qui n'allaient vers nulle part, horreur de sortir du confort. Nous nous rendions chez grand-mère qui achevait à son tour. Nous nous rendions chez grand-mère, mais non.

J'ignore combien de temps elle a tenu, nous n'avons pas atteint la côte. Nous ne sommes jamais arrivés à destination.

J'adopte le banc qui se fait gardien du parc. Je me dis que c'est perdu. C'est terminé, la chasse à la morte et tout, son nom. En même temps, c'est à Juliette que je pense. Elle s'abstiendra de me cribler de « je te l'avais dit ». Sa délicatesse fourbe tentera de me persuader de la vertu thérapeutique de cet échec. Elle me fera comprendre, prenant les cartes qu'il faut, que ce fantôme ne pouvait rien m'offrir que je n'avais déjà. Ses discours me donnent à croire qu'elle a vécu chaque guerre et chaque révolution, chaque effort et chaque perte, ou bien que la fiction n'est finalement qu'une série de coïncidences. Elle saura me convaincre, Juliette. Car je m'avoue vaincu. Je ne comprends plus rien à la réalité, jamais compris grand-chose à la fiction non plus. Juliette et ses écrits en forme de cerfs-volants.

Les textes de Juliette gênaient le vieux comme s'ils chantaient à tue-tête. Il a garé la voiture en bordure d'un jardin public hanté par des corbeaux. Sa voix rauque nous assommait. Il prétextait le sommeil, l'engourdissement. Il est sorti un moment. Il s'est promené autour du véhicule, nous l'entendions jurer. Puis la portière s'est mise à crier au scandale. Le vieux père a saisi les feuillets de Juliette. Elle les étreignait, les protégeait, ils n'ont pas survécu. Il les a chiffonnés, un à un, déchirés, mutilés. Il s'est éloigné ensuite, se rapprochant du muret qui dominait la rivière. Et voilà, il a laissé filer entre ses doigts les morceaux en cascade au cœur de l'été. Une neige sale au cœur de l'été.

Elle courait, Juliette, courait, et n'aura jamais soupçonné mes oreilles bourdonnantes derrière la vitre, mon impuissance. Mon sang comme l'aiguille du temps, arrêtée dans sa course éternelle, la peur, aussitôt la peur qu'elle suive ses flocons de papier, qu'elle saute à la rescousse de tous ses mots vaincus. Mais elle regardait le père, elle le défiait alors de ses yeux assassins, si longtemps, avant d'aller s'asseoir sur le mur de béton qui servait de garde-fou.

C'est un refrain vicieux, cette enfance qui revient me chercher. Cette impression me reste, un arrière-goût qui survit aux années en travers de la gorge. Une mère, un père n'en valent pas le supplice. Le trait aurait dû être formé il y a bien longtemps déjà sur cette page jaunie de notre histoire : oublier, imiter Juliette qui, à seize ans, a trouvé le mot juste. Oublier.

Dès qu'elle a délaissé le muret, elle a entrevu sa fuite. S'enfuir, la tête dressée. Je n'en sais rien. Le drame ne s'est pas joué devant mes yeux. L'évasion. Il n'y a eu que ce regard morose qui perlait ce jour-là aux rives de son visage. J'aurais dû la rejoindre, gagner la berge, grimper le mur aussi, mais non, non, j'ai toujours eu si peur de l'eau. Dans la voiture, sans empêcher le drame de ses yeux gris, j'étais soulagé, c'est tout ce dont je me souviens. Soulagé qu'elle n'ait pas franchi la rambarde, qu'elle se soit ravisée. Soulagé qu'elle ait enfin affronté le vieux père, ce à quoi jamais je ne suis arrivé, même à présent.

Je retenais les rires comme des os qui craquaient en moi. C'était nerveux, la voir ainsi secouer les jambes contre la brique, et le monstre qui la regardait avec un reste de papier dans l'antre de ses griffes. Je savais que

Juliette suppurait de rage, qu'elle aurait pleuré dans le silence de la tente si elle ne s'était pas trouvée si loin de son refuge. Et puis, il y avait plus à défendre que des mots naufragés, plutôt le sentiment d'une liberté sabotée, moribonde.

Ce n'est pas faute d'avoir essayé.

Mais j'ai l'impression de courir pour l'impossible. De flairer ma queue fuyante comme un chien niais sans jamais l'effleurer. Je sais ce que je cherche, il y a ça, mais les données s'écoulent entre mes phalanges à la manière des premières pages de Juliette. À la manière du temps, bon sang qu'il file par où il veut. À la manière de tout ce qui passe sans qu'on le remarque, le vent, et puis quoi, les trains, la vie, peut-être.

— Je sais ce que c'est.

Elle gravit les dalles qui parsèment le chemin jusqu'au banc, l'Institut nous épie. Sa main se pose sur mon épaule. Entre ses doigts de rameaux, légers et fins, s'agite un bout de papier.

— Je sais ce que c'est.

— « Ça fera un an qu'il est mort. » C'est ce qu'elle m'a dit, et elle a ajouté : « Il se trouve encore tout près, le soir, à mes côtés, il me lègue son épaule pour que j'y campe ma tête. Mais ce n'est que l'air qui m'enveloppe la nuque. Je ne connais pas votre histoire, mais je comprends votre désarroi. » Derrière son bureau et ses demi-verres, elle ressemblait à un composite expérimental d'hostilité. Mais sous le vent — et elle avait retiré ses demi-lunes pour venir me rejoindre —, sous le vent, ses joues se sont colorées d'un rose très doux, une aurore boréale du visage. C'était une femme nouvelle, tu comprends. Le chaos de sa dentition n'aurait pas pu anéantir ce charme, je ne sais pas, je n'arriverais pas à l'expliquer, le charme, celui de la compassion. Je lui ai dit que ça irait. Mais elle s'est mise à hoqueter, ses yeux se sont voilés. Elle paraissait plus petite qu'à l'intérieur de l'Institut, plus frêle surtout. C'est là, à travers ce malaise — je n'ai jamais su ce qu'il fallait dire à une femme en pleurs —, c'est là qu'elle m'a cédé un morceau de papier. Elle a, si tu l'avais vue, elle frissonnait. Elle murmurait : « Ce n'est pas… ce n'est jamais facile. Le plateau de notre vie qu'on laisse échapper et ça s'éparpille en tous sens sur le sol. Le sentiment de n'avoir rien eu ; car avec le départ, on se prend à douter d'avant, douter de soi-même. C'est insuffisant. » Ses cheveux tout à coup volaient hors de leur nid. Je me suis levé. Imagine la scène, allez. Je l'ai étreinte, tu n'y croiras pas. J'étais désolé pour elle. J'en oubliais mon Ariel erronée, mon fantôme. Elle m'a dit : « Je me suis renseignée. » Elle a dit : « Peu importe ce que vous ferez de cette information, ne me mêlez pas à cette histoire. Je vous fournis le nom, c'est tout. Ne revenez pas à l'Institut, d'accord ? Que je n'entende plus parler de vous. » C'est ce qu'elle a dit.

Juliette absorbe la poussière en bâillant. La chaleur de sa tisane lui aseptise les mains. Elle lime ses ongles à même la porcelaine.

— Enfin, Albert, qu'est-ce que tu racontes ?

La sœur porte sa tasse à ses lèvres maintenant et elle prend le temps qu'il faut pour goûter, avaler, jouir des saveurs qui se dissipent tranquillement dans sa bouche. Elle a l'air indifférente, oui, voilà, quelle importance le nom d'une morte ? Des centaines l'attendent là, dehors, à la fenêtre.

— De toute façon, je ne te crois pas, dit-elle. Tu reprends ses paroles mot à mot, tu te rappelles par cœur ? Je pense que tu inventes.

Le ton de sa voix, animé d'exaspération et de fatigue. Vieillie. Elle a vieilli de dix ans depuis la dernière fois.

— Alors, elle te l'a donné, finalement ?

Je sors avec réserve le bout de papier de ma poche. Le froissement l'agace, elle lève le menton, le regard au ciel. Cette comédie dissimule les cristaux dans ses yeux.

— Heureux, maintenant ? me demande-t-elle.

Je ne saisis pas : heureux ? Sans doute, oui. Des semaines que ce nom se dissout entre mes doigts, qu'il se maquille, se déforme, s'évapore. J'étais sur le point d'abandonner, je n'espérais plus rien et, soudain, il apparaît. Aussi simple qu'une caresse du jour au lever du soleil. Si simple au revers d'une photo de pompes funèbres.

— Tu vas en faire quoi, dis ? Qu'est-ce que tu feras de tout ça ?

Une liste, peut-être. Dresser une liste, rassembler, reconstruire la façade de sa vie.

— La retrouver.

Elle dépose sa tasse brutalement sur la table. Une encoche, légère. Elle me semble pourtant si grande.

— Cette fille est morte, Albert. Morte.

Du liquide glisse sur la porcelaine. La main de Juliette s'excite, se secoue. Son doigt à sa bouche, une brûlure, elle l'apaise. Dans ses yeux se trame autre chose que de coutume, une tristesse. Différente, Juliette. Triste.

— Je sais.

La mère déposait les plats. Un vrai cimetière, cette assiette, j'essayais de creuser pour le retrouver, mais non, rien à en tirer. Des jours que nous jeûnions pour éviter de l'avaler, ça faisait mal, mais beaucoup moins que de l'engloutir, puis de l'oublier.

— Grand-père est mort, Albert, mort. Allez, mange.

— Quand tu es partie au Canada, c'était pour le retrouver ?

Juliette se lève, s'empresse de desservir la table.

— Tu attends une cliente ? je demande.

Elle ne répond pas.

— Ce n'est pas anodin, Juliette. Tu ne m'as jamais raconté tes voyages, mais je me doute que c'est Montréal qui t'a attirée. Là d'où il venait, là où on l'a laissé aller.

Elle s'arrête brusquement à mi-chemin, les mains pleines de couverts, l'air d'une vieille ménagère épuisée.

— Albert, si je suis partie, c'était pour l'enterrer, pour oublier grand-père. J'ai trouvé là-bas la force de me remettre à écrire et le pouvoir de tout réinventer.

— Pourquoi réinventer grand-père…

Une assiette achève son règne sur le plancher. Juliette échappe un cri de surprise. Nous nous regardons, hébétés, puis elle se penche pour nettoyer.

— Ne parlons plus de lui, veux-tu ?

Ses longues boucles balaient le sol. Elle hasarde quelques coups d'œil inquiets vers moi. Je la reconnais, dans sa posture, tapie en elle-même, je la reconnais meurtrie, la grande sœur de jadis et ses mots en cavale. Des mots qui ont pris tant d'années à se reconstituer. Encore aujourd'hui, Juliette se renfrogne, incapable de pousser au vol ses émotions. Je la soupçonne de taire sa rage depuis la mort de grand-père. Étouffée sous une coquille, après vingt ans à peine éclose.

— Ce sont les merveilles qu'il a frôlées. Tu les cherchais là-bas, au loin. Tu voulais saisir le paysage avec ses yeux. Il est mort de ne plus voyager, ce manque d'émerveillement qu'il évoquait, tu t'en souviens ? Je pense chaque jour à cette détresse. On s'habitue à l'idée que la mort frappe, mais c'est autre chose. Ils s'en vont, ils sont ailleurs. Trouvons-le, Juliette.

— Non, dit-elle. On meurt, c'est tout. Point, on meurt. Pas de voyage ni de réincarnation, pas de cachette, non. On n'existe plus.

Ce fatalisme m'effraie. Comme si elle avait cessé de croire à grand-père en balade, dans sa tournée vers les merveilles du monde. Elle a mis de côté tous les si, les peut-être et les miracles qu'on espérait enfants. L'âge l'a rattrapée. Il l'a rapprochée de la fin, de ces chagrins qui passent, de ceux que l'on rattrape. La mort maintenant tangible, et qui résonne à travers le décor.

— Qu'allons-nous faire maintenant ? je demande.

— Que veux-tu dire ? Il n'y a rien à faire. C'est une descente et on ne freine pas. Mon conseil, c'est simple, n'agis pas comme papa.

Et sa voix s'éteint, les lampadaires de Paris à l'heure des premières lueurs de l'aube.

— Je ne suis pas le père, Juliette.

Elle me supplie du regard, je ne comprends pas ce dénuement.

— Ne deviens pas comme lui. Dis-leur tout, rejoins tes enfants et parle-leur. Raconte-leur tout. Ils ne se retourneront jamais contre toi.

Juliette vient se placer tout près de moi pour me saisir le menton. Elle tourne ma figure vers la sienne, craquelée. Zébré, son visage, fermé. Petit Albert entre les mains de sa grande sœur. Le geste suffit pour que tout m'avale d'une bouchée de vieux drame.

— Regarde-moi, Albert ! disait Juliette tandis que tous les deux étions dissimulés sous notre tente de couvertures.

Le plafond bas aplatissait notre confort, nous écrasait, nous aimions savoir qu'un monde pesait sur nous et risquait à chaque seconde de s'effondrer sur nos têtes. Juliette pinçait mon menton, elle agrippait mon regard et, hésitante, elle disait, je m'en souviens maintenant :

— Regarde-moi. Tu pourras continuer de dormir sous la tente, y venir quand tu le souhaiteras, Albert, je vais bientôt quitter le campement, mais ça ira.

Ses paroles frissonnaient, sa voix, légère et instable. À rebours, je comprends des formules qui me semblaient magiques, ses phrases à elle, quand elle chantait, je voulais sentir qu'elle me racontait des histoires. Mais au fond, j'ai peut-être rejeté ses aveux, noyé dans ses récits l'annonce de son départ. Si j'avais su, j'aurais évité l'isolement de la tente ; j'ai cru trop longtemps qu'elle reviendrait soulever un pan du drap pour chasser toutes ces ombres. Mais elle n'y comptait pas, il m'a fallu vingt-cinq ans pour le réaliser, les années se sont écoulées si lentement depuis son abandon, et cette cachette dans le noir couvait la solitude bien plus que la fraternité. Il y faisait froid comme dans une cave ; plus rien de la tente désormais, plus qu'un piège.

— Que feras-tu maintenant ? dit-elle.

Elle libère mon menton, ma tête, mes souvenirs.

— Je vais partir à sa recherche jusqu'à ce que je la retrouve. Je veux, j'aimerais comprendre. Savoir si la fille du métro n'a existé que le temps que je la voie.

Juliette emprunte la violence d'un ouragan. Elle emporte dans sa bourrasque le jeu de tarot, qui attend chaque fois sur la table de devancer l'avenir. Dispersé sur le tapis, il annonce comme il peut la tempête qui s'en vient.

— Réalises-tu à quel point c'est présomptueux ? lance Juliette. Le monde ne s'organise pas à mesure que tu avances.

— C'est une façon de –

— Viviane est née le jour où tu l'as rencontrée ?

— Non, pas Viviane.

— Pourquoi pas ?

— Parce qu'il y a Yasmine.

Je ne sais plus pourquoi je perds mon temps à ramener Juliette de mon côté. Je sens son regard perler sur moi, tout ce visage d'eau trouble est dissuasion. Je reconnais le vieux père dans ses yeux-cavernes qui paralysent. Ça désamorçait à tout coup la bête furieuse qui rongeait son frein dans mon bas-ventre, cela adoucissait le plus sauvage des lions de conscience.

— Yasmine avait trois ans quand j'ai rencontré Viviane, je dis.

Elle la traînait par la main comme on promène une valise à roulettes remplie à outrance des bagages du passé.

— Elle avait les traits du poids de ses erreurs, je m'en souviens.

— Oui, on appelle ça survivre.

Je me penche pour ramasser les cartes au sol. Sur certaines, des visages difformes exposent le malheur ; les autres me tournent le dos et dissimulent leur prophétie. Juliette, drapée dans sa jupe longue et ondoyante, me rejoint au plancher. Elle s'y assoit comme une fillette sur l'herbe ; ses jambes s'enlacent et sa robe s'endort. Je cueille quelques mèches de ses cheveux décharnés. Ils pendent par lassitude.

Assis l'un devant l'autre sur le carrelage, Juliette et moi ressemblons à nous-mêmes, à nos vieilles habitudes, à nos plaisirs enfouis.

— Tu as une couverture ? je demande, et elle glousse comme si tout d'hier était encore à portée de nos mains.

Elle se lève puis revient, un drap laiteux à poser sur nos têtes. Sous notre tente circulent d'intenses relents d'humidité, le parfum nauséeux qui colle à tout ce qu'on n'utilise plus, à tout ce qui, dans le fond du placard, étouffe sous le temps qui s'alourdit. L'odeur ravive d'anciennes coutumes, nos lointaines confidences.

— Ce matin, après la morgue, je suis allé frapper à la porte de chez elle.

— Tu quoi ? s'emporte Juliette.

— Avec le nom, j'ai pu trouver facilement l'endroit. Elle habitait un de ces logements près de Trocadéro. Un immeuble propret, assez joli.

— Oh, enfin, Albert.

— Je ne sais pas quel âge elle pouvait bien avoir.

— N'en fais pas toute une –

— Je suis entré dans l'immeuble, Juliette. Il fallait gravir l'escalier jusqu'au troisième, une cage toute mince, à peine peut-on y circuler plus d'un à la fois.

On aurait dit que les parois se rapprochaient tandis que je me frayais un chemin jusqu'à sa porte.

— Et puis, elle t'a ouvert ?

Juliette sarcastique. Une fossette me défie au creux de sa joue.

— J'ai attendu quelques minutes après avoir frappé, je dis, ignorant sa remarque. Elle habitait bien là, j'en suis sûr.

Elle soupire. La couverture de son côté s'affaisse.

— Je vais trouver le moyen d'y entrer.

À ce moment, apparaissent quelques perles blanches sous ses yeux-tisonniers. Et pourtant, disait-elle, il ne faut pas pleurer.

— Qu'est-ce que c'est ? je murmure, épongeant la bruine avec la couverture.

La tente s'effondre à force de tristesse, plus rien désormais du drap pour couvrir nos deux corps d'adultes.

— Cette histoire, tu en as parlé à Viviane ? peste-t-elle. Tu lui as dit ?

— Non, je –

— Mais elle doit s'en douter.

Le retour à l'enfance s'évanouit avec la destruction de la tente. Juliette réveille sa jupe en se levant. Elle me dévisage du haut de ses sermons. Je la laisse me dominer, un instant. Elle paraît gronder un enfant sans défense, c'est vrai qu'elle ressemble au vieux père, c'est vrai, plus ça va, plus elle lui ressemble. Puis, je quitte à mon tour le réconfort du plancher froid.

— Elle ne se doute de rien, je dis. De quoi veux-tu qu'elle se doute ? Je n'ai rien fait.

Personne ne l'a vue. On dirait que personne n'a vu la morte. Elle s'est évaporée. Une autre femme qui s'ennuie, un rail de plus dans cette longue échelle ferrée qui siffle à l'infini. Comment aurait-elle réagi, Juliette, à ma place ?

— Rends-moi les cartes, éclate-t-elle, allez ! Rends-les-moi et pars. Ou je les lance à travers la pièce. C'est une catastrophe que tu cherches.

Si seulement elle voulait comprendre. Quand le destin nous harcèle, elle le sait. Elle sait que nous devons le suivre où qu'il nous mène.

— Reviens dans le vrai monde, Albert. Tu es en train de perdre la raison. Qui frappe à la porte d'un cadavre ?

— Le vrai monde, le vrai, tu y connais quelque chose, après tout. Le vrai monde, c'est ce que tu renies depuis l'âge de seize ans. Tu le confonds avec les fantômes de tes romans. Yasmine avait raison, tous ces mots avec lesquels tu jongles, ça retombe, ça retombe et ça ne sert à rien.

Elle me désigne la porte. Je m'y revois derrière le chambranle, la regardant partir.

— Les pieds dans le tertre, tu marches droit vers la défaite, envoie-t-elle. Tu seras aussi amer que lui, au bout du compte. Aussi seul que la mère. Égoïste comme grand-père.

Sa porte, j'ai envie d'en arracher les gonds. Crucifier Juliette sur l'encadrement et l'abandonner. Lui faire avaler de sa recette. Je n'ai hérité d'aucun guide d'instructions, le train a effacé la fille sans s'expliquer. Je voudrais exprimer ma détresse, un mal sans remède, et on se réveille chaque jour avec un peu moins de défenses pour y faire face, chaque jour.

Je contemple la sœur, toutes ces couleurs qui arpentent son corps. Ses cheveux, redoutant le gris, hésitent entre le mauve et le rouge. Elle a les lèvres obscures, bigarrées ; les ongles peints en arcs-en-ciel. Je la prends en pitié tout à coup. Son apparence me chagrine. Drapée dans ses étoffes garnies de fleurs flétries. Égorgée par ses foulards de soie, les mêmes, on pourrait croire, qu'il y a si longtemps. Et cette souffrance aussi épinglée à son allure. Je la serre contre moi.

— J'ai besoin de savoir qu'une fois la porte ouverte tu seras là, de l'autre côté, c'est tout. Sa tête contre mon épaule, je la sens s'affoler, son menton tremble. Elle refoule des sanglots, je sais à quoi elle pense, j'y pense aussi. Toujours. La distance qu'il a fallu rattraper, mais on n'y échappe pas, c'est là, entre nous, les miettes de pain qui sont restées intactes pour nous ramener au même départ.

— Je sais, dit-elle, je sais que tu dédaignes mes cartes, mes mots aussi. Je sais que tu ne veux pas y croire. Mais je t'en prie, pense à la paix que ça me procure, de savoir que la vie est contrôlée par autre chose.

— Je ne -

— Ce que je veux dire, Albert, c'est que les livres, ça passe mieux parfois que les mensonges. Tu les liras, mes mémoires, peut-être, tu pourrais les lire.

Tous ces feuillets qui mouraient autour de notre tente, un sol d'automne pour trahir le pas des intrus, simplement des pages et des pages d'un bout à l'autre de la chambre, quelque part une tempête venait de déverser son fiel, j'aimais quand c'était elle qui caressait les phrases de sa voix rassurante, en ce temps-là, tout paraissait moins faux.

— Je suggère qu'on y mette un trait, Albert. L'illusion dans nos souvenirs, tout n'a pas été noir ou blanc. Des morceaux manquent, comme dans les livres. On ne sait jamais tout avant le dénouement.

— Nous ne sommes pas dans les livres, Juliette.

Elle s'esclaffe tout à coup, avec les larmes qui ruinent son visage à l'usure. Je ne saisis pas. La conversation, je ne sais pas où elle nous mène.

— À la fin, les personnages meurent. Ils meurent, avec le point au bas de la dernière page. Les personnages ne reviendront plus. C'est la fin. Grand-père. Maman. Et puis cette fille, tu auras beau frapper.

Ma gorge se noue.

— Juliette, allons.

— Je croyais que c'était la vérité que tu cherchais.

Oui, la Vérité. Elle se fait une réputation, celle-là, mais on n'y arrive pas, non, à mettre le doigt dessus. Elle se cache. Elle se cache bien. Elle aussi, fugitive.

Un coup, deux. Je sais qu'aujourd'hui, comme hier, ils seront sans réponse, ils se perdront dans l'air tel le son récursif d'un tambour de basque. Je frappe. La visite matinale, réglée à l'heure des croissants frais, dégage quelque chose de rassurant: l'impression qu'à l'intérieur on s'affaire, le mouvement. Ajouter à la liste, sur mon carnet invisible, le sentiment de paix qui vient avec le lieu. C'est son logement, celui de la fille du métro. Pas de doute, maintenant. L'incertitude est demeurée trois étages en dessous, au bas de la cage d'escalier famélique. Et là, devant cette porte de bois vernie par petites doses, écaillée par endroits, je respire la proximité. Elle a vécu de l'autre côté, elle a cueilli dans sa main cette poignée que je frôle, elle a posé les pieds sur ce palier, le tapis sur lequel je tente, par un miracle, de maintenir mon équilibre. Je me demande quels secrets sont enfouis entre les murs du logis, ce qu'elle mangeait — les miettes laissées sur la table — avant de partir pour aller travailler, mais où? Ce que contiennent les armoires — la nourriture qui s'épuise —, ce que recèlent les placards, la penderie, quel genre de vêtements elle portait, comment elle a bien pu laisser l'endroit, le laisser s'alanguir. Une lettre d'adieu sur le sol. Une lettre pour moi sur le sol.

La famille a dû ratisser la place, sans doute ne reste-t-il que des cheveux dans la baignoire et des empreintes sur la glace. Puis l'enquête, on a dû relever toutes les traces, partir avec les mèches ; ne demeure que l'écho. Peut-être même qu'y emménageront de nouveaux locataires, de nouveaux échos, qui n'auront rien à faire du drame qu'ils effaceront, invisible elle deviendra, à moins d'y regarder de près, d'assez près. Et d'ici, je ne vois rien.

Je ne vois que cet escalier à rebours, à descendre malgré moi, pour revenir demain. Peut-être, je ne sais pas, trouver entre-temps le courage qu'il faut pour défoncer la porte, entrer avant qu'elle s'estompe, que les miettes se désintègrent, que son âme se décharne. Cet abrupt escalier; rebrousser chemin, dégringoler.

Les courses avec Juliette. Quand elle ralentissait mon pas à l'aide de sa jupe qui flottait sur les marches, sa jupe. J'y posais le pied dans l'empressement et je glissais, je m'affalais de tout mon long dans la descente de l'escalier, essoufflé. Le regard du vieux père surplombait ma chute. La colère, les menaces. Des crachats déployés comme un discours. J'avais droit à tout, tandis que Juliette se terrait derrière le mur du soulagement ; le vieux ne pouvait pas la voir. Autrement il l'aurait punie. En ce temps-là, les punitions venaient avec l'écriture, je me souviens. Les courses n'étaient que l'argument. On aurait dit que le vieux père cuvait une peur atroce des mots errants. Oui, il redoutait l'avalanche qu'ils pouvaient provoquer.

Les courses pour fuir la porte qui tremble ; les courses, avant qu'on ne se voie contraints d'abandonner notre mission d'espionnage. L'oreille tendue vers la chambre secrète. Le bruit, le grincement de chaise contre les lattes. Quand nous savions que le vieux père captait notre présence, la pressentait, nous détalions, les courses enfantines. Pour nous, cela avait tout d'un jeu inoffensif, mais c'est bien vrai, ça me revient, il n'était pas question de jouer.

La porte du logement de la morte m'appelle de son mystère et me rappelle l'interdit. Mais cette fois, pas de père hargneux dans les parages, pas un seul grincement de chaise : le souffle d'une morte, imperceptible. Rien à craindre, je tends l'oreille, et elle se love dans le confort de cette porte de bois rugueuse. J'écoute. L'espoir d'entendre une chanson jouer en boucle — ajouter sur la liste ses goûts musicaux —, l'agréable impression de mieux connaître la fille malgré l'absence, mais la musique. Seulement, pas d'orchestre ou de voix rocailleuse raillant le même refrain, aucune symphonie, pas de rythme, pas d'air, de chant. C'est autre chose. Des paroles. Interrompues, reprises et variées. Le téléviseur. Oui bon, tout ce que ça prouve, c'est qu'elle n'aimait pas le silence. Mais encore, si j'arrive à deviner de quelle émission il s'agit, je relierai bien à la chaîne, et à la programmation, qui révélera ce qui envahissait l'écran ce mardi à l'aurore, le matin où elle a quitté l'appartement sans éteindre, laissant éternellement se renouveler des images vagabondes.

Et si derrière la négligence se cachait la volonté d'informer ? Un indice. Sur ce suicide, sur l'accident. Et si, et si la porte s'ouvrait devant mon inélégante posture, mon oreille encastrée ? Une vue soudaine sur la décoration du séjour, un meilleur espionnage, ou encore un lourdaud pour se superposer au paysage.

— Qu'est-ce que vous faites ?

La plainte d'un australopithèque, poignante, grave, rude. Je me redresse. Le costaud m'empoigne les deux bras.

— Vous êtes qui ? vocifère-t-il.

Qui, vous… je manque de renverser ma frousse dans la cage d'escalier. Et en même temps, cette escalade en moi, de déception, d'émoi et d'amertume. Ce silence épuré dont je me réjouissais. Rayer de ma liste l'émission du mardi, mettre en suspens le reste, carnet d'incertitudes. Le primate me dévisage et mâche les reliquats de sa question. Je donne mon corps à l'invention ou, plutôt, à l'imposture :

— Inspecteur. Je suis inspecteur.

Sa barbe camoufle ses doigts tandis qu'il se gratte frénétiquement.

— Hum, et l'accoutrement, c'est… Inspecteur qui ?

Qu'est-ce que, l'accoutrement ! Veston cravate pour le bureau, et s'il contemplait les palmes de plongée qu'il porte en guise de socquettes. Mais oui, ça va, je l'admets, il faut revoir le costume et les chaussures cirées.

— Inspecteur du bâtiment.

Il fait « oh », l'air d'y croire, et l'air surtout de tenir à son intimité. Puisqu'il ne glisse soudain, dans l'embrasure, que son nez amoché et l'œil accusateur. Le corps, tout de même, ça se soupçonne assez bâti, mais ça ne révèle rien de concret, dissimulé derrière la porte entrebâillée. L'intérieur de la pièce ne se dévoile que d'une mince lisière ; je scrute comme c'est possible, mais ça ne rime à rien, sinon à approuver le choix du tableau sur le mur : une femme nue entortillée, image trouble et imprécise, on pourrait croire que c'est un homme. Ou bien alors le portrait de la morte, de cette fille du métro, mais ce n'est qu'une supposition, je n'y vois pas grand-chose, tout flotte dans le flou.

— Eh bien, il y a un problème dans l'immeuble ou quoi ? grogne-t-il.

— Oui, les portes. J'examine les portes.

— Vous avez un permis ?

Oh, et puis, bas les masques, ça rapporte peu. La vraie version me mènera plus sûrement dans la bonne voie. Au fond, ce rustre était peut-être l'époux de la femme du métro ; il jubilera d'apprendre qu'elle a hurlé son nom avant d'être anéantie par un train…

— En fait, la vérité, c'est… je souhaite vous interroger, à propos de, hum…

Il jette un œil derrière son dos, puis se faufile dans l'embrasure, prenant soin de maintenir la porte presque fermée. Il s'avance sur la passerelle étroite qui menace de s'effondrer pour de bon. J'ai peine à croire qu'on y survive tous les deux— mon poids santé et celui du rhinocéros aux bosses qui lui décorent le front —, et j'aime mieux éviter de penser à celui qui tombera le premier.

— Vous logez ici ? je demande en faisant mine de chercher ce carnet imaginaire dans lequel j'inscrirai les paroles compromettantes, les noierai dans l'encre.

Il laisse sur mes gestes, sur ma figure, flotter ce drôle d'œil méfiant, le gauche, coincé entre deux plis de paupière, pantomime de suspicion. Je le rassure d'un sourire et d'un hochement de tête, mais toujours pas de carnet. Le costaud s'impatiente tandis que je patauge.

— Oui, hum, je retiendrai vos... elle a disparu, je veux dire il, mon carnet a disparu. Alors, c'est votre logement ?

— Si on veut.

— Et qui veut ?

Je note, je note, le logement à qui le veut.

— Qui veut quoi ? J'ai dit oui, c'est chez moi ! Seigneur, qu'est-ce que vous cherchez ?

Le problème, c'est cet air meurtrier qu'il affiche. Et son haleine, ses poils de nez qui me becquettent la joue, nous sommes trop près pour nous aimer.

— Et si on entrait, monsieur ?

Avec la plus pure des délicatesses, j'introduis l'idée, combler cette curiosité qui m'assaille, jeter un regard périphérique sur la pièce, simplement, tenter de m'accrocher aux derniers vagissements de sa présence, aux traces, quelques touches féminines dans cette conjoncture de l'homme.

— Ça suffit, fait-il. Allez-vous-en. Je dois être au boulot dans quinze minutes. Vous reviendrez un autre jour, je ne sais pas, avec votre permis.

Et une petite poussée, il me coince contre la rampe, une poussée, petite, pour m'offrir l'escalier, mais je m'affole un peu, ainsi dans l'instabilité.

— Vous cachez quelque chose, c'est ça ? je crie, et déjà cette parole le gifle, son visage rouge se contorsionne.

Je me retiens à la rampe, de crainte qu'une poussée plus forte m'achève. Mettre un trait sur l'invitation à revenir ; il devait plaisanter de toute façon. Il n'est pas le genre d'homme à se plaire aux visites, mais plutôt à s'en plaindre, à commettre l'acte qu'il faut pour s'en débarrasser. Qu'a-t-il pu faire subir à la fille du métro ?

— Mary Origan est là ? je demande.

Sa figure se relâche. Sa peau blanche, sa peau devient laiteuse. S'il s'évanouit sur cette passerelle, je jure que je perds pied. Péniblement, avale.

— Pardon ? fait-il.

Lapsus, bien sûr, je voulais dire :

— Avez-vous connu Mary Origan ?

— Écoutez, j'ai du travail, je –

— Donc, je présume que oui. Vous étiez en couple ?

Le pauvre rhinocéros a l'air de chercher un coin où se terrer. Il évite la parole, les petits mots et les gros. Évite aussi d'ouvrir la porte — son regard furtif sur la poignée ne trompe pas —, il y a quelque chose à l'intérieur qui se veut déshonorant, je ne sais pas, un crime, du sang et son cadavre. Il n'a plus qu'à me faire basculer dans la cage d'escalier ou bien à grimper quelques marches pour me dominer, mais ce mouvement n'est d'aucun intérêt, aussi abandonne-t-il l'idée de la fuite, puis tourne la poignée, la tourne avant de s'engouffrer vite fait dans le confort de son séjour : sofa, téléviseur en marche, et bel et bien cette dame couchée nue sur le tableau suspendu au mur. Prendre note, prendre note. Avant qu'il ne referme, je dis :

— C'était son logement, celui de Mary ?

— Peut-être.

— Mais vous étiez ensemble ?

— Je ne sais pas.

Comment, je ne sais pas ? Par quel moyen peut-il ne pas savoir ? Aucune ambiguïté dans la question, et pourtant que de trouble, il me semble, à travers ses réponses. J'ai l'intime conviction que le costaud élague certaines informations — on est avec quelqu'un ou on ne l'est pas, mais c'est sans équivoque —, quelque chose à taire, que s'est-il donc passé, ma chère Mary Origan ?

— Son âge, vous le connaissiez peut-être ? je dis.

— Quand ?

Il paraît perturbé, perdu, incertain, le nez toujours coincé dans la fente, plus aussi pressé, semble-t-il, que tout à l'heure.

— Avant sa mort, par exemple.

— Plus ou moins vingt-cinq, vingt-six, peut-être même trente, c'est vague.

Oui, vague, j'imagine. Je voudrais bien lui saisir la jugulaire, je voudrais le presser contre le cadre de la porte, l'obliger à choisir la pente descendante du maigriot escalier, m'organiser au moins pour qu'il me réponde avec un peu de volonté.

Le deuil, m'aurait soufflé Maché, laisse-lui vivre son deuil. Mais j'ai l'impression de me trouver face à un cinquième mur, dépourvu d'entaille, de blessure, d'émotion. Aucune sensibilité derrière ses yeux semblables à deux olives dénoyautées, aucun deuil dans toute sa posture, froide, rectiligne, ni dans ses paroles abouliques. Il me semble en pleine santé sociale. Il me semble, tout à coup, de nouveau en retard au travail. La porte claque, je ne m'y attendais plus.

— Hé ! je crie. Ouvrez ! je frappe. Ouvrez ! J'y étais, le matin de son suicide, monsieur, j'y étais, je l'ai vue.

Et comme je l'espérais, un léger couinement. La porte s'entrouvre, son visage apparaît, consterné. Il respire gravement.

— Où ça ?

— Sur le quai du métro, j'y étais, Trocadéro, ce matin-là.

Ses épaules se voûtent, sa posture se crispe, il se replie : robuste, on dirait qu'il devient soudainement fragile. Il ouvre grand la porte, et ce rouge écarlate se hisse jusqu'à sa figure. L'éclat de rage m'impressionne tant que j'en oublie de contempler derrière l'état de la pièce, parmi d'autres, où elle aura sûrement vécu.

— Ce n'est pas un suicide, dément-il.

— Écoutez, j'y étais, j'ai tout vu.

— Pas de suicide, je vous dis, saloperie !

— Je ne comprends pas, comment vous pouvez en être sûr ?

— Je le sais, c'est tout. Maintenant, partez.

Forte est l'envie de rester, de m'accrocher à son bras, de le laisser m'entraîner dans son antre, forte est l'envie, mais irréalisable. Vu sa tête de homard frit, je préfère m'en tenir à ces imprécisions, ne pas le contrarier, maintenir une porte ouverte pour une future visite. Je descends l'escalier — et son regard insiste pour me suivre —, je sens qu'il veut en savoir plus, je sens que sa langue brûle de connaître les faits : comment elle a sauté, crié, comment ils ont tous secoué leurs ailes pour la sauver, oui, et moi, mes membres paralysés devant la scène, le train qui apparaît. La prochaine fois, il voudra bien m'entendre. Nous converserons, la prochaine fois.

L'escalier fait à peine la largeur de mes épaules — comment s'y prend le rhinocéros pour sortir de l'immeuble ? Je franchis le seuil, j'atteins la rue. La grisaille. Un temps maussade. Je longe l'avenue du Président-Wilson, la traverse et m'engouffre dans la foule qui engourdit le parvis du palais de Chaillot. En retard à l'agence. Je me demande comment elle gagnait sa vie, Mary Origan. En retard. Je me demande jusqu'à quel point ce n'est pas un suicide. Retard. Suicide. Agence. Suicide.

Éternelle s'annonce la journée.

— c'est l'autre rue que –
— tu devrais –
— je ne suis pas convaincue de –
— *don't panic, we'll find a way* –
— les oiseaux, vous savez, comme eux, nous –
— la tour Eiffel ? J'ai –
— Monsieur ! Monsieur ? Ohé, monsieur ! Attendez !

Je m'engouffre dans le métro ; s'embrassent les portes, elles emprisonnent une odeur de surchauffé, des relents de sueur, de surenchère.

Comme un parfum de ressac, de mer qui crève contre les rochers, de fin.

Dans mon angle mort, l'épagneul se décape l'entrejambe. Un pickpocket, ça se reconnaît à ces lunettes de soleil arborées au fond d'un tunnel noir, ça se voit à la chaîne qui pendouille de la ceinture au genou, laquelle il entortille mécaniquement autour de sa main libre, ça se devine au contour de ses lèvres décoré d'alvéoles — et toute cette place dont il abuse. Je rafle le mur, râtelle les microbes. Le rock qui se bouscule dans ses oreilles bientôt atteint les miennes. On se croirait sur une scène de spectacle.

Assoupi sous un air de tragédie musicale. Qu'est-ce que c'était, j'arrive à peine à me rappeler. Brahms, non Beethoven. La plus macabre de ses symphonies.

Qui ne vois-je pas tout au fond, là-bas, lové contre la vitre balafrée ? Qui ne vois-je, endormi sur son siège, ce vieillard vagabond, doublure de grand-père. Paisible vieil homme.

Tous mes muscles me lacéraient l'intérieur. Une torture dans mon corps et, devant moi, une abomination : grand-père mort, mais il paraissait si détendu. Il terminait tout juste sa lecture. *Pseudo*, était-il inscrit. Un livre neuf, à la couverture éclatante, à peine cassée, craquelée sous la pression des doigts. Le signet gisait par terre, sur le tapis, entre ses pieds légèrement recourbés sur eux-mêmes.

J'observe ce vieil homme au moment où il ouvre les yeux. Nos regards se croisent aussitôt, insistants. Je me glisse derrière l'épagneul qui feint de gratter une guitare invisible. Ses bras enjoués m'entourent de leurs mouvements. L'attention du vieillard m'enveloppe. Un malaise s'insinue entre nous, malgré les sièges qui nous séparent. Un malaise aussi grand, aussi, un malaise, aussi un. Sous son nez, un mouchoir. Éponge. Un mouchoir. Du sang.

— Hé, ça va aller, monsieur ?

Le pickpocket me défie du menton. Il me saisit l'épaule pour me retenir. Le métro se repose puis repart. Je vacille, mes pieds quittent le sol, je me sens tomber, tomber.

— Vous en faites une tête, vous –

Une odeur de lait caillé, son haleine. Il met fin à son concert avant de resserrer sa prise. Il me ramène contre lui, me tient. Je lui désigne le vieillard, courbé sur son siège. Le vieillard rangeant son mouchoir dans sa poche. Le jeune homme se retourne, nous regardons. Éclate en moi ce sentiment de vulnérabilité, je dis :

— Il est mort.

J'observais grand-père, parce que j'étais conscient, oui, malgré mon jeune âge, qu'on s'apprêtait à venir le cueillir, me l'enlever, l'emmener quelque part, je ne savais où, à l'écart de nous tous. Je l'observais surtout pour contrer le mouvement de la mémoire, éviter de devoir un jour faire face, un jour oublier les détails : sa tête tel un drapeau relevé, les portraits sur les étagères de la bibliothèque. Me rendre compte qu'il ne reste plus rien, jamais plus rien. Ses mains tavelées, saupoudrées de plaques blanches, trois petits lézards de cicatrices à la hauteur du poignet, la misère de la vieillesse au bout des bras.

Ça me revient, car la bouche crevassée du jeune homme me rappelle les doigts roidis et blancs de grand-père. Je me souviens de mes propres mains alors, toutes petites et pâles, elles aussi, la cicatrice à peine visible. Un crayon campé dans ma chair fraîche et fragile de petit diable. Héritage du vieux père. J'ai soulevé la main de grand-père pour déposer la mienne dans sa paume. Nous étions, alors, deux victimes de la guerre qui se comprenaient et se complaisaient, malgré tout, l'âge, l'expérience, les adieux.

Le vieux père est venu me prendre après que j'eus téléphoné. La mère ne conduisait jamais. C'était une question de peur, de voir un animal surgir devant le véhicule, peut-être, ou bien de ressentir le désir de rouler jusqu'aux portes de la ville, de les franchir, de s'enfoncer, de s'en aller. J'aurais préféré entendre ses talons frôler les marches comme du cachemire, préféré ses talons à ceux, tapageurs, du vieux père que j'entendais monter l'escalier à pas de poids lourd. Les secours déjà s'affairaient à la civière, délogeaient grand-père d'entre les bras du fauteuil où il semblait inséré pour y rester. La mère aurait manifesté de la compassion ; à défaut d'une étreinte, peut-être aurait-elle posé une main dans mes cheveux, pour une ou deux caresses.

C'est le vieux père qui est venu me prendre quand j'ai téléphoné à la maison. Il m'a trouvé au fond de la pièce, hagard, démantibulé à l'intérieur. J'observais les secours en train de kidnapper grand-père. Ils partaient les mains pleines de ses belles paroles qu'il aura gardées pour un jour impossible, ils emmenaient les sorbets à la fraise, effaçaient l'odeur de tabac, la faisant légende. J'ai voulu respirer sa veste avant qu'ils ne l'enveloppent. J'ai demandé pour le souvenir, mais déjà les mailles de son tricot dégageaient autre chose, ce n'était plus grand-père. Le vieux m'a sorti de là en me saisissant le poignet. Je me suis presque cassé sous mon obstination. Le vieux père a raccourci l'instant ;

tout ensuite — le deuil, Juliette, et sortir de l'enfer —, tout ensuite a semblé durer éternellement.

— Monsieur, relevez-vous, me dit le pickpocket. Je ne comprends pas, qui est mort ?

Je lui montre à nouveau le siège au fond. Le fauteuil et ce livre qui repose à ses pieds.

— C'est mon grand-père.

L'épagneul reste là, figé, la bouche à demi offerte à l'oxygène et un sourire accidenté dans le visage. L'allure de celui qui lutte avec le retard dans sa tête. Des flammèches jaillissent de ses oreilles, des étincelles ; des cellules brûlent une à une dans son cerveau et déforment sa figure. Un bon parti pour Yasmine.

— Je ne vois rien.

Un siège vide. Parti. Envolé. Je repousse le jeune homme et me faufile vers la sortie. Les portes, béantes, régurgitent la foule sur le quai. Je quitte le train, je sors. Peu importe la station, je marcherai. Vue panoramique sur l'ondée d'auréoles multicolores à la recherche d'une tête blanche. C'est peu dire, il doit y en avoir une vingtaine, trente, et elles se dispersent dans le flot volcanique. Et s'échappent. Grand-père. M'échappe.

La main dans ma poche, mon portefeuille n'est plus.

Je brutalise la porte, me querelle avec la mallette qui me ronge le poignet, ils tournent — lieutenant, sergent, colonel ! —, ils tournent en chœur leur tête vers moi. Quatre visages miroitants, auparavant penchés au-dessus de leurs assiettes de paella en décongélation. Des yeux convulsés, rougis, mouvements de va-et-vient des fourchettes sur la nappe. Rodrigue, il me perce avec la pointe de ses cils, avalant une moitié — l'autre lui dégouline tout du long du bavoir — de sa paella pillée. Rodrigue et toute la dureté de ses prunelles inquisitrices. Plus rien de l'enthousiasme, que le calme laminé du petit qu'on destine à la prêtrise.

Constantin tambourine frénétiquement avec ses pieds sur les barreaux de sa chaise. Il ratisse le contenu de son assiette, l'air de vouloir y sculpter des infrastructures, pour changer. Et puis Maché, elle donne des échos de silence à sa dégustation, mâchouille, évite d'étendre ses mains sur la table, de relever la tête avec ses crocs saignants, se retient de grogner. C'est Yasmine qui, la première, casse le mur de verre qui me garde isolé sur le seuil de la porte avec valise et costume froissé ; une voix fluette, branlante, accusatrice. Les morceaux de vitre éclaboussent le dîner.

— Tu es en retard, tu le savais ?

Mes pieds brûlent tout à coup, comme si tout autour de moi des braises, comme si, littéralement, mon corps devenait bûcher. Je sens les flammes, je les sens grimper, mes jambes fondre lentement, se plier sous la chaleur, flageoler. Dans ma bouche, un goût de cendres, les gencives tendues, gonflées de sang, les nerfs qui fouettent. Les sons s'embrouillent.

— Un problème dans le métro, je balbutie. J'ai dû marcher. Je suis exténué.

— Moi aussi.

Maché. Un râlement rauque. C'est un reproche. Un caprice. Et quoi encore ? Tu t'y connais en épuisement, Maché ? À coups de demi-jours à remplir des dossiers dans le confort de la maison. Et tes patients, encouragés à se plaindre pour ménager ta salive. Tu te contentes de consigner leurs échecs dans un petit cahier. Prendre des notes, toujours plus. Ça ne réglera pas la misère des malheureux. Tu ne leur épargneras pas la pirouette sur les rails. Tu ne l'as pas sauvée.

Quelle fatigue, Maché ? Tu viens de perdre ta vieille mère, sans doute. Tes souvenirs te hantent ? La morte, tu la recherches aussi. Grand-père. On ne sait jamais.

C'est tout ça qui épuise, Maché. Et tu ne comprends pas.

— Je suis exténuée de t'attendre chaque soir. Et puis tu mens.

Tout à coup, il n'y a plus personne. Les sièges ont été désertés, la table desservie, il ne reste plus que

Maché et sa paperasse en éventail. La fenêtre filtre un croissant de lune à la diète. Les enfants sont couchés. La soirée s'achève sur un combat à quatre yeux, dont deux — les siens — gravitent dans la confusion. Juliette, dans un recoin de ma conscience, résonne. Elle me répète de tout livrer, tout, de raturer les secrets, ou alors des réprimandes, il n'y aura plus que des réprimandes. Juliette, celle qui ne s'avise jamais d'avoir tort, comme si, qui sait, elle pouvait réellement prédire.

— Je ne te mens pas, je t'assure.

— Dis-moi, Albert, dis-moi ce que ça veut dire. Tes retards, et puis tu. Tu sais, j'en ai parlé au bureau. On m'a expliqué que le cancer pouvait être causé par un stress important. L'une des psys a traité plusieurs patients qui…

Étaient crédules ou imbéciles, oui, vas-y, termine ta phrase.

— … et il y avait pour chacun autre chose derrière la maladie, une première souffrance qu'on couvait depuis, depuis l'enfance.

— Pourquoi tu me parles de cancer, Viviane ? Ta fille est schizophrène, et moi, je suis attendu par mon lit de mort, c'est ça ? Ta tribu devrait venir ici raconter des histoires aux enfants.

— Ta mère, Albert.

Du couloir, un bruit sourd, une porte claque. Maché se lève pour vérifier si Rodrigue ou le petit n'en aurait pas eu marre de son délire. Je la talonne.

— Et leur diagnostic ? je dis. Quelle maladie tes psys ont bien pu m'inventer, hein ? Je suis thanatophobe ? Autophobe, phile ou cruellophile, c'est ça ? Elles ont le mot, toujours, celui qui convient. Autrement, elles le créent.

Le visage d'archange de Maché devient un papier qu'on chiffonne.

— Ton verdict, Viviane ? Tu crois pouvoir donner ton opinion sans consulter la planète ?

Ses traits, durcis. Un instant je crains d'avoir meurtri toute la douceur qu'elle nourrissait en elle.

— Si, j'ai un diagnostic. Mais il est plus sévère encore que tous ceux que pourraient inventer mes collègues.

Avec cette hauteur des mots qui ont été pensés d'avance. Ce froissement de langue. L'assurance, tout à coup. L'assurance qu'elle étreint, nouée à cette réplique qu'elle attendait pour frapper la balle hors du circuit.

— Seulement je croyais que mon avis ne t'intéressait pas. Mais alors, puisqu'on y est, voyons ce que je pense de tout ça.

De nouveau, une bouffée de chaleur s'empare de ma tête, mes tempes creusent les parois de mon cerveau.

— Tu reviens chaque soir un peu plus tard que la veille. Tu oublies de te nourrir ou alors tu manges avant de rentrer, qui sait. Tu t'absentes du travail ; j'ai parlé à ton patron. Je ne vois pas ce qui te ramène ici, sous les draps, près de mon corps que tu ne touches plus.

Je saisis le dossier d'une chaise pour éviter de perdre pied. La honte, elle me perce la gorge de part en part. Je cherche à m'approcher de Maché, à lui frôler la joue. Elle se dissipe.

— Non, laisse-moi.

Ses beaux yeux, elle laisse s'écouler quelques pleurs. Elle s'étouffe, enfonce son poing dans sa poitrine, tente d'enfouir par la douleur physique cet autre mal, de le pousser au fond de son corps. Sa tristesse corporelle lui souille le visage, et elle me regarde sans le faire réellement, comme si elle craignait tout à coup des mirages. La voir ainsi s'éteindre me foudroie. Ses paupières fermées sur elle.

Grand-père, ce jour-là. Assis mollement près de la bibliothèque, ses paupières recouvrant la douleur. Quelques feuilles au sol, éparpillées, semblant avoir été lancées avec ferveur, semblant avoir été lancées pour survivre à la mort.

J'ai crié.

J'oubliais le vieux père qui criait sans cesse à m'en fendre l'âme, je pensais à ces gestes, ces paroles, qui n'existent plus. Je pensais à ces gens auxquels on s'accroche, cette ficelle presque imperceptible qui pend au bout de la vie, à ces gens que l'on veut éternels, mais qui sont — cette mascarade est impitoyable! — les premiers à partir. Je pensais, oui, même s'il était devant, même s'il était trop tard, à grand-père, surtout, parce que je le préférais à tous, et qu'il n'y a pas eu ensuite pire trahison.

C'est ce qu'elle ressasse, jour après jour, la trahison; je peux le voir dans ses trous noirs qui me regardent. Maché retire ses lunettes. Elle enlève le pieu qu'elle s'est plongé dans le ventre, le retire avec tout l'effort que le mouvement implique, la grimace et la souffrance qui savent si bien se traduire l'une et l'autre.

— Allez, Albert, tu ne crois pas que... C'est assez, non ? Dis-moi qui est cette femme.

Des mèches bouclées de sa chevelure embrassent la peau chatoyante de ses joues. Elle demande la vérité.

— Je ne sais pas.

Aucune réaction. Nous sommes là à nous fixer dans la pénombre de la lune et de ces lampes qu'on laisse sommeiller, parce que la lumière, c'est un peu trop cruel. Je voudrais la rassurer, à tout prix, je voudrais lui dire qu'il n'y a jamais eu personne, enfin aucune réelle menace, qu'une ombre instable, mais je n'y arrive pas. Le sentiment de colère qui l'attend, tandis qu'elle se contentera d'une version un peu floue. Elle ne mérite pas, il me semble, que je lui raconte une histoire, vieille charpente constituée de bois pourri que l'on empile pour voir crouler, non.

J'aimerais lui dire que je cesserai de la voir, cette femme, ça y est, c'est terminé, plus de rendez-vous secrets, de ces promesses prononcées sans être respectées, mais je ne peux pas. Parce que je ne l'ai pas encore approchée. Je sais que la morte demeurera accroupie au fond de ma tête comme le hublot des combles filtre le temps en accumulant la poussière, je sais.

Je voudrais secouer vivement Maché, puis la serrer contre mon corps, qu'elle sache qu'elle n'a pas de rivale, que je n'ai pas triché. Mais la trahison, c'est aussi autre chose. C'est grand-père qui disparaît en laissant Albert parcourir seul, le soir, les mètres de sa chambre où il s'enfouit dans chaque recoin des murs. C'est grand-père qui meurt en s'étendant serein sur des livres et des feuilles, c'est des feuilles sur lesquelles Juliette agence les mots pour expliquer grand-père qui meurt — l'opéra grelotte dans l'air — et ces enfants qui sillonnent les allées du cimetière pour éviter la tombe qui les fera tomber. C'est la mère qui collectionne les fleurs sur le tertre d'une vie et c'est surtout grand-père qui meurt. Mais encore autre chose : des parents qui crient sans rien à dire, un père et une mère qui s'effacent, et des enfants qui crient parce qu'ils sont sans moyens pour s'effacer aussi. Une mère de marbre et un père invisible. C'est apprendre à aimer sous vide. Et puis Maché, qui s'obstine à croire l'inadmissible, l'inexistant. Albert, le faible, mercenaire sans bouclier ni rien, il alimente ses craintes, l'éloigne, la perd, sans arriver à lui dire qu'elle a tort, que depuis le début elle a tort, que la mère n'est pas morte, jamais. Il cache la vérité, oui. Mais elle se voile, de toute façon. De toute façon, la trahison, c'est aussi autre chose, mais c'est surtout cette parole que Maché lance, cette fois, perforée d'un ultimatum.

— Quel est son nom, Albert, son nom.

Et jamais un son n'aura si vite quitté son chant :

— Mary Origan.

La trahison, c'est ce sac qu'elle agrippe avant de sortir de la maison — un sac qu'elle a rempli, ce sac, déjà, comme si cette scène était censée se produire — en laissant derrière elle une brise qui soulève par mégarde un parfum délicat de culpabilité autour de moi.

Rodrigue se met à geindre. Il a ressenti les secousses, entraperçu, par la grille de son confessionnal, les liens du mariage s'effriter. Je n'ai pas le cœur à recevoir son sermon, ni même à supporter la vue de cet air atrabilaire qu'il exhibe à travers le grillage.

« Quels sont vos péchés, M'sieur Albert ?

— Aucun. Je n'en ai pas. »

Un long silence de sacrilège.

« C'est bien vrai, M'sieur Albert, vous en êtes sûr ?

— Oui, oui.

— C'est que je peux accéder à votre pensée.

— Eh bien, il y a peut-être cette petite ombre au tableau…

— Je vous écoute.

— La peur, Révérend. »

Un hoquet de surprise chez Rodrigue qui se trémousse dans ses couvertures de laine.

« La peur ? Mais ce n'est pas un péché. De quelle peur s'agit-il ?

— La peur… de ne pas la retrouver. »

Tout s'éteint. Rodrigue s'est assoupi à nouveau. Il suçote son pouce, ou une hostie.

De l'autre côté du couloir, dans la chambre de Constantin, les rideaux ballottent contre le mur et crépitent. Le petit s'inquiète, les yeux ouverts et rougeâtres telles des plaies profondes, et le reflet timide de la lune éclaire les traces crayeuses, des vestiges de larmes qu'il porte à même ses cernes. Je m'assois tout près de lui, l'extirpe de ses sédiments de couvertures en l'empoignant aux aisselles, j'ai envie de l'étreindre. Entre mes cuisses, je creuse un nid où ses fesses pourront se réchauffer.

— Maman est morte ? dit-il, reniflant deux, trois coups, tentant de rattraper le pleur nasal qui glisse à contre-courant.

— Qu'est-ce que tu me chantes ? Personne n'est mort.

Ce qui, de toute évidence, a le profil d'un mensonge. Jamais, à ma connaissance, il n'y a eu autant de morts qu'en cet instant, petit Constantin sans malice : cinq membres d'une famille mutilés.

— Elle est partie, maman, je l'ai entendue. Elle disait toujours « grand-maman est partie », mais je sais qu'elle est morte, je le sais bien, quand on a des fleurs sur le corps pour remplacer les cheveux, c'est ça mourir, et maman est partie.

Rien qu'eux, les gamins, à la tête gonflée à l'hélium, aux pieds reliés par des lacets, maladroits, aux yeux qui inspectent ou supplient, rien qu'eux pour comprendre de travers ce qui leur échappe, ce qui les échappe de l'autre côté du monde.

— Elle va revenir, il ne faut pas s'en faire. Elle vous aime.

— Alors c'est quand on arrête d'aimer qu'on s'en va ?

— Quelquefois.

Petite tête ébouriffée de génie. Il est promis à de grandes choses. Il pointe sa figure vers moi, me regarde dans le sens du désordre. Ses bouts de larmes hésitent sur le chemin à prendre.

— Et toi, papa, ça veut dire que tu vas partir ?

— Pas de danger. Ou bien je t'emmène.

Fuir. Partir. Amour. Voilà pourquoi il niait, le costaud. Voilà pourquoi il dansait sur le palier, pourquoi il se rongeait les sangs. La culpabilité. Le cœur meurtri d'avoir écorché celui de Mary. La blessure l'a menée à l'abîme.

J'ignore ce qui l'a conduite sur les rails, mais le rhinocéros le sait. J'y retournerai. J'enfoncerai la porte, s'il le faut. Les indices. J'avalerai les effluves qu'elle aura laissés derrière elle, j'y retournerai. J'obligerai le lourdaud à se morfondre, à s'agenouiller, je le gaverai de deuil, de repentir. Mené par cette indifférence que je lui connais, il dira : « Et alors ? Elle est morte quand même. » Nous serons sans alternative. Nous saurons. Mais j'aurai peine à l'admettre, car c'est ainsi depuis le début, ainsi que tout fonctionne. Les morts, laissant un vide au lieu d'une trace. J'en veux plus. J'en veux plus derrière l'envol ; je veux l'illusion, au moins, pour ceux qui restent.

Et le costaud se déliera de la vérité. Il m'avouera avoir trompé Mary à coups de mirages, l'avoir envoûtée, lui avoir promis les miracles qu'il n'aura jamais accomplis, l'avoir livrée à l'attente de plus en plus souvent. Recroquevillée, seule dans la chambre, le nez rivé à la fenêtre à contempler la tour Eiffel trahir les nuits de Paris, seule à se convaincre de marcher jusque-là, d'y grimper, d'en atteindre le sommet, d'enjamber la rambarde posée exprès pour qu'elle y songe deux fois, de se laisser tomber dans le paysage, de s'écraser à la limite du Champ-de-Mars, de faire hurler la foule, seule à pleurer, les cils recourbés contre la vitre, imaginant à nouveau la scène tragique où elle meurt pour son homme qui n'est nulle part près d'elle, tandis qu'elle attend dans la chambre que le temps l'avale et de s'endormir, une autre fois, en solitaire. Il me confiera ses faiblesses, un ou deux moments d'égarement, son œil vissé sur d'autres femmes. Il demandera pardon. Mais Mary n'y est plus pour ces excuses lancées à l'aveuglette. Oui, voilà, « elle est morte quand même ». Devant sa force, ses épaules de mastodonte qu'il rehaussera pour redevenir homme, devant cette mutation d'orgueil je penserai à Maché, à ses épaules voûtées et à l'air qu'elle déplace à peine, quand elle disparaît, à pas feutrés. Maché qui m'imagine aussi insensible que ce robuste à l'air penaud. Maché, que je m'en veux.

Je borde Constantin. Je ne sais trop comment, il s'est endormi entre mes bras, la tête renversée sur son buste, se baladant dans un mouvement de va-et-vient continuel. Il évacue quelques murmures demeurés coincés sous sa langue tandis que je l'embrasse doucement entre les yeux. Il sera grand plus tard, ce petit. Rien d'aussi pathétique que son père, que son grand-père surtout, destiné à respirer la haine dans une bouffée d'air quotidienne.

En quittant Constantin, j'entends le hoquet d'une porte qu'on referme. Maché revient. Je m'empresse de la rejoindre, soudain ravivé par un désir d'absolution transmis par Révérend Rodrigue, mais c'est sa fille que je rencontre. Sa fille, et son regard abject, sorte de grimace de dégoût galopante. Yasmine trimballe un champignon humain; la main posée sur sa fesse droite cherche à en agripper l'anneau. Le végétal arbore, en tant que chevelure, un semblant de bol renversé. Il sourit bêtement. Il ressemble à tout sauf à un prétendant décent, futur fornicateur qui me broiera les oreilles une fois de plus. Je m'engage à mettre fin dès ce soir à cette pornographie, Yasmine s'en retournera sous ses couettes, le pouce dans le creux du bec, je m'en porte garant.

— Tu t'es vue? je lance, pour lui rappeler qu'elle gagnerait à changer de visage histoire de rester prise avec des plis moins disgracieux.

Elle n'enregistre pas l'allusion à sa métamorphose. Elle se contente de remuer la tête, un signe de supériorité mal investi destiné à son partenaire, à qui elle inflige l'ordre de la suivre. Qu'il avance d'un pas et je lui tronçonne le trajet.

— C'est qui, celui-là ?

Il n'ose pas me regarder, ne risque pas un seul cil dans la direction de ma silhouette de despote. Il se contente d'une parcelle de coup d'œil vers sa conquête rebelle. Elle ne lui a pas révélé la fréquence de ses aventures douteuses. Je me ferai une joie de lui exposer la liste des identités passagères, question de lui remémorer qu'il n'est pas seul sur terre, et qu'il vaut bien toutes les autres rafales de vent.

— Un problème ?

Requête bien anodine. Yasmine cherche à savoir si problème il y a. Bien sûr problème y a-t-il : problème avec le ton tranchant de la cacophonie de ta voix, ma chère fille qui ne l'est pas encore et l'est de moins en moins à mesure que l'aiguille renie l'horloge, problème avec tes yeux fardés à l'envie de meurtre, problème avec le pingouin accoutré en lampe de salon, problème, problème, problème, en veux-tu, et voilà.

— Tu t'es surpassée, ce soir, je dis.

— Merci, tac au tac-t-elle, laissant transparaître une intonation à haute teneur en sarcasme.

— Où est la gerbe de blé de l'autre jour ? j'ajoute.

Papillotement de paupières. Yasmine s'insurge dans le calme et l'assurance. Elle chuchote à l'oreille de son eucaryote le leitmotiv habituel, jouant à le conserver jusqu'au lendemain. Je les observe se croquer le lobe. Dire qu'il y a peu de temps on partageait la mort, elle et moi, comme un secret d'État.

La grande a hérité de l'humeur maligne de sa mère, changeante et toxique. Et si elle était là, Maché, devant son impudique de fille, elle réagirait en plante carnivore, sortant sa ventouse pour capturer sa proie. Trop de vengeance et d'inhumanité dans cette cuisine de sentiers battus.

Rejetant le couteau dentelé, j'étale de la douceur sur ma phrase avec le dos d'une cuillère.

— Tu as pensé à ce que ta mère dira quand elle sera de retour ?

Yasmine me désigne la porte, brute rectangulaire et muette qui recouvre le dernier mot chaque fois.

— Elle est dehors, maman, assise sur le perron. Et puis c'est elle qui a invité Eugène pour la nuit, alors fiche-moi la paix.

Aussitôt elle s'élance dans l'escalier en rugissant, poursuivie par son ampoule allumée au minimum de son intensité. Bol de veine. Je suis maintenant la victime de ce complot féminin tant redouté. Le bouclier offert aux pétarades. Elle m'en veut, la grande, autant que sa mère. Elles m'en veulent ; l'une se réfugie dans la luxure et l'autre se chagrine sous le lampion de la lune. Sur le perron depuis des heures. Les nerfs me battent le creux des tempes.

Je rejoins la fenêtre, en écarte les rideaux. Maché se tient à genoux près des marches, les fesses appuyées sur la plante de ses pieds dont elle a retiré les chaussures pour les mettre à l'écart. Ses longues et vives bouclettes pendent dans son dos, qu'elle maintient droit. Elle ne bouge pas. Elle semble avoir été sculptée dans le roc, installée là, dehors, à la manière d'une gargouille attendant la pluie pour écouler ses pleurs.

Je sors la retrouver, je n'en peux plus, m'accroupis à ses côtés dans une position similaire. Elle ne pivote pas, non. Ni son corps ni sa tête. Elle garde son regard rivé sur le mystère qu'offre l'obscurité. Coite, solide, indépendante.

— Tu laisses Yasmine s'enticher de cette lanterne ?

C'est sans reproche. Simple question envolée dans l'espoir d'une conversation aux effets salutaires. Histoire de ne pas laisser le silence, cette fois encore, briser nos âmes en peine.

— Écoute, Albert, elle ne répétera pas mes erreurs. Il faut lui faire confiance.

Bien sûr, confiance. Mais si l'on parlait de toi, Maché, de ce refus d'accepter les vérités que j'ose à peine offrir, de l'empressement avec lequel tu me condamnes, avec lequel tu as capturé ton bagage pour partir et ne plus le faire, de ce ton acerbe qui orne ta voix, s'y greffe, immanquable à tous les coups ? Si on discutait un peu ? Pour se détacher de l'emprise du démon qui nous paralyse de colère. Tu es belle, Maché, seulement, j'ai usé de cette parole comme d'un vieux livre grugé jusqu'à la moelle des mots, auquel il ne reste que le tronc des pages, mais plus l'essence, ni l'odeur si précieuse de papier imprimé.

— Machérie, ce n'est pas ce que tu crois.

La tête basse, ses yeux fixent désormais les lattes de bois grignotées par l'usure.

— Tu sais ce que je crois ?

— Viviane, je t'en prie, ne –

— Je ne suis pas encore partie, mais…

Enfin elle tourne la tête.

— J'aimerais seulement savoir depuis quand tu la connais. Elle travaille à l'agence, c'est ça ?

Ses yeux mijotent dans une eau trouble. Je lui agrippe la cuisse, mon cœur tressaute. Comme si, tout à coup, il n'y avait plus que cet organe frôlant l'explosion, et ce moment telle une goupille pour décider du sort des choses. Maché serre les jambes et saisit mon poignet pour le déplacer.

— Non, Viviane, rien de tout ce que tu prétends n'est –

— Elle a un nom, Albert ! C'est déjà…

L'obscurité me saisit à la gorge.

— Tu évites de répondre, dit-elle. Réponds. Réponds ! Tu veux que je m'en aille, peut-être. Tu veux tout perdre ? Qu'est-ce que tu veux ?

— Je veux la retrouver.

Maché s'étouffe avec l'obscénité de l'aveu, et puis les larmes aussi, mais de moins en moins.

— Pardon ?

En sourdine, ce petit cri m'érafle le tympan.

— Non, enfin, Machérie, je. Ce n'est pas, c'est, écoute.

— Eh bien.

Depuis Mary, depuis grand-père. C'est ainsi.

— Je ne peux pas t'expliquer, pas maintenant. Je ne comprends pas moi-même, je.

Sans expression, plus un reflet sur son visage. Que le drap blanc de l'impassible, de l'impossible, qui ternit tous ses traits. La silhouette d'un fantôme, le pouls d'une morte. Se lève. Je tente de la retenir. Effleure le bout de ses doigts. Fragile.

— Ne m'en veux pas.

Mais elle referme déjà la brute rectangulaire et muette sur le dernier mot. La referme derrière son ombre, file avec son parfum, se volatilise à l'instar de tout le reste, Mary Origan, grand-père, la pauvre mère, et le bruit de Paris, qui se contente désormais du refrain des morts. Tous ces morts, beaucoup trop.

Je martèle la porte, les deux poings aiguisés. Il finira bien par ouvrir. Il n'aura pas le choix, le costaud. Mais la cage d'escalier soudain se met à trembler. Ma main agrippe la poignée ; l'autre, la rampe. Tout en moi et hors de moi vibre. Un énorme vacarme. Je me retiens de fendre la porte à coups de genoux pour m'abriter, pour échapper au règne de ce cataclysme qui s'annonce.

La dame — elle se laisse dégringoler l'escalier — doit contenir dans son seul ventre une troupe entière de fœtus dansants. Un brouhaha utérin qui la traîne jusqu'en bas, et tout paraît vouloir s'effondrer sous son poids. Quand elle atteint l'étage et qu'elle tente de passer, c'est un peu comme si elle me transférait ses millions de bébés en m'enfonçant son ventre immense dans l'abdomen, pendant que j'étouffe avec l'arête du mur pour me déboîter l'épaule. La porte choisit ce moment pour s'ouvrir sur une naine de jardin égarée. La grosse femme me relâche, la petite femme s'esclaffe. Un instant je crains de m'être fourvoyé, mais le tableau est là, au mur, la silhouette asexuée flottant dans un brouillard. À l'intérieur du logement de la morte, la naine cligne des yeux, les dents en retard sur l'ensemble de son visage. Dix-huit ans, pas d'avantages.

Je cafouille :

— Euh… vous êtes.

— Ricochet, m'sieur. Vous voulez ?

Elle rigole, un rire de clochette infantilisante. Les trois pendentifs attachés à son oreille droite claironnent au gré du mouvement de ses hanches et de celui, plus léger désormais, de la dame enceinte qui finit de chahuter l'escalier.

— Monsieur Origan est là ?

Elle s'esclaffe de plus belle, un gros rire gras succède au carillon. Que fait-elle chez Mary, cette nymphette ?

— Qui ça ?

Puis elle ouvre la porte pour me laisser entrer. Je suis si surpris, et absolument choqué de toute cette insouciance — le costaud m'aurait crucifié avant de me céder le passage, et celle-là s'en balance, le mystère est levé, les cloisons tombent dans la désinvolture —, que j'arrive à peine à franchir le seuil, mes semelles restent figées. La naine m'attire à l'intérieur en saisissant mon bras.

— Vous cherchez qui ? répète-t-elle, s'amusant de cette ritournelle. Désirez un verre, peut-être ?

— Oui, pourquoi pas.

Elle sautille jusqu'à la pièce voisine en fredonnant l'air d'une comptine, puis elle crie :

— C'est Réjean que vous venez voir ?

— Réjean, c'est le mastodonte ?

— *Exactly*, fait-elle, penchant sa tête folle dans l'embrasure avec ce sourire hypertrophié.

Bientôt, armée de deux verres remplis à ras bord, elle revient en projetant une lampée d'eau sur la moquette de moutons blancs à chacun de ses pas de claquette.

— Alors, la raison de cette visite ?

Du coup, elle cesse de bouger, un œil sévère me dévisage.

— N'êtes pas enquêteur, dites ? Officier, gendarme ou n'importe quelle blatte du genre, Réjean ne me le pardonnera pas.

— Pourquoi ça ?

Je bois.

— Les tableaux.

Crache aussitôt. Un plein verre de rhum pur.

— Vous voyez.

Je me retourne. Dans l'étroitesse de ce séjour, cinq toiles géantes dispensent de l'ombre au tapis moutonneux, parmi lesquelles la femme bien en chair. Le sexe du personnage gagne en clarté depuis que la peinture me caresse presque l'œil. Jeune déesse nue et couchée dans une position frôlant la perversion. Ses longues jambes disloquées. Elle me rappelle Mary étendue sur les rails, sa peau opaline offerte à tous les regards. Je l'imagine. Mary, le pinceau sous les doigts, peignant cette scène pour annoncer sa fin. Quel talent.

— C'est Réjean qui les a peints. Il en a fait des centaines déjà, c'est ce qu'il prétend. Il réussit à les vendre un peu partout.

Je m'approche du tableau de la femme enlacée par l'oiseau. Alors, Mary aura plutôt servi de modèle.

— Vous avez remarqué ? sifflote la naine. Ce sont des reproductions. Celle-là, c'est *Léda avec le cygne.*

Une œuvre de Rudes, ou alors c'est Rubens. Vous le replacez ?

— Sans blague, il reproduit des toiles célèbres ? Mary n'a rien à voir avec cette peinture ?

— Mary ? Connais pas. C'est Réjean, je vous dis. Il s'y met tous les soirs. Audacieux, non ?

J'acquiesce d'un hochement de tête distrait, avale d'un trait mon verre de tord-boyaux.

— M'sieur, sais pas pour quelle raison vous êtes venu, mais si c'est pour la fraude, je préférerais que vous oubliiez notre conversation. Il a besoin d'argent, comprenez ? Réjean, c'est tout frais, il vient d'enterrer l'être le plus cher qu'il avait, alors –

— Une femme qu'il fréquentait, je dis. Mary, n'est-ce pas ?

— Non, non, je vous parle de sa sœur.

Sa sœur, moi qui supposais qu'elle était morte le cœur flétri, ces circonstances lui conféraient un charme romantique.

— Et puis elle s'appelait Hortense.

Mon verre me glisse des mains. Le mouton étendu par terre l'attrape sans trop de fracas. J'ai peine à croire à cet imbroglio.

— Mais, vous savez, poursuit-elle, il vient seulement de se confier. Hier, à vrai dire. Ces sujets, jamais les aborder sans précaution. Sans compter que, Réjean, il peut sembler herculéen comme ça, d'apparence, mais, pour ce que j'en sais, pas plus fontaine que lui. Ça non. Un ange, un vrai.

— Bien sûr, un ange qui reproduit illégalement des toiles.

— *God*, remettez-vous. Il n'a tué personne. Il rend hommage à la beauté de l'art, rien d'autre. On ne peut pas lui en vouloir, non, vraiment.

Non, vraiment. Pas de quoi s'affoler. Une manufacture de falsification dans cet appartement, mais les muscles ont le beau jeu. Cette enfant n'a aucune conscience de la portée de ses révélations. Complaisance de la jeunesse.

Je hasarde :

— Enfin, sa sœur ne s'appelait pas Hortense.

— Si, c'est son nom. Sa photo est même placardée sur le réfrigérateur. Voulez voir ?

Je lui agresse les talons jusqu'à la cuisinette. Là, elle me tend son verre d'alcool, qu'elle n'a pas encore touché.

— Elle est morte de quelle façon ? je dis.

— Frappée.

Je le savais. Elle s'est méprise au baptême, la pauvre naine. Adieu innommable Hortense.

— Par un bus, achève-t-elle. Imaginez la scène. En plein boulevard, devant la foule, passer de vie à trépas, en clignant de la paupière, sans qu'un passant ne puisse rien tenter.

— C'était dans le métro, vous vous trompez.

— Certainement pas. Réjean m'a tout raconté hier. L'accident a eu lieu tout près d'ici. Tenez, je vous montre la photo.

La nymphette manque de plonger le cliché dans mon bol de rhum. Le portrait longiligne d'une femme à tête cuivrée, sans sourire, voilà, sans courbes, sans élégance, étreinte par un petit homme à l'air coquin.

Aucun doute, elle n'a pas un pigment en commun avec Mary. Une parfaite inconnue.

— Connaissiez-vous Mary Origan ? je demande.

— Euh, non, non, vraiment, ça ne me tinte aucune cloche, non.

— Elle habitait ici, disons, avant… de mourir.

— Non, M'sieur, faites erreur. À ce que j'en sais, ce logement est à Réjean.

Pas d'erreur. J'ai tout noté dans le carnet de vérités que je trimballe, tout noté dans mon crâne, mon cerveau gauche, ou enfin le droit, peu importe. C'est sans faille. L'adresse exacte. Quelle imprudence ç'aurait été de ma part, d'échapper cette information cruciale. Non, c'est ici. Je le sais, je le sens. Les fines particules de poussière que le soleil soulève du tapis bovidé. Le rideau en écume sur le sol. Je le sens, c'est vrai, à travers le soupir du vent par la fenêtre à peine ouverte, le blanc des murs, du plafond, des sofas, le lainage laiteux de la moquette, à travers l'arrangement de la pièce, la disposition des tableaux, les fleurs décoratives — des lys lactescents —, les miroirs oblongs, le romantisme par touches et particulier. Un décor qui ne peut être que l'œuvre d'une femme, une femme de style.

— Vous demeurez ici depuis longtemps, avec le costaud, je veux dire avec Réjean ?

— Trois jours, mais c'est passager. Le temps de trouver du boulot.

Elle rougit, glousse pour atténuer sa gêne.

— Vous le connaissez peu, dans ce cas, je dis.

— Au contraire, on se connaît depuis bientôt un mois. En revenant du lycée, je l'ai croisé, par hasard, savez, un clin d'œil et puis voilà. C'était au

Luxembourg, il entretient les pelouses, son deuxième gagne-pain, ça et les tableaux.

Émoustillée, la jeunesse. Une étudiante qui s'enorgueillit d'un béguin pour son professeur, c'est tout comme. Se contenter du sentiment d'interdit, sans égard pour les vieux papiers qu'il charrie.

— Il avait quelqu'un dans sa vie, vous le saviez ?

Un sourcil se soulève au-dessus de ses yeux lapis-lazuli.

— Non, non, il était seul, il me l'a dit hier.

Eh bien, semblerait qu'il vous ait caché bien des choses, petite. Derrière son crâne, une note apparaît sur le réfrigérateur, prise en otage par un délicat cœur aimanté. Je peux y reconnaître la douceur d'une écriture légère et raffinée : *Maman. Résidence du Marais.* Un numéro de téléphone en accompagnement.

— C'est votre mère ?

La naine tourne la tête, aperçoit le bout de papier, qu'elle semble remarquer pour la première fois, se rembrunit. Puis, elle s'en saisit avant de le chiffonner sans plus de simagrées.

— À mon avis, c'est très vieux.

Et alors elle s'époumone en pleurnicheries naïves.

— Mon Dieu, je, non. Sa mère, morte depuis si longtemps, je ne peux pas croire qu'il ait encore ce souvenir d'elle. Oh, imaginez l'homme aigri qu'il a pu devenir, il avait trois ans quand elle s'est enlevé la vie.

Cette candeur, c'est à peine croyable.

— Écoutez, je dis. Il y a peu de chances que ce soit la mère de Réjean.

— Et sa sœur ? Sa sœur, dites, pensez que ce pourrait être la mère de sa sœur ?

À mère multiple, cerveau dérangé. Oui, qu'elle me paraît bête tout à coup. Disparue l'innocence, c'est désormais autre chose. Spécifiquement, cet œil volumineux, plus que son voisin, et cette tête, étrangement étroite, étriquée, beaucoup trop limitée pour la largeur de ses épaules. J'ironise :

— Bien sûr. Mais, hum, si sa sœur n'est pas vraiment sa sœur et qu'elle porte un autre nom que celui qu'elle porte. Alors là, oui, vous voyez juste, c'est sans doute sa mère.

Devant l'explication nauséeuse, son innocence se transforme en malaise.

— J'ai une meilleure idée, je reprends. Une idée plus plausible, disons. Elle nécessite que vous me remettiez le morceau de papier.

Elle me le tend, penaude.

— Vous êtes venu pour quelle raison au juste ? demande-t-elle, et je ne peux m'empêcher d'afficher un rictus à l'adresse de cette question d'esprit, étonnamment.

— Pour cette note, je crois.

— Ah, hum.

— Merci de cet accueil singulier. Oh, et, n'oubliez pas de taire ma visite.

Je lui rends le verre toujours plein qu'elle s'amuse à tenir comme un cierge, à deux mains.

— Oui, d'accord.

— Il peint de très belles toiles. On croirait des vraies.

Ses joues gondolent. Elle pouffe. Ses dents se perdent dans la simplicité de ses manières.

— Il serait heureux de l'apprendre.

Je referme la porte derrière moi, en tenant fermement ce bout de papier qui palpite au creux de mes paumes. Les marches tremblent à nouveau, mais je n'éprouve plus cette stupide inquiétude de l'équilibre précaire. Je secoue moi-même l'escalier, violemment, impétueux que je suis, courant jusqu'en bas sans prendre garde à ce qui cède autour de moi.

Mes pieds tendus, les ongles pointent vers le calme luminaire du plafonnier. Mes orteils cherchent à rejoindre ses talons, replets et austères. Mes pieds se mêlent à ses pieds. Chevilles frêles qui s'échappent. Maché dort, ou elle fait semblant, de façon à éviter semonces et autres altercations que l'heure tardive colporte dans le remous de nos draps, ses draps. Maché, étendue sur le lit. Maché. Treize ans de connivence et je me sens désormais aussi loin d'elle que de tous ces morts anonymes offerts aux rames de métro. Elle s'est éprise de ses allures de martyre. Sous ses couvertures, se déchire, s'étiole. Se régénère-t-elle la force des premiers temps ? D'ordinaire tenace contre les bris et les blessures. La compromission de ceux qui ont encore tout à perdre. Je me demande pour la mère. Sa dégradation, l'accommodement, la docilité, se faire l'ombre de l'homme acerbe ; était-ce dans un esprit de sacrifice ? Et si c'était une fois engagée dans ce manège tournoyant qu'elle s'est mise à perdre un peu de tout à chaque tour ?

Je ne veux pas que nos sillons descendent si bas. Maché, je ne veux pas que l'un de nous deux souffre au point d'être la corde qui pend au cou de celui qui s'étouffe.

Laisser aller le vieux père nourri au temps qui passe, ne guère s'affecter des manifestations de grand-père enfui de l'au-delà pour un répit bien trop court, négliger la mère et cette tombe *cimeterrée* que personne jamais n'entretient, abattre ces faiblesses, je veux. Oublier Mary Origan.

Seulement, il chante tandis que je le froisse, ce bout de papier roulant au creux de ma main moite. Je sens l'encre s'en écouler, en filets sur la pente de mon bras, dans un tintamarre abyssal. Onde acoustique qui me rappelle à l'ordre. Mary Origan ne s'oublie pas, non. Elle ne s'oublie pas.

Le fauteuil reprend son souffle dans ma démarche pour le quitter, péniblement. Je sens les os se casser à l'intérieur de moi. Une veste, fait froid. Se forment des glaçons lentement au fond de mon âme tandis que j'observe Maché embrasser son sommeil de traîtresse, mon front dégoulinant de sueur. « Mettons-y un trait », disait Juliette, toujours à dire ce que l'on ne veut pas entendre. Un trait sur les vieilles sournoiseries, un trait sur tout ce que la mémoire ramène dans son sillage. Et si je ne rature pas la bonne option des deux, Juliette ? Qu'adviendra-t-il ensuite ? N'y aura-t-il pas des blessés ? Et si Mary Origan signifiait plus ? plus qu'une suicidaire au destin moissonné, partant avec le train destination Boissière ? Existe-t-il, Mary, ce moment où tu as tourné la tête vers moi ; dans un café peut-être, ou alors une station de métro, errant dans le dédale des tunnels. Nous y sommes-nous croisés ? Qui étais-tu, Mary ? Pourquoi insistes-tu ?

Pourquoi insistes-tu pour revenir, grand-père ? La musique funeste qui te bordait s'est remise à jouer dans ma tête. La scène : ton bras, le livre, tes pieds courbés. Tous ces clichés sur les étagères de la bibliothèque. Le vieux père et son regard interdit, les hommes en blanc occupés à réduire le décor à néant, grand-père sur la civière et puis s'en vont. Je croyais que tout cela, je croyais que ça m'avait quitté, avant qu'elle n'arrive, qu'elle ne débarque tout à coup. Pourquoi insistes-tu ? C'est une sorte de message que tu cherches à livrer ? Elle sert de boîte aux lettres, Mary, ta réincarnation ?

Je me dresse devant la fenêtre de la chambre. Le ciel rejette une pluie d'étoiles, tout me paraît figé. Il ressemble à la couverture du roman de Juliette ou à l'une des toiles que le costaud aurait repeintes. Une silhouette s'avance, deux, sur le terrain. Le firmament se dissipe. Une porte émet un léger couinement.

Maché esquive le bruit dans sa déroute nocturne. Mais moi, je l'avale. J'avale tout ce qui, la nuit, éreinte mes insomnies, je gonfle. Et l'air à peine se manifeste. Je respire comme un crucifié. J'avance vers la cuisine, la plainte, vers ce qui bouge encore. Yasmine. Sur le perron. Une main consacrée aux caresses d'une nuque tondue que l'embrasure me permet d'apercevoir. Alors le cri s'installe en moi. Je ne sais plus comment toute cette hargne a pu naître. Contre ceux-là que Yasmine cajole, contre les bonshommes de Constantin, ces nouvelles figures qui s'amoncellent.

Mais la grande se faufile en laissant son baiser s'éteindre sur le pas de la porte. Elle entre seule. C'est alors qu'elle me voit. Et puis son corps, on dirait, s'effondre, mais sans le faire vraiment, seulement son visage — cette grimace crispée — se relâche tandis que tombent ses épaules. Yasmine se laisse aller contre le mur qui l'attrape. Un soupir. Terrible soupir, si long, et qui n'a rien de la contrariété que je lui supposais, non, plutôt de la tristesse. Un soudain élan de lassitude. Je ne suis plus certain de saisir son tourment, j'ignore maintenant où poser mon grain de sel sur cette vaste plage de poivre noir.

— Tu ne l'invites pas ?

Il n'y a que nous deux, à l'heure où plus rien n'existe, pas même l'échappatoire. Franchissant l'obscurité, ce regard qui ne me toise pas, non, ne me juge pas, ne semble même pas me haïr, c'est alors comme une main tendue — celle qui a manqué à Mary Origan pour sortir de l'enfer —, évanescente sûrement mais elle est là, dans la mine sincère de Yasmine qui me propose la rédemption.

— Non, pas cette fois, Albert.

Bientôt Juliette apparaît à travers elle, dans la douceur de ses traits fuyants. La juxtaposition promet une certaine tendresse, quelque chose d'intime, oui, de Machéen, de féminin.

— Je trouve ça franchement drôle, dit Yasmine, mais sans rire. L'autre jour à peine, tes discours, Albert. Tu voulais que je répare les pots cassés. Va parler à ta mère, tu as dit. Quelque chose du genre, je ne me souviens plus. Et toi qui ruines tout.

— Nous y voilà.

— Oui, eh bien, quand on y pense, ton conseil aurait dû t'être adressé. C'est nul ce que tu fais. Pour maman, en tout cas.

— Ça me rassure que vous vous soyez rapprochées, vous qui étiez –

— Oui, c'était la pagaille, c'est vrai. Mais ça fait des siècles, Albert, des siècles.

Qu'est-ce que ça veut dire ? Des siè, des si.

— Si, si, des siè, des cercles.

— T'étais occupé à faire quooooi ? demande-t-elle, de la distorsion dans ses mots lancés, et je n'entends plus, tout à coup, non, c'est l'asphyxie dans mes tympans, mes oreilles cessent de respirer, je la vois, la grande, ses lèvres, ses lèvres qui remuent mais muettes, articulent, et je place un pied devant, mais le plancher se brise et mon crâne se fissure dans l'absolue cacophonie du vide, puis les sons s'organisent en une bruine, sa phrase souffreteuse s'éteint. Peeeendant tout ce temps ?

— Quel, que que quel, que temps ? je bégaie.

Sa paume, douce, tiède, sur mon épaule. Je cligne des paupières, je cligne, ligne, gueligne.

— Ça va, Albert ?

Et sans que je sache, une chaise se retrouve sous moi, m'évite le sol. Les sourcils froncés de Yasmine droit devant.

— Tu veux que j'aille chercher maman ?

— Quel temps, je dis.

— Des mois. Ça fait des mois que tu circules, tu… tu n'as pas l'air d'aller, Albert.

La pouliche rasée, ça me revient.

— Tout à l'heure, le gars. C'était qui, ce nouveau rince-bouche ?

— Hein ? Qu'est-ce que tu dis ?

— Je préférais l'autre.

Yasmine, Juliette, Maché — je ne suis pas en état de distinguer avec ce brouillard que la nuit crachote — s'assoit aussi. Me prend le poignet. Tâte mon pouls. Mes mains moites. De la sueur sur mes tempes, en glissade sur mes joues.

— De qui tu parles, de Simon ?

— Non.

Du doigt — mon bras ose à peine se soulever —, je lui désigne le livre posé sur le coin du comptoir. Je dis :

— Descartes.

Yasmine demeure figée, paralysée un bref instant. Elle lâche mes mains. Apeurée, et j'entends l'éclat d'une vitre qu'on casse, mais peut-être, non. Les sons cherchent leur souffle, le décor, sa place. La grande se redresse, offensée.

— T'es fou, vraiment. Maman, elle… Pourquoi on ne peut pas avoir de discussion normale ?

Elle se jette sur l'ouvrage.

— C'est la sincérité, mais tu n'y arrives pas. Il faut que tu me reproches, que tu condamnes ci ou ça, toujours, mais le vrai problème, Albert, tu en fais quoi ? C'est toi, c'est maman ! Descartes pourrit à des lieues de votre vie de couple déglinguée !

Elle me lance le *Discours* de toutes ses forces, avec une réplique qui boucle sa visite de courtoisie :

— Oh et puis, pourquoi pas ? Au moins, lui, la vérité…

Elle court se réfugier à l'étage, en m'abandonnant là, les doigts constellés de parcelles de pages arrachées en plein vol. J'ignore que faire sinon me laisser glisser jusqu'au sol, sur le carrelage, les jambes molles, les cuisses pour que j'y dépose ce satané bouquin, un tapis de mots recouvrant soigneusement mon corps. Je feuillette — je rage — ce qu'il reste de vérité, celle-là que j'ai châtiée, brûlée sans l'aide de personne, ou plutôt le secours insensé d'un cadavre, peut-être qu'une ombre insolite sur les rails, un pan d'ombre pour obscurcir ma vie, voilà, un nuage détaché du ciel, sans plus.

Mais le cri, je l'ai entendu. Un cri aigu, ce matin-là. Celui d'un homme, un gros, disproportionné, assez pour donner l'illusion d'un ventre au niveau de la cuisse et la tête enfouie au creux de ses innombrables boudins corporels. Un homme très gros, caché sans parure derrière ce cri aigu, effilé, qui provient de n'importe qui et finalement se joint au mien.

Mais je ne me suis pas retourné, grand-père, en entendant ce cri. Je l'ai confiné au fond de ma gorge. Je l'ai piétiné comme on écrase la terre fangeuse d'un tertre. Je n'ai pas fait demi-tour, ce matin-là, non. Je n'ai pas joué du coude contre une ribambelle de vieilles dames en fuite pour éviter le genre de catastrophes auxquelles elles ont assisté toute leur vie. Je ne suis pas revenu sur mes traces, je ne me suis pas approché du gouffre, n'ai pas frôlé la ligne blanche, épaisse, inutile rempart pour empêcher les gens de sauter sur les rails. Je n'ai pas regardé en bas — je le fais souvent depuis, un geste inconscient que je ne peux retenir, mais ce matin-là non — je n'ai pas baissé le regard. Pas un coup d'œil sur les semelles alignées, les pieds chancelants, les bras ballants. Des bras de plongeurs incertains qui n'atteignent personne, ils dansent au gré du carillon émis à l'arrivée du train, oui, dansent au gré du souffle d'une fausse morte à l'agonie dans une prochaine station, devant des témoins autre part, et tant de cris imperceptibles. Il n'y avait personne sur les rails. Aucun segment de peau, pas le moindre obstacle à ce train s'amenant. Il n'y avait qu'une légère brise venant d'on ne sait où, et je n'y étais pas, non, je travaillais. Comme tous les matins, je travaillais à l'agence, devant mes lignes et mes croquis, ce matin-là plus que les autres alors que personne n'est mort. Et je ne devais pas arriver en retard, je devais être à l'heure cette fois. C'était une illusion. Une illusion, dis-le, grand-père. Je sais que j'ai raison. Mais déjà je n'en crois plus un mot.

« Révérend », je dis, et soudain Rodrigue se retrouve dans mes bras. Sa couverture pend sous lui, palpite tandis que je me promène dans le couloir, las d'être seul. « Révérend », je répète à l'oreille de Rodrigue au visage qui sommeille. Il se prépare à vivre l'insomnie avec moi. La nuit au garde-à-vous, à implorer le Seigneur de me pardonner mes péchés. Minuit est déjà loin dans le parcours des heures, j'ouvre les paupières de Rodrigue, ses yeux de hulotte me regardent. Je veux qu'il se ferme au jour, m'accompagne dans le noir, Rodrigue.

Si différent, si petit parmi tous les grands de ce monde, petit chausson parmi les pieds de géants qui claquent dans un tapage assourdissant, petit cœur parmi les myocardes ouverts, les membranes fragilisées par la vie, les artères bouchées par la vie, grand-père. Où allons-nous, la mère ? Où échouons-nous, Ariel, Mary, la sœur de l'autre, son nom déjà ? Hortense. Juliette à seize ans, et puis le vieux dans son fauteuil démesuré, Yasmine et ses pleurs à l'eau de rose, Maché et ses pleurs à l'eau de rouge, et moi. Mais Rodrigue est différent ; il dort les yeux écartés, il écoute sans représailles, emmagasine, et quand il pleure, ce n'est jamais que pour l'essentiel. Autrement il chemine et apprend à devenir un homme.

« Révérend, il fait froid, n'est-ce pas ? »

Ou bien peut-être une faiblesse, je ne sais pas, mes mains tremblent et supportent le bébé à grand-peine. Je m'assois sur le sol.

« La vérité, Révérend, vous y croyez ? Les signes qu'on nous envoie…

— Vous parlez de Dieu, M'sieur Albert ?

— Non, non, c'est autre chose, un peu comme du vent, mais, Révérend, dites-moi, la découvre-t-on un jour ?

— La vérité ? Peut-être, oui, je crois. Non, enfin, qui peut prétendre à cette vérité, différente pour tous, indéfinie au fond, allons, M'sieur Albert.

— Mary Origan.

— Vous vous trompez, M'sieur. Des strates de mensonges, elle les étale sur vous. Il vous faudra gratter, creuser, oui, voilà, vous éreinter, c'est une histoire sans fin, et on meurt bien avant d'avoir compris où cela nous mène. »

J'ouvre les yeux et Rodrigue gît par terre mais à mes côtés, au bout de sa couverture qui se serait déroulée sous lui. Son ventre arrondi se gonfle et désenfle. Et puis l'odeur, oui, je crois qu'il a fait dans son froc.

Notre vérité demeure en suspens. Le Révérend disparaît derrière ce petit être aux mille défauts. Les paupières en abat-jour, sa bouche frémit. Je l'emmitoufle.

Le mène à la table à langer sans rien y voir, les yeux fermés, la tête engourdie, et je ne sens plus mes jambes malgré qu'elles m'accompagnent et me soutiennent, m'accompagnent, et je dépose Rodrigue dans son berceau, ses lèvres replètes, semblables à celles de Maché qui s'est mariée au sommeil et ne le quitte plus, de longs draps blancs toujours plaqués sur son corps en guise de robe. Ses cheveux en fontaine. Une sirène échouée sur le rivage, mes jambes me supportent jusque-là, près d'elle. Je me rassois dans le fauteuil, celui qui me donne une vue sur son visage ravagé.

— Tu vas me haïr jusqu'à la fin des temps, je dis pour brasser l'air, en écoutant son souffle imiter la nuit.

— Il n'y a jamais de fin, Albert.

C'est un écho ténu qui envoie cette parole vers mon oreille, et pourtant Maché semble encore agrippée à ses rêves, je ne suis plus sûr désormais que quelqu'un ait bel et bien crevé l'abcès du silence.

— Écoute, Machérie, j'ai –

Mais cette fois, vraiment, ses lèvres sèment la zizanie :

— Non, tu n'as pas. Tu n'as pas.

Elle s'assoit. Ses yeux humides, leur contour, gonflé.

— Le Je que tu manipules, une marionnette, c'est... Je, je, je. Tu es obnubilé par lui. Tu en oublies tous les autres pronoms. Les faux déboires que tu te racontes depuis, depuis... c'est avec elle que tu les partages ? Avec cette femme.

Ses pieds caressent le sol pour s'assurer un palier où se perdre sans se jeter. Elle retient la couverture sur sa poitrine, contre son cœur, une façon d'essuyer les déceptions qu'elle redoute.

— Vous avez une liaison ?

Une liaison du nom de grand-père, qui ferait le pont entre elle et moi, oui, peut-être, mais je l'ignore encore, j'ignore à quel point nous sommes liés, à quel point sa mort s'unit à mon destin.

— On m'a dit de te faire confiance. À ton âge, c'est normal, il paraît, l'âge des remises en question, le besoin de nouveautés pour se sentir renaître. Mais après, quand il faudra que tu te relèves, tu auras une décision à prendre pour la suite, c'est tout. C'est ce que les psys croient ; elles disent que je dois te faire confiance.

— Tu vois, je savais bien qu'elles avaient raison.

— Tu es dur. Envers moi, envers les enfants. Les traîner dans une charrette qui bat de l'aile. Tu ne peux pas, Albert. Yasmine, elle croyait… que tu serais là, que tu resterais.

— Je veux bien, mais à toi aussi les pronoms font défaut. Si tu sacrifiais le Tu. Le Je en pense quoi ?

— Le Je s'ennuie à mourir.

Bientôt, elle se lève, enroule la couverture blanche autour de son corps effarouché, puis elle se précipite vers la salle d'eau à la manière d'une mariée en fuite. Sa main furtive essuie ses cernes inondés. Le Je s'ennuie à mourir.

Le froid attaque le creux de ma gorge, comme si ma bouche s'était ouverte pour avaler les pôles. Une cloche, cette parole suspendue dans ma tête. Une cloche installée par grand-père il y a si longtemps. L'ennui, le manque d'émerveillement. Des synonymes qui mènent au fin fond du cercueil, sous la terre granuleuse, les mains rapprochées, les bras rejoints en croix, appuyés sur la solitude dans le bas-ventre. Un sentiment qui vous prend aux tripes et vous pend. La sueur en rigoles autour de mon cou pour m'étrangler. Où on le trouve, grand-père ? Je parle d'émerveillement.

Mais si grand-père recouvrait l'usage du verbe, il dirait qu'il n'est que deux choses : l'émerveillement, puis la minuterie qui nous en éloigne. Il ne reste désormais que le timbre, celui du compte à rebours qui échoue. Grand-père m'encourageait à faire face aux merveilles. Encore, il les place sur mon chemin. Des miettes de merveilles posées çà et là, des Maché et Mary pour contrer le temps, et moi, par déveine ou parce que les yeux me manquent, je ne les saisis pas.

Une à une, je gravis les marches que le tapis à motifs lèche à la manière d'une langue de chien flapi. Les lattes craquent sous la plante de mes pieds hésitants. Petit Albert. La peur au ventre. Le sang se fige dans chaque pliure de genou. Mes orteils se crispent, se cramponnent aux boucles du tapis. Il y a de la lumière, je la vois. Une lame de lumière traîtresse. La porte est entrouverte, permissive. La lumière et le bruit. Rien d'autre. Cela suffit à m'attirer dans le piège de la chambre secrète.

Je m'approche. Je sais qu'il se trouve de l'autre côté de la porte, je prie pour qu'il regarde ailleurs. Mon âge, je ne me souviens plus. Grand-père nous a quittés ou s'apprête à le faire ? Je charroie désespoir ou innocence ? La chamade bat mon cœur. J'appuie mon dos contre la porte, délicatement. J'appuie ma tête, mes talons contre la porte, les paumes de mes mains. Je devine que je suis bruyant, mais je le fais pour la sensation, le sentiment d'*insolitude*, pour l'impression d'appartenance. Conduire l'affection d'une pièce à l'autre. J'ose. Car Juliette ne m'a procuré que de l'ombre, ce soir. Elle s'est enfermée dans la tente, en a réclamé tout l'espace. Elle a replié sur elle l'édredon qui servait de toiture, s'est endormie dans le drame. Mon corps d'enfant plaqué contre la porte, je respire l'essence de bois maudit, j'entends les pas. Des larmes dévalent mes joues, en abondance, j'empeste le désespoir, eh oui grand-père vient de mourir, je me rappelle maintenant.

Le père, je le sens tout près. Il ouvre la porte et moi, je bascule. Il brandit un objet, je crois. Quelque chose entre ses mains, je ne sais pas : le souvenir n'a pu traverser intact les âges. Je me revois, simplement, reculer de trois pas, chercher dans ma chute un mur qui me retienne. Je me souviens de ses yeux, de la rage. Et pourtant, vides. Dans ses mains, qu'est-ce que c'est ? De l'autre côté de la cloison, pour la première fois il me regarde sans crier. Sans dire un mot. Sans me regarder. Ses mains, j'ai oublié. J'avance. Un pas, peut-être deux. Mais la porte, déjà, impose son visage fermé.

Nul rai de lumière. Nul bruit.

J'entre. Yasmine ne dort pas. Elle apprivoise l'attente. C'est saisissant.

— Je suis désolé, je dis.

Elle actionne une lampe de chevet. Fascinant, elle ressemble sans cesse à Juliette. Ses cheveux abandonnés sur ses épaules, des lueurs rosées lui dessinant des mèches rebelles, ses paupières presque closes, son regard préoccupé, laissé au sol.

— Je regrette, Yasmine, d'accord? Je ne voulais pas, tu comprends, je sais que tu es blessée, je sais, et bien sûr, tu m'en veux de –

— Non, c'est faux.

Et une larme de plus échappée dans le néant.

— Je voudrais que tu prêtes attention à moi, dit-elle, que tu prêtes attention à nous.

Mais je fais de mon mieux, la grande.

— Fini le jeu du père absent. C'est barbant. Et puis ça ne laisse gagnant que toi.

— Je…

— Moi aussi. Moi aussi, je comprends. Je veux dire, je ne suis pas sotte, Albert. Je vois bien qu'entre maman et toi ça patine. Je l'entends pleurer chaque soir. J'ai fini par comprendre. Depuis le début, son mal. Son mal n'a jamais eu rapport qu'avec toi.

Non, tu te trompes Yasmine. Vos guérillas enflammées, l'hostilité des femmes, la cuisine séquestrée, je ne les ai pas rêvées. Impossible, elle. Maché m'en aurait parlé plus tôt, elle.

— Écoute, reprend Yasmine, je veux bien croire que tu traverses un moment pénible: grand-mère s'en va, c'est soudain, c'est… à vrai dire, je n'y crois pas tellement. Je ne l'ai pas connue, pas vraiment, j'ai l'impression que tu ne tenais pas à elle, que le deuil est passé. Malgré ça, tu arrives à supporter un tel climat d'indifférence, Albert. Enfin…

À ses côtés, sur la berge de son lit, je m'assois. Descartes déchiré étendu sur ses draps me rappelle à l'ordre. Je desserre les poings. Au creux de mes paumes, ils y sont toujours, les fragments du *Discours*. Ils se désagrègent aux côtés de la note laissée par Mary. *Maman. Résidence du Marais*, le numéro de téléphone en sus.

— Rassure-toi, je dis. Ta mère et moi, rien ne nous altère, je te le jure. C'est un conflit banal, ba, ba, banane, sans flamm, s'enflamme, sans flammèche, et pas de cendres non plus. Vi, Viviane, tu le devines, elle amplifie les faits, les agrandit, les, les multiplie, les ex, les exagère ; se fabriquer des peines, s'éventer s'inventer des angoisses, c'est elle. Je tiens à ta ta mère, tu le sais. C'est un simple détail, dé, détail, Yasmine, qu'il me faut régler, et puis, puis, puis, je… ce, ce n'est pas facile.

— Je ne suis pas sûre de saisir, Albert.

Bientôt, mon regard se perd. Mes jambes me lâchent, je tombe. C'est une chute infinie.

— Albert ? Tu m'entends ?

Le visage assombri de Yasmine, son corps alerte se jette sur moi. Elle hurle :

— Maman ! Une ambulance !

Puis, plus faiblement : « Qu'est-ce que tu cherches ? »

Cette dernière parole prononcée dans le lointain. Même qu'elle paraît flotter, floue, en sourdine. Et tout à coup, la lampe de chevet dépose les armes, s'éteint. Disparue la certitude, envolée. Envolés tout à la fois la lumière et le bruit. Envolés la lumière et le bruit.

— Qu'est-ce que tu cherchais ?

Sa tête inclinée, il évite mon regard.

— Qu'est-ce que tu cherchais, réponds.

Je sens désormais un peu de tous ces morts derrière moi. Le petit Albert saute au cou de son vieux père, ses mains violacées, manœuvrées par l'emportement, appuient sur sa gorge blanche, sa gorge frêle, gorge de cygne ridicule, striée de veinules et d'artères exposées par l'usure. Je crie :

Ce que tu voulais, tout, tu l'as eu. Tu as fait crever la mère qui s'est démenée pour ta sale tête de fausses promesses. On n'a pas vu une seule larme lui rendre la monnaie de sa pièce quand elle a fichu le camp, non. Tu as émietté Juliette, incendiant ce dont elle se nourrissait, écriture, cahiers, souvenirs, sa voix. Et qu'est-elle devenue ? À se cacher derrière ses jupes en fleurs, à inventer des mondes où plus rien n'est merveilleux. Ça ne se répare pas, non. Tout un pan d'une vie que l'on traîne derrière soi, pataugeant près de la berge dans un sens et dans l'autre, cherchant à te maintenir à l'écart, bien loin, si loin. Jusqu'à t'effacer complètement. Mais tu t'incrustes. Et tu vois, aujourd'hui, dans ma tête, l'obsession. C'est ce que tu souhaitais, que tes erreurs deviennent aussi les miennes, dis-le. Que je ruine la magie en laquelle rêvent ces garçons qui m'attendent à la maison. Tu voulais que je te pardonne, peut-être, c'était cela peut-être, mais non. Qu'est-ce donc que tu voulais de plus ?

Les morts m'étreignent. Je retire mes doigts ramollis par trop de haine, et les paupières du vieux s'écartent. Son crâne bascule à peine d'un côté et de l'autre.

— Ton cou est froid, le père.

Ton regard et tout le reste.

— J'imagine que tu es en train de mourir.

Les répliques tardent. Seules des voitures circulent un peu plus loin sur le boulevard pour faire la preuve de l'existence.

La mère, Juliette. Je voudrais qu'il sache qu'il leur a tout enlevé.

— Alors, c'est ça, tu reçois de la visite. La mère revient de l'au-delà pour nettoyer les tuiles du parquet. Ton agonie est une imposture, je le sais.

Son indifférence flotte avec le menton qu'il pointe sur son buste.

— C'est le moment, non ? La discussion, celle qui se déroule dans mes méninges délirantes, tout ce que j'ai envie de, envie de… pour les années.

Entre sa cuisse et le bras du fauteuil, une reliure dorée. Et sa main pend mollement pour la dissimuler. Son pouce, je le réalise, est tenu prisonnier du livre à la manière d'un marqueur de pages. Je m'empare de l'objet. Le vieux père oppose une résistance mais vaine ; petit Albert devenu grand, la force de l'homme n'est plus un enjeu considérable.

Je n'y crois pas, non. Le roman, il l'a lu. Il a gardé le roman de Juliette. La sœur en perdrait bien la tête, elle rugirait, elle… Je devrais la traîner de force ici, dans cette baraque grinçante, pour qu'elle le constate de ses yeux. Le vieux père lit à l'approche de sa mort. C'est trente ans plus tôt qu'il aurait fallu feuilleter ces pages au lieu de les brûler. Tu as trop attendu, ça n'en vaut plus la peine. Rien d'autre ne vaut vraiment la peine.

— L'as-tu aimée la mère ? Tes enfants, et pourquoi n'avoir jamais tenté de reconquérir Juliette ?

J'ai peine à croire qu'il ait vieilli autant, sa barbe dégarnie, ses bras, ses jambes décharnées. Il suffoque dans l'air immense.

— Eh bien, ça t'aura évité les explications.

Ses mains mouchetées tremblotent. Je joue à lui tendre son livre, à l'agiter à droite, à gauche. Pas un seul geste pour l'attraper. Il m'abandonne à mon divertissement. J'ai l'habitude. L'habitude, oui, de ses rejets.

— Ça ne nous quittera pas, tu sais. C'est en nous. Bien incrusté en nous. Ta mort n'y changera rien.

Le roman de Juliette s'échappe de ma prise oscillante, se laisse choir au sol.

— À vrai dire, je crois qu'il est grand temps que tu partes, je crois que… tu me rappelles grand-père, ha ! Heureux de t'apprendre que tu as marché sur ses traces, malgré tout. Enfoncé dans un fauteuil, dans l'ombre du séjour. Il paraît qu'on n'y échappe pas.

Je me penche pour saisir le roman mais le caresse du bout des doigts, les étoiles sur la couverture, on dirait un livre d'enfant.

— Allez, le père, maintenant dis-moi ce que tu cherchais.

Sa tête appuyée au dossier duveteux. Son menton se soulève, on dirait. Un ultime affrontement, je présume. Mais non, il ne bouge pas. Ne répondra pas, non. Je me prépare à me lever, à partir. Je me prépare à ne plus remettre les pieds dans cette maison d'enfance désincarnée. Son visage se déforme alors. Ses joues creuses, ses yeux exorbités, prunelles noirâtres, ternes, sales. Il est laid. Et pourtant je perçois le frétillement de son feuillage de cils. Un petit ruisseau, délicat, coule à travers les herbages sur sa peau de terre, se perd dans la brousse de sa barbe grise.

Une larme.

Ce n'est pas vrai. Le sourire et maintenant les pleurs. C'est un simulacre de chagrin tout ça, venant de cet homme, sortant de lui, ce ne peut être que manipulations.

J'hésite à poser ma main sur sa joue en friche, à avaler de ma paume cette rosée qui luit sur sa figure. Il n'a pas pleuré au décès de grand-père, il est demeuré coi, un peu sonné, je m'en souviens. Pas versé une seule larme à la cérémonie d'adieu, ni même ensuite, jamais. Il a crié, ça oui, s'est mis à grogner, c'est ce que je me rappelle. Le père n'a pas pleuré au départ de Juliette. La porte grillagée du jardin a pivoté longtemps derrière son exil, dans le crissement aigu des gonds en désaccord. Les fleurs penchées sur le bord des fenêtres, que la mère entretenait de façon coutumière, se sont fanées. Le vieux n'a rien remarqué, non. J'étais celui qui attendait dehors, sous les plantes en pendule, celle qui n'allait jamais revenir. Il n'a pas pleuré.

Personne ne m'a remis le compte-rendu des vingt dernières années. Une période lugubre, mystérieuse.

Ont suffi de rares visites chez les vieux parents pour donner l'illusion aux enfants d'une filiation quelque part, d'un monde bien avant eux. Malgré cela, je ne crois pas que l'éloignement, ou alors l'indifférence, ait entraîné les larmes au-dehors, je ne crois pas.

Et la mère ? Morte dans le silence incontestable de chacun, du vieux père surtout, qui n'a pas repris la parole depuis. Que je sache, il ignore ce qu'est parler, pleurer. Mais voilà que l'âge devient le berceau de l'apprentissage, ces sanglots inquiétants. Ils témoignent d'un sentiment dont je l'espérais dépourvu, pour porter moins de culpabilité de ne pas lui pardonner ses fautes.

Nom d'un chien, pourquoi existes-tu ?

— Tu as lu le roman de Juliette. Moi, je n'y ai pas touché, incapable. Trop peur de ce que je pourrais y découvrir enfoui sous les strates de mots. C'était ça aussi, n'est-ce pas ? Les cahiers remplis de notes que Juliette trimballait. Tu redoutais ce qu'elle aurait pu écrire sur toi.

Tu avais peur de nous autant que nous avions peur de ta régence, c'est plus clair maintenant. L'évidence même. Cette peur du vrai qui nous a maintenus éloignés. Cette famille aurait pu cesser de se piétiner sur le pourtour d'une île imaginaire. Elle aurait dû s'ancrer dans le réel, s'ériger un continent et construire des ponts pour la route. Au lieu de cela, nous avons pris la fuite, tous, chacun à sa manière. C'était une question de celui qui court le plus vite. Et se terre le plus loin.

Tu es un sale monstre, tu le sais. Juliette et moi maudissons ton legs, personne n'a envie de te pardonner. Ça ne se répare pas.

Les sanglots s'estompent, le sourire, la grimace disparaissent. Il a récupéré l'inflexible de son visage, son air implacable, l'inaltérable froideur humaine. Je m'empare du livre à ses pieds. J'emprunte le chemin vers la sortie, empoigne mon veston, et alors seulement il m'appelle, un murmure :

— Juliette ?

J'en échappe le livre. *Juliette.* Une explosion de pages qui virevoltent jusqu'au sol, et il s'ouvre juste là où un signet a été glissé dans le secret. *Juliette.* Une clé s'échappe. Une clé. Touche le plancher. Une clé. Résonne, scintille, surprend. *Juliette.*

Mon réflexe, jeter un coup d'œil au vieux père, ne pas rater son teint cramoisi, courber le dos sous sa colère. Mais il ne s'agite pas, ne se décolore pas ; son menton pointe le mur aussi droitement. Comme s'il n'avait rien vu, mais je sais qu'il voit tout.

Je surveille la clé. Elle ne bouge pas ; sa dentition cuivrée désigne l'escalier. Je lève le regard vers l'étage. Ça me dépasse, mais ça y est, oui. La chambre vient de perdre tous ses secrets.

J'hésite à ramasser la clé, j'hésite de peur qu'elle ne se désintègre entre mes doigts, qu'elle ne s'évanouisse pour de bon dans l'air. Mais ça ne se commande pas, l'intuition qu'il n'y aura plus à se cacher pour haïr, que tout se trouve là, derrière la porte — enfin libres et heureux de le laisser partir, le vieux, sans rien chercher à rattraper, puisque les brumes s'évaporeront, nous serons à nouveau vivants, Juliette et moi.

Et puis je prends la clé.

Je crains tout à coup de voir le vieux père se lever. *Ne touche à rien !* Me semoncer. *Redonne-la-moi !* Me frapper. *Albert, laisse, ça ne te regarde pas.* De devoir m'enfuir. Comme Juliette. *Juliette?* Je vais apporter la clé à Juliette. Il faut qu'elle, il faut que nous. Entrions.

La clé dans la plaine de ma paume, toute petite dans mon poing qui se referme. L'autre main, je l'insère dans la poche de mon veston. En retire le morceau de papier, celui-là *Maman. Résidence du Marais.* Mes paumes ouvertes, deux plateaux offerts, deux réponses. Je ne me sens prêt ni pour l'une ni pour l'autre.

— *Maman. Résidence du Marais*, et puis le numéro. Vous croyez que vous pouvez m'aider ?

Le morceau de papier se déforme entre mes mains à mesure que je le pétris. Une petite boule de plus en plus circulaire. L'angoisse, je ne sais pas. Je tends la sphère à Jane, confortablement installée derrière un bureau qui l'entoure, oui, l'entoure telle une jungle florissante. Des plantes vertes de toutes les sortes et de toutes les hauteurs jonchent le sol ainsi que le comptoir ; des feuilles grimpantes ou pendantes, ça dépend de l'angle avec lequel on les aborde. Pour ma part, elles ressemblent à des perruques défraîchies, ce que porte justement sur son crâne la Jane de Tarzan : une tignasse rousse et mal ajustée pour orner une figure bouffie.

Elle aimerait bien se lever, je le sens d'ici, se frayer un chemin à travers les lianes pour m'apercevoir, s'extirper de ce piège arborescent, effectuer son travail de dame d'accueil, mais la chair abondante de ses cuisses, coincée sous les accoudoirs de sa chaise aux roulettes flageolantes, l'empêche d'envisager le moindre effort. C'est de la provocation ; il faut se pencher au-dessus du muret d'herbacées qui isole la Jane, lancer de grands signaux de détresse. Je la surprends en train de s'éventer les tempes, toujours incapable de se déprendre des serres de son siège. Condamnée. Plus un mouvement possible, sinon défroisser la note qui lui abîme les ongles. Ma boule de papier.

Abasourdie par ce billet, Jane m'indique d'attendre à l'aide d'un doigt-minute, puis — en roulant sur sa chaise — disparaît derrière un volet grinçant après une justification sans élégance :

— Je je je vais faire de de mon mieux.

Quand elle revient, qu'elle emménage à nouveau dans sa jungle — souffrant de son obésité à chacun des glissements de son siège sur le plancher qui craque, la mettant en évidence par cette démarche disgracieuse qu'elle emprunte, ramant vers moi grâce à ses jambes dodues dont la graisse se trémousse —, Jane me remet, à bout de bras entre les épines, un billet semblable au premier mais sur lequel je découvre, cette fois, une destination précise : la chambre 26.

— Il y a longtemps que que qu'elle n'a pas eu de de visiteur, dit la dame. Elle sera, elle, elle sera heureuse.

— Nous le serons tous.

Je la remercie en lui offrant un bouquet de feuilles qu'elle n'accepte pas en me toisant, et puis je me lance à la recherche de la chambre 26. Sortons les torches pour ne pas nous perdre à travers les bambous. Je me sens comme un patrouilleur en forêt à éviter les arbres, en quête d'une disparue, l'esprit dans l'incertain. Ne pas savoir ce qui nous attend, ce qu'on y trouvera.

— Vous cherchez quelque chose ?

Une sorte de gant médical humain. Une garde. Antibactérienne de la tête aux pieds et encore davantage, coiffée de blanc, la robe, les chaussettes et les chaussures en harmonie avec le bonnet, une odeur d'inodore qui rôde autour d'elle.

— Oui, oui, comme tout le monde.

— Je vous aide ?

Un sourire plastifié sur son visage. J'ai envie de tirer sur l'une de ses joues pour voir comment réagira l'autre ; si elle suivra le reste, si c'est un masque qu'elle porte.

— La chambre 26.

— Vous venez de la manquer, mais, euh, vous vous trompez sûrement. Madame Morain n'a pas eu de visiteur depuis des mois.

— Dans ce cas, il est grand temps.

— Je veux dire, elle n'accepte de recevoir personne. Vraiment, je suis navrée, vous allez devoir partir. C'est ce conflit, enfin, le malentendu. Sa famille ne vient plus la voir.

Le malentendu. Et Mary ? Était-elle impliquée dans cette brouille ridicule qui l'aurait poussée sur les rails ? Des mensonges, des secrets, des parents qui se fichent de tout. Avoir envie d'en finir avec la haine. Je connais ça.

— Je ne fais pas partie de la famille, je dis.

— Tout de même, nous croyons –

— Je suis un vieil ami.

L'antibactérienne me passe le peigne fin sur le corps, son sourire artificiel de dentition parfaite mis de côté aux fins de l'exercice. J'aiguise ma curiosité :

— Le malentendu, de quoi il s'agit ?

— Quelques torts qu'à son âge, selon moi, elle aurait dû se garder de révéler. Le mensonge, monsieur, ça soulage bien des maux. Surtout quand on est près du cercueil et qu'on risque d'entraîner son intimité dans la tombe.

— Oui, eh bien, justement, pour l'intimité et la tombe –

— Je vous conseille de vous en aller, insiste-t-elle. Cette rencontre risque de se terminer en crise et vous ne l'aideriez pas. Elle n'est plus très jeune, vous feriez mieux –

— Je dois lui parler.

La garde recule de quelques pas et se penche légèrement pour jeter un coup d'œil furtif dans la chambre 26. Je tente de la convaincre :

— Vous venez de le dire vous-même, elle n'en a plus pour longtemps. Et puis, j'ai besoin de savoir, pour son enfant, pour Mary, cette enfant à qui elle a survécu.

Ses yeux s'embuent, un écran de larmes blanches sur la prunelle pour s'accorder avec le costume.

— N'empêche, quelle tragédie, dit-elle. Ça fait des mois, et pourtant, chaque fois que je lui apporte des soins, je ne peux m'empêcher de penser « quelle tristesse ».

— Et moi, moi qui viens de l'apprendre.

Une moue d'étonnement agrémentée de compassion. Elle considère la vieille femme une seconde fois par la fente de la porte de sa chambre.

— Je vais voir ce que je peux faire.

Puis elle entre.

Un malentendu. De quels torts cette vieille dame peut-elle se repentir ? Assez pour que sa fille coure au précipice à la venue de l'aveu. Comment ne règle-t-on pas un simple quiproquo ? À moins d'une faute irréparable. À moins, à moins qu'elle n'ait pas été sa vraie mère. Une histoire d'adoption, histoire de poupons permutés, de bébé kidnappé. Une histoire de mensonges. Autant d'années à croire qu'on est autre chose que ce que l'on est. Mais en meurt-on ? En atterrit-on sur la voie, pour se venger de qui, pour se punir de quoi ?

Je ne suis pas sûr, Mary. Des suppositions, que des suppositions. Il était bien inscrit *Maman* sur ce bout de papier, et pas de rature, pas de correction. La seule preuve qui me reste, c'est cette vieille femme qui pourrit en colère. D'ailleurs, je l'entends marmotter. Les murs sont si blancs, le silence si épais dans ce couloir de demi-hôpital que je distingue sans peine le bavardage malgré la cloison qui me sépare de la chambre. *Maman* a la voix qui grince, chevrotante, laissant deviner son âge ingrat et sa fragilité.

— Bonjour, ma belle Cécile.

— Je vous amène un visiteur, Madame Morain.

— Pas aujourd'hui, non, pas aujourd'hui.

Un vieillard apparaît au bout du corridor. Il dépend de sa canne, la tient à deux mains. Une longue barbe rêche, et un livre qui s'échappe de la poche de sa veste.

— Il ne fait pas partie de la famille. C'est un ami, un bel homme, Madame Morain, pour vous égayer un peu.

— Ah, les hommes, vous savez, Cécile, les hommes ! Ce sont tous…

— Oui, ils sont tous…

— Indispensables, Cécile, rappelez-vous ! Qu'il entre donc.

La tête de l'antibactérienne — le même sourire de plastique enguirlande son visage — se découvre dans l'embrasure. Elle se superpose à celle — penchée désormais alors qu'il étire son bras pour rejoindre son livre — du vieillard tout au fond.

— Elle vous attend, annonce-t-elle.

— C'est gentil, Cécile.

— Je ne m'appelle pas Cécile, mais Odile.

Puis un cri étouffé, du vieillard qui s'effondre et s'agrippe la poitrine, sa canne entre les jambes, son livre insaisissable. Cécile-Odile accourt. Des infirmières surgissent d'une porte et d'autres. Le vieil homme me regarde, sa bouche en alarme, ses yeux fauves, sa figure entière en contorsions. Il ressemble au vieillard du métro. Oui, maintenant que je m'y attarde, il ressemble à grand-père.

— Vous venez ?

La voix discrète mais éraillée d'une femme qui aurait abusé du tabac depuis le berceau. Elle patiente sur un lit, assise, les orteils n'atteignant pas le sol — j'imaginais, je ne sais pas, une copie conforme de Mary Origan, mais c'est autre chose. Il semble qu'on ait surentretenu cette vieille femme. Elle a l'allure d'un cadavre avant l'heure, tout peinturluré. Trois couches de fond de teint — je peux les compter — dissimulent maladroitement ses rides. Lèvres jaunes, cheveux rouges, ou alors le contraire, ça se confond au niveau de la rétine, une telle gamme de couleurs inusitées. Un véritable épouvantail remisé à l'hospice. Et quand elle hasarde un sourire, quatre dents — celles qui servent à avoir l'air décent — manquent à l'appel. Il se fait rare celui-là, mais se montre aujourd'hui, le sentiment de pitié.

— Harry, c'est toi ?

— Non, c'est Albert.

— Je vous connais ?

Elle paraît soucieuse, inquiète je dirais, mais difficile de cerner son expression faciale sous autant de barbouillage.

— Je ne crois pas.

— Oh, navrée. À mon âge, vous savez, les yeux, s'ils distinguent quoi que ce soit, ce n'est que la lumière quand il sera temps de partir.

Et un rire gras sort de cette bouche usinée.

— Eh bien, mis à part votre vue, vous semblez bien vous conserver, Madame Morain. La lumière tardera peut-être à diriger son éclat vers vous. Peut-être même survivrez-vous à vos enfants.

Grand-père m'aurait averti de ne pas profiter de la vulnérabilité, de ne pas mousser les sentiments d'autrui. Mais à l'époque, je ne connaissais rien aux émotions violentes, elles sont venues ensuite, après grand-père, un relent de parfum nauséeux mais tenace provenant du fond des limbes. N'empêche qu'il remplissait notre crâne de phrases impeccables auxquelles nous adhérions sans effort. Il a dû camoufler les mots de Juliette dans un coin de sa cervelle et la rendre écrivaine. Et les miens, mes mots, ils sont restés à l'étroit dans ma gorge, mâchouillés sans ambition dans mon for intérieur.

Il m'aurait parlé de respect, grand-père ; Juliette, de vérité. Peut-être faut-il se laisser éduquer un peu, en fin de compte.

— Je suis désolé, Madame Morain, pour être franc, c'est pour votre fille que je suis venu.

Elle incline la tête. Ses cheveux jaunes se fraient un chemin jusqu'à ses tempes et laissent découvrir une plage immense de peau à l'arrière de son crâne.

— L'homme qui a crié dans le couloir, s'enquiert-elle, c'est le grand René, c'est bien ça ?

— Je ne -

— Il a le cœur en catharsis, celui-là. Ce ne sera pas très long…

À l'entendre ainsi parler de la mort, j'ai l'impression que cette vieille dame n'a plus grand-chose à perdre. Au fond, j'hésite à rester, à vivre cela : ressortir l'angoisse de la mère et le découragement devant les départs injustes. Je ne suis plus convaincu que Mary en vaille l'expédition, je ne suis plus sûr d'y gagner quoi que ce soit. Je songe à jeter mon carnet imaginaire maculé de notes improbables, à ne plus m'approcher, non jamais, de la station Trocadéro où s'amalgament l'orange et le jaune dans un gâchis semblable au visage usé de la *Maman*. Elle redresse la tête, sa chevelure reprend place. Si je reste, ce n'est alors que pour le contour de ses yeux rougis de souvenirs et de remords.

— Je vais vous raconter une histoire, lance-t-elle tout à coup. Vous êtes un bon garçon, Alfred.

Et je m'assois à côté de cette femme comme on s'installe près d'une mère inconnue à force d'éviter le siège auprès de la sienne. Elle se racle la gorge, petite toux sèche et saccadée.

Petits coups secs et saccadés, j'entends la mère trancher les légumes. Un geste machinal, la lame du couteau martelant la planchette de bois, le gargouillis de la nourriture rejetée dans la corbeille, le crissement du sac que l'on frotte. Les chaises tirées, striant le carrelage. Que raclements de gorge, toux sèche et autres misères. Le doigt de la mère glisse sous la lame du couteau, son cri gravit les escaliers. Le vieux père claque une porte en haut, descend. Remarque le sang qui coule. Sa main dans le dos voûté de la mère au-dessus de l'évier. Je ne connais pas la suite. J'ai fermé les yeux. Je craignais qu'il ne la blesse davantage, puisqu'il ne la touchait jamais.

— Elle est née, c'était un soir de juin, sur la véranda, entre les mains de son père qui geignait comme si c'eût été lui le porteur de souffrances, commence la *Maman*. Sa tête est apparue, avant tout le reste, une mimique digne d'une apprentie actrice. Dans la famille, on a travaillé fort pour la mettre sur les rails.

Je manque d'étouffer de stupéfaction sous cette expression de mauvais goût.

— Son père surtout, poursuit-elle, il avait confiance qu'on finirait par voir sa bobine au grand écran.

Bien sûr, l'écran. Le regard fixé sur ce tableau d'ondes et on s'imagine croiser celui de l'actrice qui s'invente derrière. Ce doit être là, Mary, que je t'ai rencontrée.

— Elle était célèbre alors, je dis.

— Oh, célèbre, un mot bien en chair, si vous voulez mon avis. J'opterais plutôt pour rôle de soutien, et encore. Elle collectionnait les plans incomplets, les scènes éliminées ou les personnages coincés dans le décor. Jamais le visage en gros plan, non, mais toujours l'ambition d'y parvenir un jour.

Une jeunesse ruinée à effleurer la gloire avec des gants de velours. Quelle déprime. La *Maman* reprend :

— Son père ne jurait que par sa figure, il vantait ses traits d'égérie. À quatorze ans déjà, elle entamait la journée en appliquant une couche de rouge à lèvres sur son naturel, toujours en audition pour un avenir de vedette. Toute cette mascarade, un rêve démesuré. Et ils s'évanouissent, qu'on le veuille ou non, au moindre éveil.

— Vous croyez que c'est ce qui l'a, disons, ce qui l'a poussée à bout ?

Ses paupières se déplissent alors, elle paraît surprise.

— Non, c'est Jean Seberg qui l'a tuée.

— Cet homme, Gene, vous insinuez qu'il l'a assassinée ? je dis.

Elle secoue la tête d'un côté et de l'autre, la mine atterrée. À ce moment, le minois lessivé de Cécile-Odile apparaît dans l'embrasure de la porte. Un sourire pelliculé moins convaincant que tout à l'heure.

— Tout va bien ici ? demande-t-elle. Ce monsieur ne vous ennuie pas trop ?

La *Maman* retrouve son air gaillard et s'émoustille sur son matelas. Elle me tapote la cuisse en ricanant.

— Charmante compagnie !

Puis elle reprend son sérieux :

— Dites, Cécile, qu'en est-il du grand René ?

— On vous tient au courant, Madame Morain. Dès que possible.

Puis la garde poursuit sa ronde d'observation, et la *Maman*, le conte de la vie de Mary.

— En tout cas, je vous le dis, Alfred, ce qui nous arrive ne dépend que de nous.

— Vous parlez de Mary ? Qu'est-ce que c'était, elle s'est retrouvée coincée dans un guêpier ?

— L'industrie du cinéma, c'est tout un jeu d'influences, et on s'accroche trop souvent à des têtes folles qui ont les cheveux trop courts. Jean Seberg, elle en était à ses débuts, et pourtant, elle raflait les triomphes et les maris. Toujours à enjamber l'autre et à se coller le nez à l'écran.

— Sans blague, Gene, ce n'est pas un homme ?

— Bien sûr que non. L'homme, c'était Roman Kacew.

Intéressant. Et s'il s'agissait du costaud, un Réjean magnifié et *pseudonymé*, cette fois encore tiraillé entre deux femmes. Ça expliquerait Mary et ses envies de voies ferrées.

— C'est l'écrivain que Jean a épousé dans les années soixante, continue la *Maman*, tandis que je réalise l'absurdité de ce chiffre. Un mariage en trompe-l'œil, si vous voulez mon avis : les mensonges foisonnaient, d'après certains, mais enfin, on entend et on raconte ce qui nous convient. Nous sommes des êtres faibles. L'Homme consacre son temps à la traîtrise.

— Oui, oui, je vois… mais dites-moi, quel âge avait Mary ? Je ne suis pas sûr, les années soixante, enfin.

Non, vraiment, je n'étais pas né à cette époque.

— Oh, la trentaine bien amorcée.

— Son âge, je veux dire, au moment de sa mort.

— Tous les jours, monsieur, on meurt tous les jours.

Et pourtant, j'ai le souvenir d'une jeune plantureuse, le teint pâle et les courbes dépourvues des déformations du temps. J'avais cru à une femme de vingt-cinq ans tout juste, mais, à vrai dire, quelle sottise, maintenant qu'on en discute si ouvertement, je ne me rappelle plus. J'ai oublié. Pas Mary, mais l'image, les traits simplement disparus. Au fond, les dires de la vieille dame, si insanes soient-ils, me réconfortent. L'héritage des aînés, la parole qui réchauffe. Et tout s'avale mieux, on dirait.

— Et Jean Seberg ? je demande.

— Où avais-je la tête, j'allais omettre de vous raconter la mort de la Seberg.

— Ce n'est pas nécessaire, je dis.

— Elle a perdu son enfant, la pauvre. Dévastée, je vous assure. Elle ne s'en est jamais remise. Un beau jour, elle s'est jetée sous une rame du métro de Paris.

— Nom d'un chien, votre fille !

— Non, Jean Seberg. Mais ça ne l'a pas tuée. Et puis à la fin, elle courait sans cesse les drames.

— Mais, et votre fille, courait-elle ?

— Vers la gloire, vers l'amour, vers tout ce qu'on ne dégote pas si facilement, vers l'impossible, voilà. Mais vous le savez sans doute, Alphonse, ce qu'on détient nous importe peu, on court toujours vers le mieux sans le trouver. Et on se réveille aussi ridée que moi, en ne sachant plus courir qu'après le temps perdu.

Rien entendu d'aussi chaotique, non jamais, que ce discours. Elle sourit bêtement, le visage massacré par le rouge à lèvres outrancier. Il me semble percevoir, derrière cette scène d'abstraction, la détresse d'une mère en mal de son enfant.

— Avez-vous une idée de ce qui aurait entraîné Mary à…

Et justement elle se rembrunit aussitôt. Envolés la joie et les yeux pétillants, elle retrouve sa posture de soumission et partage sa plage de calvitie avec le reste du monde.

— Elle est venue, le mois dernier, je ne sais pas. Je ne me souviens plus. Partez. Je vous en prie, Alphonse, sortez d'ici.

La vieille femme laquée me saisit l'épaule, deux ou trois ongles incrustés dans ma chair en témoigneront demain.

— Bon Dieu, allez-vous-en !

Je n'attends pas le coup de pied pour déguerpir : avec ces ongles, qui sait depuis combien d'années elle n'a pas joui de soins de pédicure. Enfin, et son discours abracadabrant. On pourrait croire qu'elle a extorqué son histoire à un film d'époque monochrome. Où se trouve Mary à travers cette séance d'étranges lubies ? Dans cette dernière visite à laquelle *Maman* Morain prétend avoir eu droit ? Bonjour maman, adieu fillette. Je n'y crois pas vraiment. Quelque chose se cache derrière l'obscur suicide de Mary que la vieille grenaille ne veut pas révéler. Si c'est ainsi, qu'elle s'amuse à déformer les faits, *Maman*, j'arpenterai la rue Barbette et franchirai la jungle de cette résidence tant et aussi longtemps que la vieille n'aura pas craché l'entièreté de mes réponses.

Dans le couloir, un vieux livre trône sur le parquet blanc, la couverture manque. Je le prends, en fais voleter les pages et quelque part — comme le vieux père et son pouce en signet, j'aurais dû lire les mots du roman de Juliette, les phrases où il s'est interrompu — mon doigt s'arrête : *Il n'est pas bon d'être tellement aimé, si jeune, si tôt. Ça vous donne de mauvaises habitudes. On croit que c'est arrivé. On croit que ça existe ailleurs, que ça peut se retrouver. On compte là-dessus. On regarde, on espère, on attend.* Je présume que le grand René ne s'est donc pas rendu.

Je descends l'escalier, me fraie un chemin dans la jungle, la vieillesse est salope, rien à faire.

— Hé là ! Attendez.

L'infirmière de l'étage, l'antibactérienne au prénom incertain et au mot de passe magique pour pénétrer dans la caverne d'Ali *Maman*, celle-là, m'intercepte.

— Monsieur, vous devez signer le registre.

— Quel registre ?

— On garde les coordonnées des visiteurs dans nos dossiers. Très utile en cas de décès, pour contacter les proches.

— Oui, bon, d'accord. Donnez-moi ce registre.

La Jane de l'accueil, toujours camouflée derrière ses plantes, roule à la recherche du dossier de *Maman* Morain.

— Eh bien, notre belle actrice a apprécié votre visite, on dirait, m'envoie Cécile-Odile.

— Actrice ? Elle faisait aussi du cinéma ?

— Vous n'avez pas eu droit à son histoire ? Tout le monde y passe, je vous assure.

— Pourtant non, je dis, elle m'a raconté celle de sa fille.

Cécile-Odile pouffe de rire, sa main hygiénique jusqu'à sa bouche impeccable sans soulever un microbe. Elle dit :

— Madame Morain n'a pas de fille.

À moi de rigoler.

— Mais si, elle a une fille, ou enfin elle *avait*.

— Non, vraiment, elle n'a pas de fille.

— Qu'est-ce que c'est ? Bien sûr que si, elle a une fille. Faites une recherche, elle doit bien tenir un album, des photos de famille, je ne sais pas. On la trouvera, quelle histoire ! Dénichez-moi ces photos quelqu'un, je dois les voir.

Je m'adresse le plus possible à la Jane de l'accueil, qui s'affiche moins reine que la puritaine, mais elle m'a plutôt l'air potiche au service de Dieu-le-Père-priez-pour-nous-nobles-pécheurs. En silence, les mains jointes, elle attend que la foudre frappe la savane.

— Monsieur, reprend l'aseptisée, monsieur, nos pensionnaires dépendent, pour la plupart, d'un service médicalisé. C'est le fils de Madame Morain qui l'a amenée ici après qu'elle a incendié sa demeure dans un moment d'éclipse. Plus aucune photo, il ne restait que son fils en ce temps-là. Elle n'a jamais eu de fille, monsieur. Elle est atteinte de débilité mentale et tend vers l'amnésie.

En somme, on a cherché à anéantir toutes les preuves, oui. Bol de veine.

— Je l'avais remarqué, je dis.

Débris de mémoire, j'aurais dû deviner. La grenaille alignait tous ses mots comme une recette apprise par cœur, vocabulaire prédigéré, le discours en cavale, perdu dans tous les sens. Mais alors, ces exigences du père, la grande Seberg du cinéma et la récente visite de sa fille ? Elle n'est pas folle au point de recréer le monde, il y a certainement des pans de vérité, des pans de nécessaire, de ce que l'on n'oublie jamais.

— Donnez-moi le registre. Sa fille s'est présentée ici avant de passer l'arme à gauche. Son nom s'y trouve assurément.

— Elle n'a pas de fille, renchérit l'immaculée.

Et l'éléphante échouée derrière ses herbacées de geindre en bégayant — quel enfer quand elle essaie de s'exprimer :

— Vo, vo, voilà le registre.

Je le lui arrache des mains, alors qu'elle tente vainement de s'agripper à la couverture de similicuir à l'aide de ses ongles rongés. Cécile-Odile se cramponne à son tour au cahier, et puisqu'elle est armée de griffes, celle-là, elle s'en empare à juste titre et le planque sous sa poitrine.

— Monsieur, ces informations relèvent du secret professionnel. Nous ne sommes pas en droit de vous les fournir.

Oui, je veux bien, mais dans ce cas, il aurait fallu que la Faucheuse se balade bouche cousue. Au lieu de ça, elle expose ses cadavres au grand public sans s'excuser. Aucun respect de l'intimité, ça mérite qu'on transgresse les règles.

— Rien à faire de la liste, je veux seulement le dernier nom. C'est sa fille.

L'antibactérienne soupire. La Jane de l'accueil choisit enfin ce moment pour délaisser son siège et se faire témoin de la lutte. Je dis :

— De toute façon, où est le drame ? Enfin, c'est vrai, je devrai bien signer moi-même ce satané registre, j'y verrai son nom et puis voilà. C'est la procédure, non ?

— Ça va, je vous laisse regarder, mais rien que le dernier, les autres noms demeurent confidentiels, ce dossier ne vous concerne pas.

Cédille se bat à coups de pouce avec le registre à la recherche de la plus récente page d'inscription, maladroite sous ma stature impatiente, sous le regard effarouché de la potiche entourée de son jardin botanique.

— Voilà, voilà, je l'ai, voilà. Rosa Roussel.

Non. Non, c'est Mary.

— Laissez-moi voir, je dis.

Elle me le remet cette fois sans protester. *Rosa Roussel.* Je le lui rends.

— J'aurais préféré vous donner raison, monsieur. J'aurais aimé vous annoncer l'existence de sa fille, vous rendre la vie, je ne sais pas, plus facile. Mais c'est faux. C'est faux, simplement. Désolée, Rosa Roussel n'est pas sa fille.

Je sais bien, oui ! Un banc s'installe sous mon corps affaibli. Tout appartenait au délire. Un monde réinventé à défaut de souvenance. C'est terrible et, à la fois, rassurant. De savoir qu'on arrive à raturer le passé, contraint de vivre en le laissant derrière.

— Bon, je dis, qui est cette Rosa ?

— La dernière visiteuse de Madame Morain, pour lui annoncer le décès de son fils.

Son fils maintenant, qu'est-ce qu'il ne faut pas entendre.

— C'est vrai, alors, elle n'a jamais eu de fille ?

— Jamais. Qu'un seul enfant, un garçon qui vient de la quitter, et un époux mort à l'aube de la vie du petit. Quelques frères et sœurs qui lui en veulent pour, ah !, peu de chose. Cette femme n'a plus rien aujourd'hui, plus personne. Heureusement que sa mémoire a supprimé les événements, oui.

Un fils, mort. Et Mary, morte aussi. Où est l'anicroche ? Tout se rapproche, mais se dément.

— Savez-vous ce qui a tué son fils ?

— Non, mais Rosa Roussel le saurait sans doute, puisqu'elle est venue pour…

Cécile-Odile me tend à nouveau le registre, dépouillé du secret professionnel cette fois.

— Vous n'auriez pas un carnet de notes ? je dis.

Un vrai cette fois, tangible. Pour glisser des informations capitales. *Rosa Roussel.* Après avoir inscrit l'adresse, je remercie d'un clin d'œil ces deux femmes, statuettes sans voix, à peine conscientes, bien entendu, de l'importance de ce moment pour moi. Et pourtant :

— Ça me paraît crucial, cette recherche, vous m'avez l'air molesté par la vie. Vous savez, me livre Odile, si ça peut vous réconforter, notre belle actrice, j'en suis sûre, a été heureuse de vous rencontrer. Ce personnage qu'elle nous interprète, vous voyez, celui qui nous raconte son échec, ses déboires, ses envies, c'est bien le seul rôle qu'elle ait vraiment joué de toute sa vie. Et à la perfection, il faut le dire, depuis des années, sans blanc malgré le creux de sa mémoire. Épatant, non ?

Déstabilisant, oui.

— Alors, elle n'a jamais fait de cinéma ?

— Non, elle était bibliothécaire.

— Dans ce cas, vous lui remettrez ce livre, je dis.

Le registre des visiteurs et le bouquin sans couverture, je les pose sur le comptoir.

— Puisqu'on y est, je reprends, ce vieillard, tout à l'heure, à l'étage, le grand René, qu'en est-il de lui ?

Oui, qu'en est-il de cet homme qui se promène dans le métro, qu'en est-il de grand-père ?

— On n'a pas pu le sauver, c'est malheureux. Il est mort.

Je le savais.

— Mais, ajoute-t-elle, il ne s'appelait pas René.

« À droite, rue Benjamin-Franklin, vous longez, jusqu'à ce qu'apparaissent les pierres tombales du cimetière de Passy et, en face, le palais de Chaillot, c'est indiqué, le métropolitain, vous descendez l'escalier. Vous arpentez les tunnels, rejoignez ce quai où se rencontrent les usagers qui reviennent de Passy et ceux qui filent vers Boissière. Dès que les matinaux se dispersent, que le quai se dégarnit, vous regardez en bas, sur les rails. Elle y est. »

Impossible. Des semaines, des mois depuis l'accident. Ils ont retiré son corps. Elle n'y est plus. Et nulle part ailleurs, je dirais, introuvable.

« Introuvable, c'est vrai, mais à quoi vous attendiez-vous ? » dit-elle.

Eh bien, vous savez, ces gens sur mon trajet, j'avais l'impression que, peut-être, s'ils sont apparus…

« La vieille Morain n'aura pas levé le malentendu, dit l'autre, ni même expliqué la raison de Mary sur la voie, non. Vous vous trompez. Le costaud n'aura pas servi à faire la preuve de l'amour vache, du désespoir de la morte. Et Jean Seberg, ce personnage, faut-il imaginer une arène de débauche et d'ambitions malsaines où se battent les femmes qui existent pour un peu de victoire : Mary, vous dites-vous. Mais vous tentez de recréer une vie, émoussez une vie qui s'est éteinte sous une rame de métro, ce matin-là ; depuis, elle n'a pas bougé. »

Et Roman Kacew ?

« Un imposteur. »

Un de plus. Jusqu'aux morts qui arrivent à vous leurrer. Mary Origan, plus rien ne m'assure que tu aies bel et bien vécu. Il a suffi d'une poignée de semaines pour que s'estompe ton visage, qu'il n'y ait plus qu'à croire en l'illusion.

Vous l'avez aperçue, cette femme, n'est-ce pas ? Vous y étiez, je le sais bien. Vous l'avez nécessairement vue.

Ils serrent les dents, coupables. À travers leurs soupirs, les lèvres qui se déforment pour montrer leur désolation, je sens qu'ils carburent à l'impuissance. Aucun d'eux n'a le pouvoir de m'aider.

Comment ? Vous l'avez ratée, tous, mais… Le train s'est immobilisé, nous sommes sortis — vous, moi — et il aurait été impossible que vous traversiez le quai — un intervalle de temps dérisoire, d'infimes secondes sans plus — avant que Mary atterrisse sur les rails.

« S'y est-elle jetée ou l'a-t-on poussée ? »

Elle a sauté. Non, non, je crois bien qu'on a cherché à lui faire du mal. Il me semble, c'est… au fond, je l'ignore.

« Mais vous prétendiez… »

Oui, seulement, je ne me souviens plus. Enfin, si, les cris me reviennent, les cris, et j'ai fait demi-tour. C'était un enfant qui hurlait. Longue plainte aiguë et pleine. Je me suis retourné. Où étiez-vous ?

Un hurlement semblable, vous avez dû interrompre votre marche, certainement briser votre cadence, un hurlement pareil, c'est fait pour vous hanter.

« Ma surdité, avoue la vieille dame qui louche, toujours accrochée à ce parfum adhésif qui empeste la lavande. Vraiment, il est peu probable que j'aie distingué ce bruit, ce cri ou cette déflagration. »

La femme à barbe, celle-là, secoue ses cheveux pour mettre de l'avant son défaut.

« Jamais je ne sors à Trocadéro. »

Dépouilles humaines que le temps a oubliées dans le métro. Engouffrées au milieu de tous ces hommes qui errent à l'affût de rien. Guettant les aléas du parcours, se laissant bercer en attendant le point de non-retour. Voyage cruel sans préparations et qu'on avorte un peu trop tôt ; voyage cruel pour eux, comme pour nous tous.

Le vieil homme surtout, qui ressemble à grand-père, le visage enfoui dans sa barbe à foison, des yeux trop obscurs pour y voir quoi que ce soit, certainement pas Mary, ce matin-là. Il se délie de toute parole, se contente à tout prendre de hocher la tête comme un fantoche démembré. J'aurais dû garder son livre dénué de couverture pour le lui rendre. On m'a dit qu'il était mort, mais qui ne ment pas aujourd'hui ?

Êtes-vous grand-père ? je demande.

Et du coup, le métro s'immobilise. *Station Passy*. Nous suspendons notre regard aux portes coulissantes. Je crois que nous appréhendons la même scène depuis, chaque fois que s'ouvrent les portes, nous entendons ce cri, nous le redoutons. Mais il n'y a personne, le quai est désert cette fois, il se fait tard, c'est le matin.

« Grand-père est mort », répond-il, comme si une telle idée allait de soi.

Oui, mais, et ce monde qui l'a repris ? Je me demande, ces gens qu'on tait, où vont-ils, où vont-ils donc ?

« Vous ne la trouverez pas, non. Elle demeurera sur les rails, tant et aussi longtemps que vous ne la laisserez pas filer. »

Un enfant vous a découvert alors qu'à peine le fauteuil cessait de se balancer sous votre corps refroidi, une tasse de café ayant fini de fumer sur la table basse du séjour et cet air de mélodie funeste. Des années plus tard, vous vous éteignez à nouveau devant le même témoin, un livre en cavale à vos pieds. Et vous êtes là, je vous parle, et le train vous transporte. Comment pouvez-vous croire à la mort sans mouvement ?

« Tout s'organise dans votre tête, M'sieur Albert. »

Non, bien sûr que non, je vous reconnais.

« Et pourtant, je ne suis personne. Vous tenez à savoir ce qu'il advient après, après, le reste s'invente, l'essentiel s'efface. C'est ainsi. »

L'essentiel s'efface, grand-père. Le reste s'invente. Alors, vous n'êtes pas non plus cet homme de la résidence, le bras tendu pour une dernière lecture. Qui êtes-vous ?

« Je ne comprends pas, cher M'sieur, que voulez-vous savoir ? »

Eh bien, nous nous côtoyons, les matins se ressemblent, nous prenons le même train, ces dames-là aussi. Les regards se croisent, les sourires évanescents, nous réalisons que nous avons ceci en commun que d'autres cherchent encore : un trajet, une destination. Mais alors nous allons mourir. Un beau jour, tout un chacun, vous êtes nés dans ce métro, vous disparaîtrez aussi vivement. Je ne connais rien de vous, et si, comme vous le prétendez, tout s'arrête ensuite, tout s'arrête, il y a encore moyen de s'accrocher à l'origine.

« La naissance, la mort : simples dénégations du présent. Vouloir faire face à autre chose qu'à ce qui se prépare devant soi. La vraie question c'est, vous, qui êtes-vous ? »

Le vieil homme se lève. Étrangement, ses membres usés, lourdauds, paraissent légers et discrets. Il semble flotter en marchant, comme s'il recommençait le cycle de la vie, comme si cette conversation l'avait délivré d'un poids immense, mais je le sens encore peser sur mes épaules.

Vous partez ?

« Je sors à Trocadéro. »

Les deux femmes se rapprochent à leur tour des portes coulissantes.

Vous sortez aussi ? Dans ce cas, soyez attentifs aux cris !

Un rictus s'esquisse dans le fourré de la barbe du vieillard.

« Ou alors donnez-leur le droit de s'évanouir et poursuivez votre route, dit-il. On ne peut s'arrêter au moindre appel. »

C'est incroyable, vous me faites tant penser à grand-père, constamment il essayait de m'enseigner la vie.

« Vous ne vous souvenez pas vraiment de lui. »

Et il descend du convoi, me lorgne finalement :

« Vous venez ? »

Pas cette fois.

Les portes se referment. Il n'y a plus de vieil homme à la morale douteuse, plus d'odeur de lavande flétrie ni de barbe de sagesse. Vingt et une heures, le ciel travaille sans doute à se noircir, nous ne nous sommes pas arrêtés à Trocadéro, ce n'est pas sur le chemin, non. La ligne sur laquelle je circule se rend à la gare Saint-Lazare. C'est là que je planifie de descendre. Il n'y a jamais eu de vieillard ni de dames pour l'accompagner, tout s'organise dans ma tête, il l'a dit, tout est toujours dans ma tête d'halluciné.

Comment est-il possible que je n'aie pas réalisé, à l'époque, que Juliette songeait à partir, que je n'aie pas capté ses regards implorants, ses messages glissés sous la tente, ce courage dont elle se gonflait, surtout, ses valises de volonté placées près de la porte et attendant qu'elle serre pour de bon les poings autour de leur poignée. Elle présentait tout de celle qui partirait sous peu, mais je vivais bien douillet dans ma tête, alors je n'ai rien vu, rien de rien, du coup monté devant moi.

Que se serait-il passé ? Nous aurions été deux à bourrer nos valises, et un peu moins de peur dans chacun des bagages. Je sens que m'être enfui avec Juliette, la taille absurde de mes mains n'aurait su retenir aucun souvenir, n'aurait pu s'accrocher, et que le malheur des années suivantes a été de les avoir absorbées comme un poison efficace une vie durant.

— C'est le terminus, monsieur, vous devriez descendre.

Une jeune femme en partie japonaise — peut-être même en tout — me désigne le quai. Sa figure paraît taillée dans du bois, ses yeux bridés, ses pupilles grises. Elle cache à peine ses os sous sa chair, à peine sa chair sous une robe à pois aguichante. Un instant, je crois qu'elle me tend la main, jusqu'à ce que j'aperçoive le petit bonhomme de graisse sur le siège d'à côté, les pieds ballants, la menotte grelottante à l'extrémité d'un bras trop court.

— Le terminus, Marty.

L'apprentie Japonaise enroule son enfant autour de son cou tel un tablier et sort du métro qui éternise son immobilité. J'ai l'impression d'avoir déjà croisé cette femme quelque part.

Je me lève enfin. *Gare Saint-Lazare*. M'engage sur le quai. Mais elle revient, tout à coup, la peur. Et je cesse bêtement de marcher, examinant l'endroit, regardant tout autour, tentant de me reconnaître dans le décor terne de la station de métro. J'y trouve peu de certitude, mais l'impression abominable là, maintenant, de courir à ma perte.

C'est Rosa Roussel que je suis venu rencontrer. Liée de près à Madame Morain, liée de près à Mary Origan. Mary, je saurai cette fois la raison de cette fuite sur métal froid, l'avant de ton départ, et peut-être la suite. Mary, je prouverai pour de bon et à tous que tu as bel et bien été.

J'arpente la rue de Rome, j'hallucine. Les passants me passent sur le corps, et moi, je fixe le ciel. Au-dessus des commerces, des fenêtres identiques aux étoiles d'une constellation se succèdent. Des fenêtres, des portes. Enfin s'impose celle que je dois pousser. À l'intérieur, d'autres portes encore, des escaliers. Rosa Roussel loge au premier.

Je secoue son heurtoir, je secoue, clandestin. Le martèlement se fait sourd, lointain, je ne l'entends pas provenir de mes jointures qui enserrent le marteau et maltraitent le bois. Je le ressens plutôt comme un battement de cœur, celui d'un enfant nerveux, qui se cache en attendant que s'ouvre la porte et que paraisse la silhouette dans l'embrasure. Le vieux père. Je sens le martèlement, c'est la frayeur qui cogne à mes tempes. Personne ne vient ouvrir.

Rosa Roussel, je t'en prie, tourne cette poignée. Non, je ne tolérerai pas une porte fermée, pas encore. La chambre des secrets suffit. Non, l'insupportable structure du néant. Je martèle, secoue le heurtoir, je frappe avec mes poings. Quelqu'un viendra. Ou alors mes jointures creuseront le chêne à force d'insistance. Toujours aucune réponse.

Maché pleure. Je le perçois, je l'entends, je la connais, ma belle. Plante qui n'a pas reçu son eau, lentement elle se meurt de mes absences. Elle sanglote, je le sais. Je distingue ses rugissements à travers la rage de mes coups. Elle s'accroche à l'heure mobile, fixe le cadran sans relâche, scrute les chiffres qui évoluent, se transforment, périssent dans leur mutation. Les garçons ont été mis au lit plus tôt. Maché a accueilli la commisération du Révérend Rodrigue et s'est empêtrée dans les questionnements audacieux de Constantin, mon ange : « Il est parti, papa, dis ? Il avait promis de m'amener. Il est parti sans moi alors. » Elle aurait souhaité le rassurer, répondre d'un ton de mère solide, le cœur un peu moins creux dans le gouffre de sa poitrine, les yeux plus secs, sans déluge à l'horizon. Mais non, elle a plutôt lâché sa grenade au sol et explosé dans la mêlée : « Il t'a dit qu'il nous quitterait ? » Et elle a fondu en larmes malgré le petit. Constantin a plagié. Pas de père pour le réconforter.

Maché ne dort pas. Elle veille. Elle se lève, se couche, se relève, le thé qu'elle avale sans le déguster la ravive un instant, sa respiration s'anime, devient bruyante, s'alourdit, elle s'est promis *plus jamais*, mais l'orgueil féminin est friable, elle attend mon retour. Elle attend mon retour, Maché, maudissant l'horloge depuis que l'heure lui révèle plus encore de vérités que moi. L'aiguille au centre, en bas : l'heure à laquelle je rentre. Puis tranquillement l'aiguille au centre, en haut, mais Albert n'est toujours pas là. Elle appelle au bureau, minuit ; ça carillonne sans relâche. Elle croit que l'éternité se trouve dans les sonneries de téléphone. Elle rappelle aujourd'hui, et à nouveau demain, étonnée d'apprendre que s'accumulent dans mon dossier les congés de deuil. Tant de mois depuis la mère pourtant. Maché pleure parce qu'elle ne comprend pas et retourne s'envelopper dans les couvertures. Frappe le matelas où mon corps brille d'inexistence. Découvre lentement son mal. Albert manque. Je le sais, je n'y peux rien. Elle est prévisible, Maché.

Tout autrement que cette porte.

Et si c'était différent. Plus grand que ce qui gravite autour du quotidien. Un mystère pour remettre en cause l'origine même de l'homme. Je sais t'enfoncer, Machérie, dans le noyau des eaux troubles, mais tu es la seule bouée en permanence à la surface. Toujours flottante. Jamais, jamais trempée. On te devine si bien, toi, Machérie. Et c'est peut-être ça justement, le malheur.

Maintenant, la porte s'ouvre. Une seconde Maché en larmes, corps cadenassé par le chagrin. Une longue robe de toile blanche lui couvre le corps, lui lèche les pieds, une longue robe large, trop large, blanche, trop longue, trop large, trop blanche, et son visage, trop triste.

— Pardonnez-moi, je, vous.

— Oui, je, vous.

Elle recule. En frôlant la porte, elle tâte la table dans l'espoir d'y trouver, je ne sais pas, un mouchoir, un téléphone, une arme à feu. Ses yeux rivés sur moi, les larmes s'évanouissent, les traits deviennent plus sévères. Peau de lait qui rougit. Figure tendre, nez effilé, les demi-verres de trop, cette peinture d'humanité. Je la reconnais, oui. Et quand elle entrouvre la bouche pour parler, ces dents d'âne.

— Je vous avais demandé de me laisser tranquille, se choque la dame des pompes funèbres.

Dans ce cas, il ne fallait pas vous immiscer dans le ressort, ma chère.

— J'aurais dû me douter que vous étiez mêlée à cette histoire, je dis, brandir à tous les vents le nom d'une étrangère, c'est… vous la connaissiez alors, ma morte.

Elle reprend ses lamentations, mais cette fois-ci avec un peu moins de chagrin, davantage d'irritation. Ça se traduit autrement : les gestes brusques, l'hésitation, la main qui guide la porte. Elle répète :

— Vous deviez me laisser en dehors de tout ça.

— Eh bien, pourquoi m'avoir fourni son nom ? Vous le saviez, n'est-ce pas, que vous étiez la seule issue, qu'il ne resterait que vous au bout du compte et que j'allais revenir, évidemment je reviendrais.

— Je croyais que vous alliez vous essouffler avant.

Oui, m'essouffler. Je vois ce qu'elle veut dire. Ça me prend à la gorge tout à coup, ces va-et-vient, ces courses constantes, les jours qui fuient. La jeunesse lointaine, grand-père, à des kilomètres d'ici, il est temps que le marathon s'achève, il est temps que Mary me permette de la déprendre de cette odieuse voie de fer.

— Et Mary Origan, puisque vous la connaissiez, parlez-m'en, je dis.

Elle recule encore, un peu plus, abandonne la poignée, abandonne. Un sofa s'approche d'elle pour la soutenir.

— Je le fréquentais, oui. Nous comptions nous marier.

Je le, nous nous, marier. C'est confus. Insaisissable même. Impossible d'attacher ces mots ensemble, d'organiser un réseau de sens. Comme si elle avait balancé ces phrases, et dans le désordre de sa dentition, son discours avait été brouillé quelque part.

— C'est bien vous Rosa Roussel, non ?

Elle fait oui en balançant la tête, les épaules lasses, et elle se laisse choir dans le sofa, réellement tomber. Une petite plainte la suit dans sa chute.

— Mais Mary Origan ?

— Il est mort, bredouille-t-elle.

Je perçois l'ébranlement du chambranle, c'est instantané. Je tente d'atteindre la poignée, de m'y agripper, elle s'éloigne. Une main sur ma joue. Blanche. Le cri du métro qui arrive. « Non ! Arrêtez-vous ! »

Mes bras s'agitent. Une oppression de quarantaine. Alourdie, ma poitrine, ma tête s'incline, s'incline. Je rêve, non, enfin. Mary Origan ne peut pas être…

— Un homme, qui débarque si tard chez une femme seule, tu n'espérais tout de même pas qu'elle te laisse entrer, balance Juliette, sa tignasse en cataclysme à l'heure du petit-déjeuner.

Un arôme déplaisant de café amer flotte sur nos têtes, la sœur me tend une tasse que j'accepte sans me faire prier. À peine ai-je fermé l'œil cette nuit, ça l'a rendu gonflé, rougi et purulent à souhait.

— Pourtant si, elle s'est décidée à m'ouvrir, je dis.

Juliette souffle sur sa boisson ; la fumée qui s'éveille génère une légère rosée sur le pourtour de ses narines. Elle lève les yeux au ciel.

— Alors ? Sans te craindre, elle t'a fourni les infos, et bonne nuit ?

— Non, elle s'est effondrée sur le sofa. Elle hoquetait. Des mèches de ses cheveux s'agrippaient à son visage.

J'aimerais décrire la scène à Juliette, celle où Rosa s'est répandue en larmes devant moi. Sa main pleine de mouchoirs, sa peau blanche criblée de veines saillantes. Lui dire comme je la haïssais.

Mais à travers cette gorgée brûlante envers laquelle elle s'engage, la sœur éclate d'un grand rire moqueur.

— Albert, tu n'y connais rien, à la souffrance, aux femmes. As-tu seulement parlé à Viviane ?

— Non, pas encore.

Je voudrais que Juliette sache, je venais pour lui raconter. Rosa Roussel.

— Qu'est-ce qu'elle a à voir avec Mary, de toute façon, cette femme ?

Je venais pour expédier la colère, celle qui m'a avalé alors que j'apprenais qu'il n'existait pas de Mary Origan. Du moins, pas de celle échouée sur les rails. Qu'elle m'avait menti.

— C'est la dame de la morgue, je dis. Celle qui m'a livré le nom de la morte.

Qu'il n'existait aucun lien entre Mary Origan et la femme du métro.

Au bonheur de Juliette. Jamais vu telle figure, à ce point déformée, à ce point hypocrite : un rictus atroce avec un rire ténu qui gazouille dans le fond de sa gorge, satisfaction peinte tout autour des pommettes.

— Alors, elle t'a fait tourner en bourrique.

J'entends des rires, de légers ricanements qui s'élèvent et se répondent, mais pareils à des échos, les cadavres du cimetière dehors se sont éveillés tout à coup pour se moquer de mes errements.

« Pourquoi m'avoir remis… pourquoi ce bout de papier avec le nom de votre fiancé ? Pourquoi n'être pas demeurée dans votre morgue à inhaler l'immonde puanteur des cadavres ? Vous m'avez dupé, oui, dupé sur toute la ligne. »

— Si tu veux, la sœur. Mais à vrai dire, ça m'a permis de réaliser cette chose.

Les macchabées suspendent leur raillerie. Ne reste que Juliette et cet air de tombeau vandalisé qu'elle garde enfoui derrière sa tasse à la vapeur fuyante. Juliette, et Rosa, pour laquelle s'efforce de demeurer intact un coin de ma mémoire.

« Vous aviez l'air démoli, vous... Je cherchais un moyen de vous venir en aide. Je n'ai jamais su, pour cette femme, cette morte... introuvable dans le registre. Comme si elle n'avait pas vraiment perdu la vie. »

— Réaliser quoi, Albert ? Que tu as raté les premiers pas de Rodrigue, que ces étapes miraculeuses ne peuvent se rattraper ?

Un seul pied dans le brasier et elle continue de jeter de l'huile autour du feu. Juliette adore éclabousser le reste, l'indemne, pour étendre la douleur. Mais avant qu'elle ne déverse tout le contenu de son baril sur moi, je dis :

— Une découverte concernant la fille du métro.

Et, à mon tour, je lui dédie un sourire malveillant. La grimace du vieux père. Aussitôt, je regrette la condescendance dans le serrement artificiel de mes dents, dans la fureur d'une certaine vengeance des émotions incomprises. Mais le regard acide de Juliette demeure rivé sur ma carcasse. Et il n'y a pas que ça, c'est davantage : l'étonnante certitude de la retrouver, l'inconnue du métro, et le désir insatiable de capter ce message imprécis qu'elle a voulu me délivrer.

— Cette Rosa s'est jouée de toi, Albert, ouvre les yeux.

Juliette, rutilante de liberté, jamais autant de barreaux dans ses paroles pour escorter ma prison.

— Tu ne me crois pas.

— Albert, ça n'a aucun sens.

— Je t'ai demandé si tu me croyais.

Elle avale son café, je verse le mien dans l'évier : tant pis pour les cernes et ma tête d'amphibien. Les lendemains d'insomnie ont toujours le goût âcre des départs impromptus.

— Non, marmonne-t-elle. Plus maintenant. Ces contradictions, ces arnaques. Je n'y arrive pas.

Et moi qui me suis déplacé pour ça, relater ma rencontre, raconter Rosa. Rosa recroquevillée dans l'angle du sofa, entre des édredons et des coussins à la tonne, comme si elle y avait élu domicile des semaines plus tôt.

« J'ai cru, pour être franche, que vous alliez abandonner. J'ai cru qu'une telle confusion vous fatiguerait, et que vous délaisseriez cette course dans le découragement. »

Seconde Maché tout en lumière, en douceur, mais différente de la mienne, oui : « Je n'ai pas réalisé alors... maintenant si. On laisse difficilement tomber, n'est-ce pas ? »

À cet instant, devant tant d'humanité, la haine aux catacombes. Contrairement à toi, Juliette, contrairement à Maché, elle avait tout compris. Je voulais que tu saches. Je me suis assis près d'elle, l'ai étreinte, et je lui ai demandé de me parler de Mary, le vrai, son fiancé. Elle en ressentait le besoin, et ça m'a soulagé.

« On se fréquentait depuis plus d'un an. Une sorte de coup de foudre freiné par la vie : des rendez-vous parcellaires, mais chaque fois la passion, vous savez, l'amour. Mary travaillait. Beaucoup, beaucoup trop.

De la folie, il détestait. Mais pris dans l'engrenage. Vous auriez vu quand il m'a fait la demande : un jonc, simple, discret, comment un si petit objet peut nous ranimer. Et vous vous dites, un an c'est court. Je n'ai même pas eu la chance de visiter son logement près du musée de l'Homme. Nous comptions y emménager ensemble et adieu. »

Tu l'as répété sans cesse, tu l'as répété, je ne connais rien aux femmes. J'évitais de parler pour ne pas m'empêtrer, mais celle-là, Rosa, elle n'avait rien de semblable aux autres : ça lui importait peu que mes idées déboulent dans un sens et dans l'autre, elle désirait seulement une oreille dans laquelle souffler pour justifier sa duperie et passer à travers sa peine. Je me suis senti capable de l'écouter, ne me demande pas, sans doute est-ce parce qu'elle m'avait menti, oui, mais qu'elle l'avait fait, elle, avec commisération.

« Avec Mary, je regrette les mots qui ont manqué. Ça ne se reprend pas. C'est de moindre importance quand on croit qu'on a la vie devant soi. Mais au détour du drame, l'ampleur de la perte… vous venez de traverser tout ça aussi, vous savez déjà. »

Elle a glissé dans la mienne sa main, fragile, frétillante. Je sentais qu'elle venait, peut-être, d'échapper à une nouvelle tourmente, qu'elle avait en quelque sorte envie de nager cette fois, plutôt que de laisser le courant la mener vers le même gouffre, jour après jour.

« Ça coule comme l'eau sous les fondements des quais, n'est-ce pas ? Mais on n'est pas cloué aux pilotis jusqu'à ce que la marée déborde. Nous saurons y faire, vous et moi, aussi sûrement que l'ensemble du monde, aussi sûrement… »

Elle s'est levée, s'est effacée derrière mon dos. J'ai profité de cet écart pour remonter l'ancre à mon tour, songeant à rentrer à bon port. La révélation avait valu la baignade. Je retournais de l'autre côté de la porte, à l'abri des secrets.

Rosa a reparu, un cliché dans la main. S'est avancée, me l'a tendu. J'ai examiné la photographie un bon moment. Toi qui écris, qui gravites à travers les espaces-temps, tu as dû ressentir parfois cette impression de déjà-vu, bref instant de lucidité qui réunit les fragments de mémoire épars. Devant l'image de Mary, sur laquelle souriait un petit homme charnu à la barbe en pignon renversé, ce sentiment. Le même peut-être qu'éveille en moi la fille du métro depuis. Ce sentiment de l'avoir aperçu, oui, auparavant, cet homme — mais avec plus de certitude cette fois — sur un autre cliché, aussi immobile, aussi plastifié. Un autre cliché.

« Sa mort, comment ça s'est produit ? » ai-je voulu savoir.

L'autre photographie — petit carton épinglé sur un réfrigérateur — laissait deviner ce même homme, Mary. Engagé dans une étreinte sensuelle, ce même homme, accompagné.

« Il s'est fait frapper par un bus. »

Et la femme sous l'emprise de ses bras, sur l'image — silhouette longiligne et nimbée d'insignifiance — n'avait rien à envier à celle, magnifique, qui souffrait alors devant moi.

« C'était un homme incroyable. »

Un salaud, oui. Un tricheur. Partagé entre la sœur du costaud — cette Hortense au corps d'obélisque — et Rosa, combien d'autres encore ?

« Eh bien, je n'ai jamais vu ce Mary Origan », ai-je grommelé.

Il a fallu que je lui sourie avant de m'engouffrer dans la nuit sourde, il a fallu que je lui mente à mon tour. Je crois qu'autrement elle aurait pu rejoindre mon inconnue sur les rails et je n'aurais pas survécu à cette autre chute.

Son visage avait écoulé tous ses pleurs quand elle m'a dit au revoir sur le pas de la porte. Nous avions recouvré une paix commune, sincère. Je savais que c'était notre dernière rencontre. Je n'irais plus secouer le heurtoir, abîmer ses mystères. Elle m'a ouvert les yeux, comme tu dis.

« Je suis désolée que vous n'ayez pu retrouver la femme que vous cherchiez. Mais peut-être… parcourez le registre des vivants, on ne sait jamais. »

T'ai-je parlé déjà de Jean Seberg ? Cette jeune actrice des années soixante qui n'a pas succombé à une chute sous une rame de métro. Qui a raté son suicide comme si c'était devenu facile de ne pas mourir. C'est une vieille dame, plus lucide que toi et moi, qui m'a raconté l'aventure.

Je n'ai pas gravi les dalles de ce chemin-là pour des vétilles, je t'assure. Je commence à croire que la fille du métro ne s'est jamais éteinte ce matin-là, non. Que le sang sur mes lunettes provenait d'autres crimes, autre part.

— Juliette, je dois la retrouver.

Jean Seberg s'est reprise pour son suicide avorté. Si ma fille du métro se prépare pour une telle récidive, il faudra bien quelqu'un cette fois pour lui tendre la main.

Elle sanglote, Juliette. Une autre liberté qu'elle s'est permise avec l'âge, la sensibilité. La jeunesse nous l'interdisait. Pleurer signifiait faiblir, et on se refusait pareille imperfection. Mais il semblerait qu'ils arrivent comme un vent d'ouest, les pleurs, un beau jour. Les larmes, autant que la mort, on n'y échappe pas. Je caresse la joue scintillante de Juliette. Grande sœur qui est petite, il paraît que tu souffres, toi aussi.

— Je rêvais d'une vie identique à la tienne, Albert. Tu sabotes tout.

— Rien n'est détruit, je te le jure. Je trouverai la fille et puis, et puis, Viviane a vocation pour comprendre. Maintenant, je t'en prie, viens avec moi.

Nous avons des secrets à chaparder. Suffit la fuite, la porte grillagée du jardin ne grincera plus : elle a fait son temps. Cesse d'aspirer à une vie comme la mienne. Quand tu entreras dans cette maison bancale, tu te souviendras de tout. Impossible que tu regrettes d'être partie à l'âge des rêves éclos autant que j'ai pu regretter ensuite de ne pas t'avoir suivie.

— Allez, Juliette, allez, je t'emmène, le vieux père se meurt.

— Regarde-le. Même position que la dernière fois. Il n'a pas bougé depuis. On aurait mis le feu à la demeure, on aurait forcé la porte de la chambre secrète, il n'aurait –

— On dirait qu'il est mort, Albert.

Juliette entre dans le séjour à pas hésitants, s'avance vers le vieux père. Je ne sais pas pour elle, mais l'image se forme difficilement en moi, les morceaux de l'enfance peinent à se recoller : Juliette et sa robe en fleurs évoluant dans la maison, il y a des lustres que ça ne s'est pas vu.

— Mort, lui ? Tu rigoles, je dis. Ce serait nous rendre trop facilement notre air. De toute façon, tant qu'on ne lui aura pas remis son livre entre les mains, comme pour grand-père, il ne peut pas aller bien loin.

Juliette saisit le bras du vieux, elle tâte son pouls, sursaute. Je revois la petite fille bondir devant la marée qui s'excite, ses pieds sautillants, et son corps à l'affût, elle redoutait les vagues qui s'aventuraient trop loin, redoutait les remous changeant le cours de l'existence.

— Vas-tu cesser avec grand-père ? Papa n'a pas remué les paupières une seule fois. Il doit être mort.

Je rejoins Juliette près du corps léthargique du vieux père : les cheveux du vieillard, des landes de terre parsemées, son cou telle une vallée bossuée de veines tendues. La sœur et moi nous asseyons sur le sofa devant son épave.

À la cuisine, la mère, je l'entends, joue du chaudron ; le dîner approche.

— Le livre, Juliette. Je lui ai pris son livre, il ne peut pas partir.

La sœur claque des doigts pour déclencher une réaction chez le vieux père à la posture docile.

— Allons, tu perds la raison. L'objet qu'on tient, la densité des nuages, c'est sans importance, Albert, c'est du hasard, cesse de trouver des signes dans tous les détails.

— Tout est dans la façon de mourir, je t'assure. Tout est dans la façon de mourir : seul et pitoyable.

Je la devine ailleurs maintenant, dans un imaginaire où elle déconstruit les décors et contrôle les destins. Elle soupire puis regarde longuement autour d'elle.

La mère place les couverts, de petits tintements proviennent de l'autre côté du mur.

— N'empêche, dit Juliette, je trouve que papa fait pitié.

Pitié, bien sûr. Pourquoi pas ? À neuf ans, recevoir des sanctions pour les mailles du tapis qu'on effiloche, quand le séjour lugubre demeure le seul terrain de jeu qu'on nous accorde, je me demande qui fait pitié vraiment.

— Il vient d'ouvrir un œil, je dis, même si franchement je crois que c'est une ombre qui a frôlé sa paupière.

À son chevet, Juliette se précipite, sa longue robe prenant du retard sur sa course.

— Ne t'affole pas. C'est tout ce qu'il fait, cligner des yeux, depuis que la mère nous a lâchés.

Elle s'assoit sur la table basse puis avance sa main pour prendre celle du vieux. Des années de dégoût et de fuite, nous les portons derrière nous ; malgré cela, la sœur ne semble pas s'affecter de greffer sa chair à celle, impure, du bourreau qui écorchait la nôtre sous ses excès de violence.

— Albert, donne-lui une chance, depuis qu'il est paralysé, tu vois bien qu'il est privé de ses membres, il ne parle presque plus.

Oui, bien entendu, ça lui a toujours servi à se terrer dans la tanière de ses secrets et à ne plus bouger, non, ne plus jouer avec Albert, non, ne plus aider la mère avec les plats et les emplettes, non, ne plus pleurer au décès de grand-père, ne plus courir après Juliette.

La sœur, on dirait, a oublié tout ça. Elle se penche au-dessus de la figure du vieil homme et écarte l'une de ses paupières. Elle entrouvre ensuite ses lèvres.

— Que fais-tu ? je demande.

Elle se retourne, silencieuse, me regarde. Ce n'est plus Juliette, ce n'est plus la petite martyre aux robes florales qui traînaient dans la boue, aux bras bleutés de s'être heurtée au manteau du foyer devant des feuilles lancées aux langues de feu. Ce n'est plus Juliette aux reproches, à la haine, à l'abri du passé. C'est une femme qui, déjà, porte ses cernes comme deux valises remplies de nuits trop courtes, qui sourit à l'envers, la joie à fleur de peau qui s'étiole, une femme seule, les traits tirés, les mains froides et, dans le fond des yeux, un barrage en train de s'effondrer.

— On ne peut pas le laisser ainsi, souffle-t-elle. On ne peut pas.

Et pourquoi ça ? Tu es partie. Tu es partie et il ne s'est jamais levé. Il a refusé qu'on envisage la chasse pour te retrouver. Ton nom a été radié de toutes nos lèvres. Tu ne passeras tout de même pas par-dessus tout ça, non. Pas maintenant. Maintenant qu'il s'affaiblit, maintenant que nous nous fortifions.

— Juliette, mets de côté ta sainte miséricorde, sa gentille sérénité, c'est une façade, une belle façade bien peinte, c'est une dernière façon de nous faire tous souffrir.

La main du père, elle la dépose sur l'accoudoir et péniblement se lève. Sa jupe s'attarde au sol, s'accroche aux vieilles rengaines.

La mère laisse échapper un bol par terre.

— Dans ce cas, dit la sœur, viens. On s'en va.

Cependant elle s'affaisse entre mes bras, son menton s'agrippe à mon cou et je sens bien mes épaules s'irriguer de larmes : satanés pleurs qu'il n'a rien fait pour mériter. Mais je comprends, oui, Juliette, je connais le conflit. Je sais que tu avances soigneusement en évitant les regrets dont le sol est tapissé. Je sais que tu hésites à pardonner, mais pour qui le ferais-tu ? Pour lui ? Pour le laisser filer, rompu des vices qu'on lui reproche ? Ou pour toi, la sœur, pour toi ? Qui ressasseras à jamais les atrocités de l'enfance à la manière d'un refrain, sachant que le pardon n'a pas son couplet dans notre chanson.

Je sais cela, toutefois, il n'est pas question de savoir, mais d'être. Et nous sommes tous les deux assez robustes aujourd'hui pour résister.

— Non, Juliette, ne partons pas tout de suite.

Elle lève la tête. Ses cils s'enfuient sous des cristaux éblouissants.

— Oui, d'accord, tu as raison. Emmenons-le à l'hôpital, c'est, tu l'as vu ? Il est mort peut-être, et puis, on aurait dû –

— On ne lui doit rien.

— Albert, nom de Dieu ! s'emporte-t-elle. Et s'il se payait une autre attaque ? Comment veux-tu ? Avec cette paralysie, comment on le saurait, comment, hein ? Ils disent que ça peut se reproduire, ils disent que –

— Attaque de quoi ? L'immobilité, c'est lui, ça participe de son plan, Juliette. Combien de fois je vais devoir –

Elle désigne le vieux père.

— À quoi tu joues, le frère ? Tu as bien dû te rendre compte, il ne peut plus bouger. Une attaque cérébrale, il est paralysé. Aphasie, perte de motricité, veux-tu d'autres synonymes ? Paralysé, voilà.

La même chemise depuis la dernière visite, depuis la précédente et l'autre encore. Sa tête qui ballotte, c'est tout, le reste est saisissant : deux pupilles fixées sur le vide, deux pieds sur la moquette, les bras mous, un geignement de temps à autre et quand il s'exprime, c'est en marmonnant, la langue pendante, lourde. Incroyable.

— Qu'est-ce… c'est, merde, comment… il est…

— C'est sérieux, Albert. Qu'est-ce que tu crois ?

Oui, sans doute, avec cette silhouette de forêt abattue, le corps en déchéance. C'est sérieux, je veux bien, mais je ne comprends pas : Juliette arrive et prétend tout connaître. Depuis quand ses cartes ont-elles le pouvoir de révéler autant de détails ?

— Toi aussi, Albert, tu dois te surveiller. Les antécédents familiaux, ils disent que les risques sont plus élevés… Viviane m'a appelée l'autre jour. J'ai su pour ta crise. C'est sérieux, ç'aurait pu être fatal. Tu as causé une peur bleue à Yasmine. Viviane s'inquiète, je m'inquiète.

Ma crise. Un malaise, simplement, rien d'autre : des étourdissements, la fatigue, les insomnies. On ne peut que s'affaiblir au terme d'une telle débandade. Mais ça ne concerne que moi. Sans concordance avec le père et son déclin. Pas vu la lumière au bout du tunnel, aucune raison de s'affoler. Je n'arrive pas à y croire.

— Viviane t'a téléphonée, quel front !

— Le problème n'est pas là, dit Juliette, articulant lentement, comme si elle s'adressait tout à coup à un enfant et pesait ses mots pour l'épargner. Le problème, c'est que je n'ai pas senti son pouls. Albert, je crois que papa est mort.

— Et puis ? À mon avis, il mérite qu'on le laisse s'empoisonner dans le venin de sa propre misère.

Elle me repousse. Je manque de perdre pied.

J'entends la mère qui crie dans sa cuisine et la porte grillagée, dehors, qui s'anime sur ses gonds : petite Juliette disparaissant. Je lâche :

— Il a lu ton roman, tu m'entends ? Il a lu ton foutu roman.

Ça a valu la peine de mettre au feu les mots de ton enfance, pour qu'il s'y accroche, au bout du compte, s'y suspende comme à une dernière bouée qui se dégonfle.

— Tu aurais dû le voir, Juliette, j'avais envie de, j'avais… Tu aurais dû le voir, oui.

Imagine ses doigts rabougris feuilletant les pages de ton livre, effeuillant cette partie de toi qu'il a un jour fait fuir, cette partie de toi mise à nu sur sa table, cette partie de toi.

— Il a lu mon roman, c'est vrai ?

Ses yeux s'illuminent, les prunelles d'une enfant orpheline qui espère encore l'amour. Ne cède pas, la sœur, il faut tenir, ne sens-tu pas notre peur de jadis voleter autour de nous ?

— Non, écoute, je dis. Il l'a lu par cruauté. Il calcule tout. Ne le laisse pas avoir raison de toi, Juliette.

— Comment tu le sais, Albert, comment le sais-tu ?

Elle martèle ma poitrine à coups de poing, la mère détruit la vaisselle en même temps. Deux tintamarres qui me déchirent. Pourtant je reste droit. Je serre les dents, je reste bien droit et me fige sous cette violence. Le vieux père aura toujours le dessus. Bien qu'assis en retrait dans la poussière de la pièce, les paupières bravant, fermées, le monde qui fourmille de vermine, il domine. Il domine, oui. Sa tête basse désormais, peu importe, cela ne tarit pas son rang ni le passé.

Frappe, Juliette, frappe. Mais ne crois pas qu'il y aura moins de blessés et, surtout, que les vieilles cicatrices disparaîtront sous ces plaies fraîches. La douleur croît, voilà, c'est vrai. Je perds la vue. Tu as gagné, le vieux, tu gagnes. Mais ne t'avise pas de penser que ces larmes te concernent — ni la mère, ni Juliette qui cesse maintenant de violenter mon corps —, elles ont trait à l'enfant qui, à l'époque, s'est privé d'en verser la moindre et qui, dans la sécheresse, a souffert d'aridité.

— Je le sais parce qu'il me l'a dit à travers son silence. Il me l'a montré chaque fois que je suis venu.

Elle se retient de me croire, la sœur. Son visage se durcit.

La mère retire son tablier, l'envoie valser sur la patère dans un sifflement sourd.

Juliette a changé de camp, je le sens. Plus rien au fond de ses yeux à quoi je puisse me raccrocher. Sa jupe en fleurs a cessé de danser au gré du vent, elle tombe, droite, imperturbable, sur ses jambes immobiles, une sorte de fatalité.

— Tu l'ignores, Albert. Papa ne parle plus. Et puis, jamais il ne s'est confié à quiconque, alors comment tu pourrais…

Son doigt accusateur pointé vers ma poitrine, comme s'il s'agissait là de mon propre procès, comme si je devenais tout à coup celui qui avait ruiné sa vie, gâté ses rêves. Elle me dévisage : son pauvre radeau vers une autre rive, elle vient sur l'heure de changer de cap.

— Tu crois que si, mais nous n'avons rien saisi, le frère. Tout ce temps, nous nous confortions : le diable c'était lui et voilà. Mais qu'avons-nous tenté, dis-le. Regarde-toi, regarde-moi. Avons-nous essayé de comprendre ?

Il ne s'agit pas de compréhension, Juliette, il me semble que tu es bien placée pour saisir la différence. Il s'agit de subir et d'en être saturé, de vouloir se libérer, d'aborder le malheur beaucoup trop tôt dans la vie.

— Je crois, poursuit la sœur en débitant sa phrase très lentement, je crois que notre mépris était excessif, je crois... Nous nous trouvions désarmés, nous ne savions faire autrement que de leur en vouloir, toutes ces années. C'est un peu notre erreur.

Juliette retourne désormais près du vieux. Le vide s'épaissit à mesure qu'elle s'éloigne ; c'était ainsi la première fois. Il faut me ressaisir. Le père, elle lui tapote la figure, l'examine. Son visage dépourvu d'expression, il se laisse toucher, se laisse manipuler. Ça n'a aucun sens, cet attendrissement qu'elle lui rend. Il n'a pas progressé, non, il est seulement devenu sénile. Cela ne le couvre pas pour autant de mérite.

— Tu le vois, Albert. Il n'est pas méchant, c'est seulement un vieillard que ni toi ni moi ne connaissons.

— Et je n'ai pas envie de le connaître, je dis. Mais toi oui, visiblement...

Je fouille dans ma poche. Elle y est demeurée, intacte, insolite, la clé. Je la tends à Juliette. Jadis sous la poigne du vieux — rangée là depuis quand, je me le demande —, elle pend désormais au bout de mes doigts. En a-t-il eu assez de se cacher tout à coup ? S'est-il organisé pour qu'elle échoue au creux de mes mains ? Oui, peut-être. Mais ça ne fait pas de lui un père.

— Tu l'as trouvée, note Juliette, sans surprise.

— Dans ton roman.

Et elle ne la prend pas.

— Tu veux le connaître, je dis. La plupart des réponses se trouvent sûrement derrière la porte de sa chambre secrète.

J'imagine que c'est dans cette pièce qu'elle se terre, la vérité de ce monde. Entassés entre quatre murs, les mystères et les doutes. J'imagine.

— Je ne veux pas de cette clé. Ni toi, d'ailleurs. Tu cherches trop de choses, Albert, ça finira par t'essouffler.

Rosa Roussel aussi parlait d'essoufflement. Mais elle connaissait le sujet. Juliette a beau être devineresse, elle a couru une fois à en perdre le souffle, mais n'est jamais revenue ensuite pour en témoigner.

— Tes enfants, ils ne te rattraperont pas, gronde Juliette. La vie, c'est tout sauf un marathon. Si tu te hâtes, il n'y aura que l'aiguille de l'horloge pour te rejoindre. Tu deviendras aussi seul et pitoyable que le vieux, à fixer sans relâche cette pendule maudite, te demandant pourquoi, pourquoi le temps ne fait pas demi-tour.

Les talons de la mère claquent dans les escaliers. Qu'elle piétine à sa guise ces marches qui nous ont essoufflés d'abord.

Tandis que je peine à inhaler, Juliette, son visage rubicond, reprend sa diatribe :

— Albert, c'est parce que je t'aime à l'infini que j'insiste. Viviane et trois enfants t'espèrent à la maison. Ils n'attendront pas aussi longtemps que nous pour quelques miettes d'amour qui ne comblent pas la faim.

— Tu n'as aucune idée, je dis. Viviane, son coffret d'indulgence. Elle et moi, on ne peut pas se perdre pour si peu.

La sœur revient pour me saisir le menton. Dans cette si grande demeure, nous deux si petits, la crainte se régénère, cette crainte de ne jamais nous libérer de leur emprise. Le vieux père et la mère.

Les marches résonnent à nouveau sous les talons, mais cette fois elle descend, la mère, cette fois elle descend pour de bon.

— Tant mieux, alors, murmure Juliette, parce que je lui ai tout dit.

Tout dit.

— Je lui ai raconté.

Raconté.

— Tu comprends qu'elle devait le savoir, tôt ou tard. Je lui ai expliqué, pour cette femme, cette morte.

Ça ne vient pas de moi, tout à coup, cette violence qui emporte ma main pour atteindre sa joue. Juliette me retient.

— Il est temps de retourner chez toi.

Mon autre main qui cherche à agripper son cou. Mais la sœur me pousse contre le mur, et mon corps affaibli renonce à ses moyens de défense. Vers le vieux père, mon regard se glisse : on jurerait qu'il sourit encore. Tant d'illusions.

— Va lutter pour ceux qui comptent, maintenant, Albert.

Des coureurs tout au long de mon échine, des foreurs creusent dans la région de mon cœur, ça tressaute dans ma tête et puis jusqu'à mes genoux qui flanchent. Je me retrouve par terre.

Dans le hall, un bagage frotte sur le tapis, la mère, j'entends la poignée de porte qui palpite entre ses mains.

— Dis-moi que c'est faux, Juliette.

Tu n'as pas pu me vendre ainsi, pas toi.

— Elle m'a paru soulagée, je t'assure.

Non.

— À quoi tu pensais ? M'annoncer que je viens de perdre tout, tu, sans scrupule, sans… incroyable.

Je me relève, elle recule. C'est à ce visage que j'ai envie de jeter tout mon fiel désormais. Des salves d'injures pour essuyer l'exécration qui monte en moi.

— Tu crois qu'être malheureuse te permet de renvoyer cette haine sur les autres.

Jamais vu sa figure aussi fripée de malice.

— C'est ça, exactement ça, je suis malheureuse, tu as si bien compris. Répète-le, Albert, allez, répète pour t'en convaincre.

Elle joint à sa morale un rictus hideux, une grimace d'amertume. À travers des dents jaunies, des dents de traîtresse, elle catapulte ses ordres :

— Songe à ta famille. Oublie la nôtre, oublie, c'est du passé. Et oublie Mary Origan, ou peu importe le nom de cette fille.

Je me retrouve sans voix. Ne sais trop que répondre à cette sœur qui se dévoile. J'ignore s'il existe une réplique à ce genre de trahison, ou s'il s'agit seulement de fermer les yeux et de laisser les événements me dépasser. *Oublie.*

Non, je dévisage Juliette, cette parjure madrée qui n'inspire plus confiance, n'attire plus la moindre pitié. C'est autre chose, une vague, un raz-de-marée de répulsion que je ressens.

— Comprends qu'entre nous ce sera différent à l'avenir, je dis. Je t'en veux. Je t'en veux beaucoup.

— N'accorde pas trop d'importance à ce détail, le frère. Je veux dire, papa va enjamber le trépas dans la seconde. Tu auras le loisir de mettre sens dessus dessous son jardin secret. Et après ? Que restera-t-il ensuite ? Tu poursuivras tes recherches pour réaliser que la fille du métro n'est rien d'autre que le fruit trop mûr de ton imagination puérile, l'enfance qui résonne. Je sais que tu te persuades de cette apparition, mais ce n'est plus crédible. Personne d'autre que toi ne l'a vue.

— C'est faux.

Il y a bien quelqu'un qui l'a vue. Cette pie adepte de l'ornithologie, ce petit chien fou aux mille foulards. Girouette, non. Gisèle. L'insupportable mais unique preuve, s'il le faut.

— Gisèle Bourbonnais.

— Et qui c'est ? Une employée de la morgue, du cimetière, du marché ? Pas une seule de toutes celles que tu as rencontrées pour retrouver cette morte, pas une seule n'a été capable de te mettre sur la voie. Que des fausses pistes, je ne pourrais même plus les compter. Albert, ouvre tes yeux.

— Ouvrir mes yeux ? Tu t'entends ? Tu ressasses. Ouvre les tiens, oui ! Vingt-cinq ans que tu croupis dans ton taudis à accueillir des pantins qui viennent croire au tarot comme à l'absolution. Tu as songé à leur dire que tout ce qui leur manquait c'était un peu de volonté ?

Vingt-cinq ans que tu te prends pour Dieu en inventant des vies de papier, des personnages d'encre que le vieux père a eu raison de brûler, n'importe quoi pour te conforter dans un monde que tu es trop lâche pour affronter.

— Vingt-cinq ans, la sœur, que tu renies ce qui a pourri derrière toi, que tu te convaincs que peut-être, un jour, tu auras à ce point passé l'éponge qu'il ne restera plus une seule trace de toute cette moisissure.

Vingt-cinq années dans la même solitude crasseuse. Qu'attends-tu, toi, pour ouvrir les yeux ?

— Je n'ai rien à faire de tes sermons.

Juliette cesse de me fixer. Elle se déniche un siège près du vieux père et noie son regard amer dans le gris du tapis. Elle marmonne :

— Et toi qui prétendais que tu aurais tout donné pour me suivre.

Je crois que le vieux père est mort.

— Oui, eh bien, j'ai changé d'avis.

Sa tête inclinée, ses paupières baissées, ses bras pendants, jamais autant de silence dans cette vieille demeure d'hostilité.

— Tu n'as même pas pris la peine de te rendre aux funérailles de la mère, c'est pathétique.

— Ça suffit, Albert, ça suffit !

— Tu nous as balayés de la main et puis voilà.

— Non.

— Je ne sais pas comment tu réussis à regarder le vieux en face, aujourd'hui. Après l'avoir renié tout ce temps.

— Si tu veux savoir…

Ça m'est égal.

— Depuis deux ans, je…

Non.

— Ça fait deux ans que je viens les voir…

Tais-toi.

— Les parents, je suis venue quelques fois. Écoute, je…

J'entends la mère ouvrir la porte, et puis courir, son immense valise fouettant le chemin de terre. Je l'entends partir. Je l'entends.

Mais je ne suis plus sûr de rien.

Je gravis les marches jusqu'à l'étage. Je monte à l'échafaud avec le poids de l'innocence sur mes épaules et le reste du monde qui exulte de culpabilité derrière moi. Chaque pas menace de faire céder les planches qui craquent comme un vieux rire indécent, des plaintes sournoises, démoniaques, d'anciens fantômes qui renaissent. Les murs du corridor apparaissent en haut de l'escalier. Ils semblent s'être rapprochés depuis, comme si grandir servait à rendre les décors plus petits et plus fades. Ce couloir a perdu de ses allures de sauve-qui-peut; j'ai le sentiment d'avoir dépassé de bien des têtes les peurs de mon enfance. Les papiers peints criants de blanc m'ont toujours paru plus sombres, hostiles: aussi gris et ternes que les briques d'une prison.

— Je ne saisis pas. Vous vous êtes réconciliés. Après tout ce temps, vous. C'est impossible, je veux dire, ils n'ont pas, tu étais si…

— Rancunière.

À droite, la chambre des vieux: porte ouverte sur un monde inconnu. Un long lit de draps lisses, usés, des fils pendouillant de chaque côté, zébrant la moquette, des meubles robustes, muets, une penderie béante, des robes. Abandonnée, décrépite cette pièce à la porte autrefois refermée, mais c'était différent, elle ne nous appelait pas, nous n'avions aucune envie d'en franchir le seuil. Ç'aurait été possible, moins risqué. Pas de verrou, mais l'intimité que nous aurions délivrée, nous savions l'imaginer sans en supposer le mystère. C'était l'antre de deux parents, il n'y avait rien à en dire, sinon que nous en parvenaient parfois des cris et que nous redoutions ce que nous pourrions découvrir sur la moquette au matin si nous entrouvrions cette cloison maudite.

— La rancune, voilà, Albert. Aucun d'entre nous pour oser le premier pas. Même toi, moins têtu pourtant. Tu caressais ta colère et, malgré cela, tu rendais visite aux vieux quoi, trois fois tous les cinq ans?

— Juliette...

— Écoute, je me suis réveillée un matin sans comprendre, sans comprendre ce que m'avaient apporté les vingt-cinq dernières années, ni ce qui a manqué vraiment. J'ai pensé, le pardon...

À gauche, je reconnais le repaire de Juliette. Intact, protégé même : plein de poussière sur les commodes et des couvertures empilées à l'extrémité du lit. Personne à part petit Albert, et si peu de fois, n'a osé y entrer après son départ. Je revois la tente construite de draps et de chaises au pied du petit lit, le campement des confidences qui ont nourri notre jeunesse. Je nous revois en tête-à-tête dans cette épaisse obscurité capitonnée de couvertures, nous y passions la nuit ; deux fidèles pêcheurs sur une barque perdue. Dire qu'à cette époque des kilomètres nous emportaient au loin. Albert et Juliette coupés de l'immensité du monde et seuls enfin sur une mer paisible. Mais sous cette tente, au fond, nous nous trouvions si près de toutes les chambres, à la merci de tous les murs trop étrécis, d'autres oreilles trop attentives. Il n'y a jamais eu de confidences, de secrets entretenus, jamais eu entre Juliette et moi, je le réalise, de véritable complicité.

— Alors tu leur as pardonné.

— Disons que j'ai tourné cette page sans me trancher le bout du doigt.

— Et eux ?

— Je ne sais pas, Albert, comment je saurais ? Ce n'est pas un sujet qu'on évoque. Des retrouvailles simples, sans accusation, pas de violence. Il y avait vingt-cinq ans de souffrance en solitaire pour nous préparer chacun à ce moment.

— Je suis con, c'est clair.

Quel aveuglement. Le débat sardonique qui enflait mes méninges : une perte de temps. Vingt ans de désertion, de fuite, d'impérissables souvenirs lavés à blanc, de haine, oui, de rejet, et pour quoi ? Se satisfaire de solidarité bafouée, de trahison. Je me suis retiré, Juliette, retiré pour emprunter à mon tour le chemin que tu as foulé de tes pieds, j'ai agi ainsi pour te soutenir, au fond, t'accompagner, être celui qui brouillerait ta vue quand l'heure serait venue pour toi de regarder derrière et de douter. Nous ne devions être que tous les deux sous cette tente, Juliette. Que toi et moi.

— Qu'est-ce qui t'a pris ?

J'avance dans le couloir. C'est maintenant le bois fourbe de la porte de la chambre aux secrets que je rencontre de la paume, que je raye de mes ongles. Ma main embrasse la poignée brûlante, toujours aussi brûlante. Je tourne. Autour de moi, le décor reste immobile, incertain. Seule ma mémoire bouge. Elle s'active à recoller les instants égarés, ceux qui manquent au tableau de toutes ces dernières années. Une poussée sur la porte. Non, elle ne s'ouvre pas encore.

— Qu'est-ce qui m'a pris ? Allons, Albert, rien ne t'a empêché de revenir chaque fois que tu l'as bien voulu. Pourquoi moi si ? Pourquoi me priver ?
— Tu es partie.

Ces brèves visites, c'était bien plus pour apaiser le remords. Celui de laisser mourir en catimini deux vieilles âmes. Mais chaque halte au pays de l'enfance me rappelait Juliette et tout ce mal, et son courage. Alors je quittais la maison pour n'y revenir que plus tard. Une relation pavée d'allers-retours. J'ai présenté Maché, Yasmine et ensuite Constantin, mais pas Rodrigue, non. Avec lui, j'ai ressenti le besoin de tourner à mon tour une page. Bol de veine, elle ne s'est pas orientée dans le même sens que la sienne.

— Enfin, Juliette, tu ne t'es pas présentée aux funérailles de la mère.

— C'est vrai, je n'en ai pas ressenti le besoin. Je me trouvais à son chevet quand elle s'est éteinte à l'hôpital. Ils parlaient de toi, ils... c'est de toi qu'ils parlaient, même si, tu sais, ils n'ont jamais été bavards. Albert, les dernières années étaient éprouvantes, les retrouvailles, les silences. Mais il le fallait.

— Et moi ?

— C'était mon histoire, Albert. Et je savais qu'un mot de toi me dissuaderait. J'ai choisi de te préserver ; un choix pénible. Si tu veux savoir, maman et papa aussi ont trouvé ça difficile.

— Difficile, tu veux rire ?

Difficile ton départ ou ton retour hypocrite ? Non, je ne vois pas quelle difficulté ils ont pu éprouver. Celle de me tenir à l'écart ? Quelle difficulté ? Le fait de demeurer cloîtrés, seuls, amers, oui malades, mais que veux-tu ? Je te rappelle que c'est une décision qu'ils ont prise il y a longtemps déjà.

— Maman subissait des traitements. Depuis un an, peut-être plus. Elle errait en robe de nuit dans la maison, tremblante, les lèvres mauves, adieu les chaudrons, elle s'assoyait dans le fauteuil où papa maintenant s'en va la rejoindre. Disparus ses cheveux. Elle avait vieilli de cent ans.

— De cent ans déjà entre ta fuite et ta réapparition, Juliette. C'est aussi ça que tu as raté.

— Albert...

— Elle a amorcé la descente dès que tu nous as abandonnés, qu'est-ce que tu crois ?

— Albert, je sais…

— Tu ne serais pas revenue, je te connais. Tu les haïssais à tel point. Tu as su tourner le dos. C'est ce que j'ai jalousé tout ce temps, ta liberté.

— Écoute -

— Pourquoi as-tu cédé ? Tu ne serais pas revenue.

— Albert…

— Pourquoi ? Ne me dis pas qu'ils t'ont cherchée, non.

— C'est papa. C'est à cause de la clé.

Je la presse si fortement, celle-là, que des réseaux se creusent dans ma paume. Des perles de sang fuient ma main, mes doigts. M'engourdissent. Je lâche la clé de la chambre secrète, elle chute et claironne sur le sol. Gît là, par terre, inerte. Et cette poignée qui n'attend que d'être transpercée par elle. J'en ai de moins en moins envie.

— J'ai reçu une petite enveloppe blanche qu'il a cachetée et postée, la clé se trouvait à l'intérieur. D'abord, j'ai retenu ma fureur, je l'avoue. Et puis ensuite…

— Ensuite ?

— Il cherchait à réparer ses erreurs, j'ai fini par le réaliser. Il n'a jamais su comment… s'exprimer. J'ai pensé que l'effort valait la peine qu'on essaie. Je veux dire, mets-toi à sa place.

— À sa place, tu rigoles ?

— Si tu ne veux pas m'entendre, alors va ouvrir cette porte, Albert.

Je me penche pour ramasser la clé. Me retrouver le nez contre la porte de la chambre secrète ne provoque plus le même effet. Banale position aujourd'hui. L'intérêt, au fond, s'expliquait par le divertissement : les faux silences, les courses, les risques et les défaites, l'attention du vieux père sur nos stupides ritournelles d'enfants — à croire qu'il jouait avec nous à ces parties de cache-cache, malgré son œil sévère et l'autorité avec laquelle il épiçait sa voix.

— Tu sais ce qui se trouve là-haut.
— Oui.
— Et tu as réussi à tout étouffer. Tu as couvé le secret avec eux pendant deux ans.

Quelle effronterie, Juliette ! Sans gêne, tu m'as jeté tout ce temps des sermons d'honnêteté, tu t'es mêlée de mes histoires de famille tandis que le mensonge te pendait au bout des lèvres, je m'en souviendrai.

— Je vais me souvenir de tout.
— Je t'en prie, pas de chantage. Toi et moi, on a tant partagé, et puis, je ne veux pas détruire, je veux que, je –
— Ils m'ont berné, Juliette. On m'a convaincu qu'Ariel, que Mary avait quelque chose à y voir. J'ignore encore son nom, j'ignore, écoute, j'ignore tout. Ils m'ont tous trompé, tu l'as dit. Mais ça ne se compare pas à ce que tu m'as caché. Eux, ils n'ont pas prétendu être de mon côté.
— Ta famille, Albert, c'est pour elle que je l'ai fait. Si j'avais eu le choix, tu le sais, en aucun cas je n'aurais marché à reculons. Trop de haine dans l'enfance pour

m'infliger à jamais le même sort, la même détresse. Mais où se cache le bonheur, dis-moi ? Tu crois que c'est à toi que j'ai menti en premier ? Non.

Je glisse la clé dans la serrure. Je fais pivoter la poignée.

— Non, à moi-même. Et puis du coup au monde entier.

Le verrou cède, la porte s'entrouvre.

— Ce que j'écris, tu as raison, ce sont des balivernes. Au fond, j'adopte les mots parce que je ne connais rien d'autre. Parce que je n'ai rien, Albert. Je n'ai rien. C'est un gâchis, un gâchis.

Je ferme les yeux.

— Un homme qui partage ses couvertures avec moi, c'est ce que j'aurais voulu. Courir avec des enfants, les sourires dans les assiettes au petit-déjeuner, je ne sais pas, tout ce qui a pu me manquer tant, quelques miracles. Peut-être que j'aurais dû rester, supporter. Savoir qu'on pouvait hériter de cette vie-là, la tienne. Si j'avais eu le quart de la chance que tu as, je te jure que j'aurais laissé tomber cette clé, Albert. Je te jure que je ne serais pas revenue.

J'avance, un, deux pas, deux grincements.

— Je suis entrée dans la chambre, oui. Mais ça n'en vaut pas vraiment la peine, je t'assure.

Je hume : des relents d'humidité ou alors l'odeur du vide. Mes paupières s'allègent, se soulèvent. L'impression d'un corps qui se fragilise, chacun des infimes fragments de mon être se laisse manipuler par, je ne sais pas, dans l'air, une présence disséminée à travers les particules de néant. Dans cette chambre déserte.

L'image de l'absence m'aveugle comme une tristesse. Rien entre ces murs, presque rien. Un pupitre usé aux pattes inégales logé dans l'angle à l'ouest de la pièce. De ces sortes de pupitres d'écoliers criblés de rainures et d'esquisses anodines, au mystère caché dans le caisson. Un pupitre et puis une chaise fragile soutenue par cinq roulettes branlantes, le dossier en lambeaux, les accoudoirs en ruine. Des segments de papiers peints jaunis disposés en désordre sur les murs. À la fenêtre — petit châssis au verre embrouillé — un drap pendouille, noir ; pas un rideau, pas une toile, un drap, opaque, tenu par une épingle. Du jardin, on n'en distinguait que la couleur, noir. Ç'aurait pu être un meuble, un paravent ou simplement le nouveau pan d'un mur construit pour étouffer la fenêtre, une rénovation du vieux père pour *inaltérer* ses secrets. Nous n'aurions pas cru à un vulgaire drap. Jusqu'à quel point pouvions-nous imaginer l'ordinaire à cette époque, que connaissions-nous de la vie, si jeunes ? Aujourd'hui, c'est différent. La vie, elle perd tout son sens devant un vide si vaste. Que lattes de bois vernies, écorchées, qu'une grande pièce munie de rien.

Que fabriquais-tu, le père, dans l'engourdissement de ce silence, et tant d'obscurité, si peu de tout, qu'espérais-tu ? Dis-moi que tu ne t'emmurais pas là pour fuir, comme Juliette, un refuge pour déserter, une pièce vide pour t'enfermer. Te fermer.

Tu pouvais bien sourire, tu peux bien rire au bout du compte. Pleurer, chanter, danser, je m'en fous. Mais tu n'avais pas le droit de rester immobile derrière une étoffe noire, derrière une porte verrouillée. Rester immobile sur un siège abîmé, devant un bureau minuscule, sans bouger tandis que le monde basculait autour de toi. Ça ne mérite aucun pardon. Tu ne mérites aucun pardon.

Je te vois, ployé sur cette chaise à roulettes où je m'assois. Je te vois, la tête entre les mains, les coudes au repos sur la surface de bois verni. Je t'entends toussoter, tu te promènes, les roues rugissent sur le plancher, tu te lèves, te rassois — pas une horloge pour t'indiquer que tu dépasses les bornes —, je t'entends maugréer, devenir fou, devenir vieux. Ça ne me surprend plus.

— Enfin, Albert, retourne chez toi. Il n'y a rien dans cette pièce.

Cela ne me surprend pas autant que grand-père qui trépasse, autant que Juliette qui s'efface. Je n'étais pas disposé à encaisser hypocrisie et imposture non plus, mais je suis prêt pour ça, oui. Je suis prêt à soulever le couvercle du vieux pupitre instable. Le soulever jusqu'à ce qu'il soit soutenu par le mur, jusqu'à ce que mes mains curieuses remuent la pile de feuilles blanches croupissant dans le caisson, la pile, les piles de feuilles blanches, peut-être que ce n'est rien. Des feuilles surplombant des feuilles écrasées par des feuilles. Blanches. En tout cas, jusqu'à ce que je retourne ces paquets de papiers. Des feuilles blanches moins blanches, tout à coup, cependant qu'apparaissent les premiers mots.

Des mots.

Et mon corps, pris de spasmes imprévus, culbute dans un élan contre le dossier de la chaise. Mon corps glisse. Et ma poigne s'effeuille dans la chute. Les papiers se dispersent. Et ma tête heurte le sol si violemment. Ma tête enfle, et ma vue s'affaiblit. Ma vue brouillée, mais elle s'accroche aux premiers mots, lettres entortillées au centre de la feuille blanche : *Discours de Jasper.*

Non. Des pages maculées, non. Des pages au hasard autour de moi, non. Tu n'écrivais pas. Tout sauf ça. Du barbouillage, non. Pourquoi pas la pêche, les eaux froides pour te trancher la gorge ; pourquoi pas les modèles réduits ? Tous les pères s'animent à rétrécir le monde pour le mettre à la portée des enfants, mais tu n'es pas les pères, tu n'as jamais été capable d'autant de grandeur d'âme. Tu écrivais, bon Dieu.

Ma Juliette. Ma Juliette en fleurs et en mots. Comment as-tu pu lui voler ses plumes ? Lui couper la parole en même temps que les ailes ? Et maintenant tu reviens vers elle, et maintenant tu feins de te repentir, alors que les flammes ont depuis longtemps avalé ses histoires, les flammes et ta hargne ont depuis longtemps avalé ses histoires. Des mots, non. Tu n'as jamais su faire les choses comme il faut.

mon père avait, entre autres manies, celles de s'asseoir sur le perron et de bourrer sa pipe le temps venu, il se levait pour les poissons ou pour les fesses de ma mère, mais jamais pour les courses de camions dans la terre qu'Albert, Juliette et moi, enfants, organisions au bord de la rivière des Prairies, Albert et Juliette sont morts quand la marée a voulu jouer avec nos routes de sable, quand mon frère et ma sœur ont rêvé d'un barrage pour sauvegarder leurs pistes, quand je dormais sur le perron sous les étoiles avec papa, Albert et Juliette sont morts ils avaient douze ans c'est très peu, emportés par le courant trop fort, et mon père quand il s'est réveillé des mois plus tard, il devait renoncer à deux morceaux de bonheur, j'étais celui qui restait, que la marée avait rejeté avant même d'avaler, et j'ai eu droit à ce qui subsistait, les coups, le courroux et la haine, j'ai perdu mon frère et ma sœur et j'ai perdu mon père, quand il allait cueillir le poisson et qu'il revenait, il me serrait très fort dans ses bras, et ensuite il me tuait

Des feuilles. Nappe de feuilles, homme à la mer. En nage, j'entreprends de les ramasser toutes, une à une, de les trier. Les mots s'entrechoquent sur cette mosaïque de papier. Les feuilles flottent, éparses sur le sol, et les numéros suivent un ordre imprécis. Je les cueille — certaines se faufilent entre mes doigts —, les examine, les avale de travers.

L'image de sa main, rude et velue, qui marque ces pages, elle s'invente en moi, se superpose à celle de Juliette, poignets liés, des mots plein les paumes mais privée de papier. La main du vieux père qui balance son imaginaire dans la gorge du foyer, le brasier, le nourrit. Qu'as-tu fait ? L'enfance m'étrangle, mais peut-être comprends-tu finalement la violence.

mon frère Albert, ma sœur Juliette portaient le même visage, celui d'un ange dédoublé, et leur portrait était partout, de cette façon, chaque pied que l'on posait dans cette maison nous ramenait à la marée montante

Trois enfants. Trois enfants et deux disparaissent le temps d'un songe. La poitrine m'élance, se gonfle, dès que j'y reviens. À grand-père, qui a tu la catastrophe. Ça me prend à la gorge quand j'y pense, à Jasper, à Juliette et Albert. Et ces noms qui regorgent de deuil, émanent de noyade et de colère immense, avec grand-père, lors des journées au lac, qui se berçait sur le perron de la maison de campagne et s'attachait à nos moindres mouvements, se détachant sans doute de ces bouleversements de jadis, de ses pertes incommensurables.

Ne cours pas vers le lac. Mais je ne courais pas.

Maintenant, vois-tu, il n'y a plus de courses du tout. Seules les feuilles s'évadent. Les feuilles. Éternelles. Plus je les rassemble, plus elles se multiplient, s'éparpillent, se mélangent. Des écritures démembrées ou nombre de petites fleurs bouclées, des lettres qui se couchent, se déforment, de l'encre en viroles. Des numéros de pages se suivent, certains se répètent. J'ai du mal à déchiffrer la complexité d'un tel chaos. Parfois, des paragraphes entiers raturés, d'autres s'ouvrent, en haut, dans le milieu même d'une phrase, et se rompent, en bas, tout aussi cruellement : le destin qu'on réserve aux feuilles abandonnées par leurs proches dans leur chute vers le sol.

les dents serrées, la moustache, drap de lèvre supérieure, et la longue barbe du dimanche pour ses jours de repos qui s'éternisent depuis, n'oublierai pas mon père, n'oublierai pas ma mère et ses perles incrustées dans le regard, juste avant la nuit, ses promesses de renouveau, ton père s'agrippe à la tristesse, ne cherche pas à te blesser, s'agit de lui laisser du temps, mais le temps s'étire et les promesses éclatent quand les coups subsistent au sablier qui suffoque

Les coups. Quel beau masque, grand-père à l'âme égratignée. Parler d'émerveillement, le céder aux générations futures, et mentir dans chaque bribe, dans chaque ride de ta figure, dans chaque poing avec lequel tu as brisé mon père. Quel masque, grand-père, et ces sordides paroles laissées dans nos oreilles d'enfants crédules, empruntées à tout va. Parler d'émerveillement et puis se salir la langue avec.

toujours présent, aux quatre coins, à l'angle des couloirs, dans l'ombre des pans de murs, toujours la pipe en bouche, la fumée au plafond, les yeux phosphorescents, je voulais qu'il s'efface, et si je n'ai pas pleuré sur sa tombe, c'est qu'il était grand temps qu'il parte

Il est parti, oui. Par terre, je m'agrippais à sa jambe, fermais son livre, et la musique s'en prenait au monde entier, assourdissante. Sur la table basse, le téléphone, le réceptacle boudé par le combiné. Confondre Beethoven, ou peut-être Brahms, ou peut-être un autre prodige, confondre avec la sonnerie la symphonie, mais rien ne sonnait. Le tintamarre explosait dans ma pauvre tête de gamin. Je me disais « c'est sans doute lui, c'est grand-père ». Mais la sonnerie n'existait pas, et il n'y avait personne. Que la mort. Que le cadavre. Que le cadavre, et moi.

J'aurais dû appeler, j'aurais dû. Je ne l'ai pas fait. Pas tout de suite. Besoin de photographier l'instant. M'assurer d'un souvenir qui s'incarnerait ensuite dans l'imagination. La pièce. Petite. La moquette bleue. Turquoise. Comme un lac qui avale des enfants. Les pieds recourbés du vieil homme. Ses paupières ambrées. La fenêtre. Vers des rêves encore à construire, vers des merveilles — bien sûr, la réplique de grand-père. Puis les portraits. Qui ornaient les étagères de la bibliothèque, les portraits. Sur chacune des tablettes.

J'ai hésité. L'appareil au creux de ma paume écoutait l'incertain. Je connaissais deux numéros : les secours et le vieux. Deux numéros, mais mes doigts sur les touches, eux, n'avaient plus connaissance de rien. Les secours ou le vieux ? Et, tout compte fait, les uns ne détenaient pas plus de pouvoir que l'autre, je ne sais pas comment ni pourquoi j'ai alors appelé à la maison. Le vieux père. Sa voix d'orgue : grave, lourde, menaçante. J'imagine qu'il espérait laisser croupir grand-père dans son fauteuil funeste, en pâmoison devant le long tapis d'eau douce, mais il s'est déplacé, est venu malgré cela, les secours à sa suite. J'imagine.

Le vieux, immobile à l'entrée. Il avait peine à marcher sur la moquette, avançait, tranquillement prenait conscience que la menace n'existait plus, dissipée avec l'odeur du café froid. Sa démarche — ses pieds qui flottaient sans bruit pour ne pas réveiller le fantôme — trahissait l'incongruité de sa présence. À onze ans, je ne l'avais pas vu avant ce moment franchir le seuil de cette porte. À chacun sa cloison. Avec la bête derrière pour protéger le passé coûte que coûte.

N'empêche, grand-père est parti. C'est ce qu'il fallait pour que le vieux enfin foule le tapis du salon. Se prenne les pieds dans les algues en voyant les portraits. Je me souviens de sa figure empourprée. Il avalait péniblement, je me souviens, ses mains, elles ont saisi les cadres. Il les a regardés, les a remis en place. Voilà. Ces portraits sur la tablette centrale de la bibliothèque, ces vieux clichés aux coins jaunis et fanés.

visages rubiconds, petites têtes collées, sourires identiques, s'exhibaient devant la littérature russe, légèrement effacés à la fois par un brouillard, par l'âge, effacés aussi par la mémoire, seules images pour se rappeler d'eux, les pleurer, mon frère Albert, ma sœur Juliette, mais nulle part ma frimousse, chaque étagère repassée au peigne fin, et nul portrait de Jasper, mort et enterré au profit de tous les revenants

Je me demande si Juliette se trouve encore en bas, si Jasper le vieux père a finalement lâché son dernier souffle. Ils s'en vont tous, que reste-t-il ? Albert englué dans l'enfance, mais ce portrait-là déchiré, disparu, erroné. Et j'y pense, subsiste-t-il une seule photo de cette famille, la nôtre ? Non, pas une. Comme si l'on avait craint d'immortaliser de fausses joies, des grimaces épinglées entre les joues, la prise et puis hop ! on retire les masques. Comme si l'on redoutait un album-souvenir qui nous ramène à des moments qui n'ont jamais eu lieu, peur de l'invention d'une jeunesse et de rester prisonniers d'un passé différent de la réalité. Pas une seule photo de famille. Je me demande si le vieux père est mort.

ce monde, les enfants qu'on nous prête doivent être préservés, ne les laissons pas s'éteindre sur la moquette, sous la poussière, ne les laissons pas s'étouffer avec l'amour qui manque, ne les laissons pas courir vers la rivière, et pendant ce temps, les yeux fermés

Je n'arrive pas à croire qu'il ait osé écrire ça. *Les enfants doivent être préservés.* Avec de la broche puis du fil de fer, voilà, attachons-les, c'est ce que tu voulais dire, n'est-ce pas ? Réalises-tu, le père ? On a tous encaissé des heurts qu'on ne méritait pas. Tu ne peux pas prétexter, tu ne peux pas prétendre, que la poussière, justement, ne nous est pas retombée dessus. Nous avons cherché notre air si longtemps, et toi, derrière la porte…

Qu'est-ce que ça représente, ce manuscrit, de toute façon ? Des feuilles, des feuilles, encore, le récit me paraît infini. J'essaie de renouer avec l'ordre, mais j'ai l'impression que le vieux père me nargue, qu'il a créé un capharnaüm avec ses innombrables confessions. Écritures changeantes, teintes multiples ; on dirait que s'entremêlent trois histoires plutôt qu'une.

Reprendre à la page initiale, celle qui expose le titre, c'est ce qu'il faut. Retrouver cette page à l'effigie du commencement, peut-être verrai-je, peut-être qu'elles en viennent toutes finalement à se suivre. Ériger un seul et unique paquet, voilà. Seulement, je ne comprends pas ce bric-à-brac. Une seconde première page apparaît tout à coup devant moi. *Discours de Juliette*. Et ensuite, trop de mots, trop de titres, trop de feuilles.

ouvre les yeux, aurais-je pu lui crier chaque fois qu'atterrissait sur mon dos la queue de sa ceinture, aurais-je pu, ouvre les yeux, toi aussi tu dormais quand la rivière les a engloutis, Albert, Juliette, toi aussi tu dormais, les planches du perron avaient cessé de craquer sous ta bascule, la nuit t'avait déjà proclamé prisonnier, et c'est un peu de ta faute s'ils, je ne le dirai pas, nous serons sans paroles, mais je sais bien qu'au fond, c'est ce qui t'achève, te mortifie, la culpabilité, la

Où est la page suivante, je veux savoir. Lire le manuscrit en entier, il faut que je découvre, pour Juliette, le feu qui a arraché ses écrits, et le vieux père, qui n'a jamais pu avouer son méfait, il faut tout clarifier, puisque la haine s'estompe, s'apaise, il me semble, je le sens, là, aujourd'hui, sur ce sol, et toutes ces feuilles peu à peu me rassurent, comme si Maché venait chanter à mon oreille, à présent que vient l'heure de m'endormir enfin.

Quelle heure, au fait ? Le cruel drap noir enveloppant la fenêtre laisse croire à tous les temps. Éclairage frugal d'une ampoule sans habillage, suspendue par une corde, frôlant le plancher froid. Où se trouve donc la page suivante ? Je déclenche l'avalanche de toutes ces feuilles qui, d'elles-mêmes, se sont ordonnées en trois piles. Mes doigts fureteurs dans la mêlée. Tiens, si ce n'est pas le numéro qui suit.

Un instant, je me demande si, en effet, je ne parle pas de la mère. Mais impossible de recréer une image nette. Les contours flous de sa silhouette se perdent dans la clarté du regard de la morte. La fille du métro m'implore de tout son corps inerte.

Ça ne fonctionne pas, c'est l'anarchie. Les numéros se suivent, mais les mots ne se ressemblent pas. Aucun grand-père coupable dans ce passage, nulle animosité, et l'écriture, à y bien regarder, me semble légèrement plus pâle, émanant d'un crayon, peut-être, d'un crayon à mine, comme toutes ces autres pages plus ternes. Où se cache la suite du venin de tout à l'heure ? Je veux savoir, pour moi, pour ce que le vieux père aura réellement ressenti, jusqu'à quel point doit-on aiguillonner l'aversion, je veux savoir, au fond, s'il s'en veut. Et, faute de mieux, j'attire à moi n'importe quelle page des environs.

les poissons tourbillonnent dans l'eau pendant que les mômes se noient, qui a demandé qu'on lui explique, pourquoi le cycle de la vie se casse au niveau des mauvais maillons, les gamins meurent et les parents subsistent, je voudrais qu'on m'explique, qui donc a recréé le monde selon cet envers alambiqué, quand il faut battre les êtres chétifs pour les muscles à l'orgueil d'un père, rien de pire, subir les torts à l'ère de l'innocence, et n'avoir plus de guide, que le tapage de son propre cœur indompté, le guide, c'est ce qui vient après, le tracé qu'on laisse, le changement que l'on ordonne à l'avenir, autant de coups, autant de morts, autant de pleurs, pas un jour où je regrette, que m'importe, le regret, de ne pas avoir d'enfants

Comment, je ne, ai-je bien lu ? Un mot s'est certainement mal intégré dans la phrase, il n'a pas pu, c'est impossible, *ne pas avoir d'enfants*. Masque de grand-père, moult déceptions, ignobles mensonges et allure de bourreau, ç'aurait suffi à l'épouvante, mais *ne pas avoir d'enfants* ? Et Juliette, et Albert ? Nous as-tu oubliés ?

Je cherche — et je panique — la page qui vient après. Le tapis de feuilles s'élargit au fur et à mesure que je les envoie promener dans tous les sens, les unes les autres, qu'a-t-il écrit ensuite ? Revenir vers d'anciens passages, à travers mille et un déboires, il ne parle pas de nous, non. Jamais ne nous mentionne, non. Et puis encore ce numéro de page qui coïncide pour la suite, mais ne répond toujours à rien.

elle ne revient jamais d'où que ce soit, elle demeure cloîtrée dans ce cagibi avec des êtres imaginaires depuis qu'elle a quitté le Canada. Isolée du reste du monde, de ceux qui plongent sur les rails, de ceux qui crient, et puis de ceux qui pleurent. Elle a le nez collé sur les tombes, obnubilée par les spectres.

Je ne comprends pas, d'où viennent ces *rails* ? Ils s'insèrent dans le discours du vieux, sorte de morceau difforme dans un casse-tête réinventé. Peut-il avoir deviné ma hantise ? Au sujet de cette morte, Mary-Ariel à Trocadéro. Juliette lui a tout raconté. Grande sœur à la loyauté décharnée. Il sait désormais pour Maché, ma belle, celle qui me glisse entre les doigts. Le père s'est emparé de mon histoire. Il savait tout ce temps-là. Voilà pourquoi le sourire…

Ou alors reparaissent les vils desseins d'antan, me rendre fou, comme il l'a fait pour Juliette à l'âge des écritures rudimentaires. Peut-être a-t-il trouvé la jeune femme du métro — et tout ceci apparemment un piège. S'il avait fabriqué, avec toute la sournoiserie qu'on lui connaît, s'il avait fabriqué de but en blanc cet épisode de ma vie, manigancé la mort dans l'espoir de me voir sombrer, et moi, éperdument naïf, le corps plongeant dans sa manœuvre. Il ne changera jamais. Aura berné la mère et Juliette, et toutes les galaxies qui tournent autour. Juliette, pauvre candide qui aura absorbé cette histoire d'attaque cérébrale, cette paralysie simulée par un vieil homme amer de la barbarie de l'enfance.

Je me demande à quelle époque il a bien pu écrire ces lignes, quand a-t-il pu s'imaginer que nous n'avions pas droit à une mention dans ses cahiers, *ne pas avoir d'enfants*, tandis que nous croupissions derrière la porte à espérer ses yeux portés sur nos chagrins, ses mains appuyées sur nos nuques, à attendre qu'un père s'assoie un jour sur la moquette pour souffler avec nous sur les brins de poussière. Faut-il y prêter attention, à cette version des faits ? Comme si la sœur et moi étions, sous l'emprise du verbe, dépourvus d'existence. Albert et Juliette, le fiston, la fillette, mais nous n'apparaissons nulle part, nulle part entre ses pages, nulle part en vérité. Pas de portrait de famille non plus pour le nier.

Le vieux père se prélasse sans doute encore dans le séjour. Aucun roman à l'encre de Juliette sous sa gouverne, aucune clé à remettre, aucun secret dans aucune chambre puisqu'il n'a jamais eu d'enfants. Agonisant dans le gouffre de son fauteuil, s'il meurt seul, ce sera son péché. Les mensonges, les complots, l'aliénation, l'art de tromper. Il faudrait que tu m'expliques d'où te vient le talent d'entortiller ainsi la fiction. Unir ma fille du métro à tes faiblesses de garçon, cela participe d'un sacré tour de force. M'amener à douter de ma propre existence. Et bien sûr Juliette aura prédit ces perfides stratagèmes puisqu'elle devine chaque fois ce qui se prépare. Elle aura aperçu dans ses tarots ma déception, saisi ce qui m'échappe encore. Elle a toujours tout compris avant moi, toujours déguerpi au moment opportun. La sœur, qui a cru bon de m'épargner les frais d'une confidence à Maché. Juliette, on aurait dû l'appeler plutôt Judas.

Et Maché, j'avais prévu lui annoncer peut-être, un jour, bientôt, je voulais qu'elle réalise que le problème se pose au-delà d'elle : entre la jeune femme du métro et moi, entre le père et moi, entre grand-père et moi. Le problème s'associe à la mort : que se passe-t-il avant cela, et qu'y a-t-il ensuite ? Machérie, je t'en prie, réponds à ces questions, mais ne pars pas pour si peu.

La robe blanche de Maché virevolte sous la brise. Maché. Elle est belle, c'est vrai qu'elle est belle.

Je me lève. Mes pieds, mes genoux engourdis. À mes jambes des feuilles tenaces s'accrochent, priant pour me suivre. Je me secoue, elles s'envolent. Me décide à les rassembler toutes, qu'importe le désordre, je dois les sortir de cette chambre pour anéantir le secret. Elles s'excitent, s'échappent de mon emprise, les trois piles bientôt se déforment. Nom d'un chien, il faut les classer à nouveau puisqu'elles se distinguent complètement. C'est vrai, elles ne concordent pas du tout. L'une traumatise le vieux père avec des noyades, l'autre élucide la fille du métro. L'une châtie durement grand-père, l'autre angélise Maché. Et la troisième, je le réalise à peine, exhibe une maladroite écriture de fillette : des bouclettes et des tours et de l'encre qui s'étend partout.

Les nuages s'endeuillent de grand-papa. Gris pour pleurer, grise la colère. Albert me tient la main et nous cherchons grand-papa dans les narines de la terre. Le trou bloqué par un cercueil, la Terre arrête de respirer.

Le manuscrit de Juliette. Le manuscrit sain et sauf de Juliette, sans tisons ni brûlures, seulement noirci par les mots, épargné par les flammes. Cela me dépasse. Qui a inventé l'incendie qui s'est éteint avant d'embraser quoi que ce soit ? Ce feu de fiel n'aura été qu'une création. Qui sait raconter des histoires ? Qui sait enfiler les mensonges ? Juliette. Aux tours de passe-passe et de magie qui s'accumulent et l'incriminent. Oui, elle a bien joué son rôle d'ensorceleuse. D'une trahison à l'autre, d'un départ et puis, je ne sais plus, pourquoi es-tu partie au fond, Juliette ?

Je t'en veux. De m'avoir entraîné dans les dédales de cette odieuse mascarade. Il n'y a jamais eu de fille écrasée sur les rails. Tu l'as inventée. Tu l'as inventée. Tu voulais que je patine, que je dérape. Tes tarots ont illuminé cette femme, tu as multiplié les pistes et, par là, les impasses. Je m'émiette peu à peu. C'est ce que tu cherchais, n'est-ce pas ? Mon monde s'écroule et toi, l'écrivaine, tu rattrapes le décor et le mets à ta sauce, mais nous ne sommes pas des personnages de roman. Impossible de nous faire disparaître à coups de points finaux. Tu m'enviais Maché. M'enviais les enfants, ne nie pas. Mais cette femme que tu as placée sur la voie, je crois que c'est aller un peu trop loin.

J'ai envie de rentrer, de rejoindre Constantin, de mutiler ses bonshommes, et voilà. Besoin de confier mes incalculables péchés au Révérend Rodrigue. Condamner les ébats charnels de Yasmine pour éviter que la grande s'éparpille dans tous les recoins de Paris et se retrouve aux prises avec une famille aussi déglinguée que la mienne, jamais je ne lui souhaite autant de malheurs. Demander pardon à Maché.

Je veux retourner à la maison, mais ma mémoire éclate, ce souvenir me heurte à la manière d'un train, ce souvenir tel quel, décrit comme je le ressens quand il s'immisce, décrit comme il repasse si souvent dans ma tête, mais ce n'est pas moi, non. Pas moi. Je ne suis pas l'auteur de ces mots-là.

Nous pataugions près de la berge. Quelques après-midi éparpillés dans la saison du smog, nous nous retrouvions à la campagne, loin des caveaux à quatre roues fusionnés au rebord de la chaussée, loin des chaleurs humides, étouffantes, des chiens bâtards par centaines qui s'ébrouaient. Loin de la petite maison dans la rue de nulle part, en bordure de Paris — là où sans cesse le monde retient son souffle —, nous étions laissés libres comme des pigeons avec grand-père, grand-mère, pour une fois, un peu libres.

La petite maison dans la rue de nulle part, en bordure de Paris. Je délaisse la chambre secrète. J'abandonne les feuilles sur le plancher, je ne me sens pas la force de tout reconstituer. Trop de détails et d'insolite, non comestibles. L'impression d'avoir forcé la serrure d'une porte qui n'est pas celle du père. Le journal d'un étranger. Dans une autre demeure, une autre chambre, sous d'autres escarbilles. D'une certaine manière, les couvertures de notre tente aux confidences, plutôt que de nous soustraire à l'entièreté du monde, nous ont placés à l'écart: de là, inaccessible réalité pour nos quatre bras trop courts. Et nous nous trouvons démunis, je me retrouve démuni. J'abandonne les feuilles sur le plancher, je ne prends que celle-là, la dernière, et m'en vais. Sors de la pièce sans verrouiller. Les couloirs paraissent plus étroits, les escaliers abrupts. Je demanderai au vieux de m'expliquer, et puis disparaîtrai.

— Hé, je crie.

L'écho brasse les sons.

— Hé.

Les résonances me font l'effet d'une mélodie, Brahms, Mozart ou un autre virtuose, pourtant le silence.

— Juliette?

Mais non, le silence. La cuisine déserte et nul corps déchu dans le séjour. Le vieux père a enfin quitté son fauteuil astreignant, il a cru bon de s'enfuir, oui, de céder à son tour. Aucune trace de Juliette. Ne reste plus personne dans la grande maison de l'enfance, ni plus ni moins que des fantômes.

— Hé.

Mais implacable, le silence. Albert, seul et pitoyable. Les secours ont kidnappé grand-père et le vieux n'est jamais venu. J'ai attendu dans le logement jusqu'à ce que la bibliothèque s'effondre. Avec les livres et la musique, attendu qu'on passe me chercher. Finalement, je suis rentré à pied, en empruntant des chemins multiples dans le but de m'égarer pour de bon. *Les enfants qu'on nous prête doivent être préservés*. Et pour ceux qui n'ont pas d'enfants ? Je commence à croire qu'il faut les inventer. C'est ça. Enfin, peut-être. Sur la feuille que j'ai conservée, dans le coin, à droite, un gribouillis très pâle, mais qu'est-ce que j'en sais ? *Discours d'Albert.* Je n'y connais rien. Mes garçons, ils pleurent sans doute dans les bras de leur mère, et puis voilà. *Albert.* Je veux bien, mais lequel ? Le fils ou le frère ou le père ou celui qui se perd ?

Je dépose la feuille sur la table de la cuisine. La mère s'occupera si ça lui chante de jeter mes souvenirs à la poubelle ; le père, de les brûler. Sa folie. Couvrir des pages et des pages d'inepties, puis se remplir le crâne avec. Se convaincre, s'étourdir. Le vieillard n'aura jamais eu toute sa tête. Autrement, on ne laisse pas des enfants *s'éteindre sur la moquette* et regarder la vie à travers la poussière.

On s'égare. Je m'égare dans mon propre vestibule, à peine gravies les marches du perron, le dos arqué sous le ciel qui crachote. La promenade m'a ramené devant le logement de grand-père, retapé, reconstruit. Je nous ai revus, des années plus tôt, en train de contempler la rue derrière les volets. J'essayais de me rappeler les passants — la dame égorgeant son chien avec une laisse, le père tordant le poignet de sa fillette — qui auraient levé la tête et aperçu nos silhouettes candides bravant le paysage. Cette enfant captive qui a interrompu un bref instant son regard sur notre bonheur, elle pourrait témoigner d'un monde où grand-père gardait les poings dénoués, un monde qui pour moi n'est plus qu'une illusion. Cette enfant, c'est peut-être la fille du métro ; son drame, un moyen détourné pour m'amener à affronter le mien.

Je me suis laissé porter par la pluie jusqu'à Trocadéro, mais sans y descendre, sans me retourner malgré le cri qui semblait émaner des profondeurs de la terre, cette fois je ne me suis pas arrêté. Les voitures grondaient sur le bitume miroitant, des marcheurs pressaient le pas avec leur parapluie pour leur couvrir les yeux, je n'ai reconnu aucun visage : pas celui usé de la dame qui se noie chaque jour dans la lavande, pas celui de la femme au menton en tapis-brosse — celle-là, jamais, ne descend à Trocadéro —, pas celui du vieillard qui adopte les sermons et les airs de grand-père, pas celui de la morte du métro, si par hasard comme Jean Seberg elle avait survécu.

Puis j'ai atterri au cimetière. Jardin des disparus où la mère exhibait une mine affreuse. La tombe délaissée, dépouillée. Pourtant, cette fois, je me suis retenu de voler les fleurs chez le voisin.

Comment tu vas ?

J'aurais aimé qu'à l'époque elle enfile ses souliers, sa cape, son baluchon, qu'elle s'envole vers un ciel de mai pour fuir l'apothéose, histoire que ça se termine autrement. Comment t'y es-tu prise pour supporter ?

Mais peut-on le savoir aujourd'hui, alors que la vieille mère se décompose dans les entrailles de la sphère, peut-on savoir s'il ne suffisait pas d'une caresse dissimulée à l'aube et des enfants qu'il lui aurait donnés — si vraiment ! — peut-on savoir s'il ne s'agissait pas de sacrifices et d'amitié entre eux, ou d'amour ?

De retour chez soi, on avance. Péniblement. Abandonnant des traînées sur la pellicule d'eau confectionnée par l'averse, un pied se faufile devant l'autre. L'équilibre peu à peu me perd. Je me laisse supporter par le chambranle qui paraît trembloter autant que mon bras gauche. Allez ! Tourner la poignée de la porte. Geste similaire dans les mêmes conditions que tout à l'heure : on ignore, en fait, ce qu'on trouvera derrière.

À l'intérieur flotte une odeur quotidienne, familière : violent effluve de couches en état de fermentation, puis, mêlé à cette modification chimique, l'arôme douteux du dîner refroidi en attente sur le comptoir. Un plat unique sans couvercle, simplement posé là, racorni sous l'air trop lourd. Je presse mes tempes à deux mains. Mis à part ces relents un peu nauséeux qui assaisonnent l'espoir, le reste du décor éclate de vérité : la table rase, le comptoir délesté de la tour de journaux qui se dressait dessus, le plancher immaculé, mais surtout, Maché et les enfants qui brillent par leur absence.

J'imagine que je devais le prévoir. Les volets des fenêtres rabattus, les rideaux tirés pour un éclairage tamisé, des ombres flottant au plafond. Solitude infernale dans chacune des pièces de la maison immense. Mes pas et mes soupirs qui s'écoutent, lancinante et déroutante complainte, pourquoi, Juliette, a-t-il fallu que tu lui racontes tout ?

Maché s'éloigne avec les garçons, les manques s'installent dans le cœur des petits. Aigris, deviennent-ils, au point d'admettre dans la fugue une traduction de la révolte, le scénario se reproduit, et qu'advient-il ensuite ?

Je marche, émerge devant moi le couloir, avec les portes béantes prêtes à m'avaler. Dans ces gorges, nulle présence du Révérend Rodrigue, son berceau ballottant sans lui — c'est que Dieu lui a promis sa balance éternelle. Constantin évaporé aussi, petit lit condamné dorénavant à la sécheresse, à l'instar de ces figurines en pâte à modeler qui aspiraient à un rêve plus grand, l'imaginaire d'un gamin, telles les banales histoires de l'innocente Juliette dans des romans qui pèsent — j'aurais dû les lire, j'imagine — le poids de la souffrance. Juliette, ça vient de toi, désormais, le froid qui fragilise mes sens, et cette sueur glaciale qui perle au coin de tous mes pores. Y a-t-il seulement une chance que je les revoie un jour ? Dis-le. Dis-le puisque tu ne peux t'empêcher de tout anéantir. De me dénoncer sans honte, comme tu n'as pu arrêter d'écrire. Dis-le. Ils ne reviendront pas.

Je me demande, Juliette, pourquoi tu t'es enfuie. Immortalisais-tu par la vertu des mots la mort de ce salaud de grand-père ? Le concevais-tu tel le preux chevalier des contes de fées qui, en selle sur sa bête de connaissances, venait au secours de petits Albert et Juliette ? Je ne sais pas. *J'hypothétise*. Tous ces mensonges me sont tombés sur la tête sans avertir. Et le vieux père, il s'est figé devant les récits fallacieux de sa fille, sans accepter que l'on sanctifie un tel homme. Il avait sacrifié sa vie pour le haïr. Mais il n'a pas brûlé son texte, non. Elle a voulu croire — et me faire croire — à un père plus malveillant que nécessaire. Elle a écrit et écrit encore, c'est ça, jusqu'à ce qu'il explose. Je ne te reconnais plus, Juliette. Tes traits se tordent à mesure que tu te révèles, jouant avec le feu. Jamais tu n'as cessé de brasser le brasier, en tous sens, pour que les brandons craquent encore un peu dans l'âtre. Un comportement de diable, qui se réjouit devant des étincelles évoluant en incendies. La colère, la révolte, je ne sais pas, la fugue : tu aurais pu les combattre, c'était possible, je t'assure, le vieux père et moi y sommes arrivés.

Mais Juliette a choisi le terrier dans les livres, avec ce dernier manuscrit non encore publié, ce petit dernier qui se laisse probablement oublier dans le tiroir de sa commode puisqu'elle retient la vérité de s'offrir au grand jour, je n'y crois pas non plus. Ces mémoires s'annoncent pareils aux autres écrits résultant de sa plume sur lesquels Yasmine a craché sans vergogne : des fresques de personnages impossibles, des spectres, des revenants. Encore d'autres fantômes. Reviens sur terre, il y a longtemps que tous ces êtres ont disparu, Juliette.

Tels Maché et les enfants. Ne demeure que leur parfum bientôt dissipé dans ce corridor où mon corps ravagé croupit en solo au cœur de la pénombre. Ma tête frotte contre le mur et le mouvement de va-et-vient résonne. L'écho, comme chez le père, se porte témoin de l'absence.

— Viviane ?

Pour toute réponse, les multiples portes donnant sur le couloir s'ouvrent et se referment dans un boucan continu, des claquements tapageurs jusqu'à l'intérieur de moi. Les pièces se déplacent, on dirait que le corridor a pivoté lui-même, permutant ses directions. La maison tourne, voilà. Ma tête tourne. J'avance vers la cuisine les pieds flageolants, mais le lit puis le fauteuil ont remplacé la table et le four. Se dessèchent, s'effritent, les quatre murs de ma chambre. Je marche dans un champ sans cloisons, je marche, mes mains cherchent appui désespérément. Et puis, ça y est, je m'effondre, me désagrège à mon tour dans le siège en cuir noir qui de sa chair m'accueille. Mon corps devient mou, mon crâne si lourd. Ma respiration saccadée ressemble à un duo duquel on aurait retiré l'une des voix. Je gis.

Ariel Jame gisait sur les rails criminels de la station Jourdain. Mary Origan — le vrai — gisait nécessairement dans une voiture renversée, mutilée, ou alors sur le revêtement de la route auprès de sa concubine, sa concubine gisant à ses côtés. La suicidaire de Yasmine gisait sur les lattes pourries de son balcon, à la vue des habitants de son quartier. La mère allongée un temps sur son lit d'hôpital ; désormais et pour l'éternité, elle repose sous un monceau de terre et un tapis de fleurs. Grand-père gisait, le vieux père aussi, et moi, dans la cavité d'un fauteuil qui nous enveloppe et nous détient. Gisèle Bourbaki ne s'était pas trompée : les humains s'apparentent étrangement aux oiseaux. On les retrouve à plat, quelque part, étendus, les ailes cassées, le souffle interrompu. Et ma fille du métro, ma mystérieuse disparue aux ailes broyées par le train. Avant de gésir, vivais-tu ?

Juliette avait encore une fois raison : tout ça n'aura servi à rien. L'origine nous rattrape ; la genèse indécise. La tribu de Maché n'avait pas tort non plus. Des cellules schizophrènes se découvrent dans la cervelle de chacun de nous : dans la mienne, évidemment, dans mes gènes peut-être, transmis de génération en génération. Accordez-moi votre pardon, les enfants. Pour la folie, pour l'imposture, qui tombe du ciel et s'étend sur le monde. Aberration, comme le reste. Descartes et sa méthode, dénombrements contradictoires qui rendent compte d'une infinité d'erreurs. Une morte cesse de l'être aussitôt qu'on s'adonne à douter de soi-même. Un père impitoyable laisse l'inhumain et l'invisible s'affranchir de leur préfixe, les cédant plutôt au grand-père. Une fourbe sœur. Et voilà, une série de noms soudés à de fausses identités, puis cette identité sans nom, la morte du métro.

Dans ma torpeur, les murs reprennent leur rôle de forteresse, les portes se font gardiennes de nuit. Le miroir figé sur la penderie me met face à ma hantise: l'homme qui ressemble aux deux autres, épuisé dans un siège aux allures de tombeau, la musique du silence en accompagnement, ça et la froideur d'une demeure trop grande. Trop vide. Ne manque plus que le livre et le portrait y est. Final.

Si seulement l'inconnue du métro avait su se satisfaire de compassion, sans mes désespérantes recherches qui ne l'auront munie d'aucun retour sur l'arène de la vie. Sans escorter chaque mouvement de ma pensée, se contenter de mourir simplement. Ç'aurait pu lui suffire, l'apaisement. Cette fausse Mary-Ariel du métro aurait dû choisir de s'éteindre sans le monde, sans les cris et secours inutiles, immobiles, sans les regards comme le mien qui n'ont compris que bien après le vrai sens de ce drame ou qui le cherchent encore.

Je ne connais pas ton nom mais tu étais bien là, je peux me souvenir, et malgré tous les dires, et les ouvre-les-yeux-Albert que Juliette a pu chanter afin que je fléchisse, ton corps nu sur les rails, pas le voile d'un mirage, tu t'en allais mourir, mourir d'avoir vécu. Quelle histoire que la tienne? Je ne sais pas, à travers mes errances je n'ai pu exhumer ton robuste mystère. Mais je t'ai vue, n'est-ce pas? Mais si.

À moins d'un rêve. À moins de l'imagination, à moins de m'être fourvoyé dans les dispositions, dans le décor et dans les lieux. Trocadéro, peut-être. Ou bien alors Passy, la station qui précède, suis-je descendu plus tôt ce matin-là ? Trocadéro, la fermeture momentanée. Et si, momentanément hors d'atteinte, le quai n'avait pu nous accueillir, moi et ces autres papillons volants aux costumes identiques, ces autres mélodramatisés qui se sont contentés de battre des paupières devant le corps démantelé de la fugitive du métro. Et si la foule s'était dispersée. La foule éparpillée. Tous, ils grimpent les marches et nul n'entend ce cri, ce cri, le mien. Je veux parler, demander de l'aide, mais les mots se disséminent. Je ne sens plus mon bras gauche, cependant que s'annonce en menues secousses le prochain métro à destination de Trocadéro, cependant que mon dos subit les soubresauts des rails qui tremblent. Je ne sens plus mon visage, une partie de ma figure se déchire sous les roues, et puis ma jambe, la gauche. Il n'existe aucune fille du métro. C'est moi. Je hurle en entendant cette voix aiguë d'enfant qui ne nous quitte jamais.

Une porte se ferme, mon corps se redresse. Une porte s'ouvre et se referme.

Viviane ?

Aucune chance qu'elle entende, comme si les salves de hurlements avaient détruit mes cordes vocales, j'essaie de prononcer son nom, mais je me mords la langue avec. À voix basse, un murmure. Mes paroles s'enlisent dans l'écume de ma salive au seuil de ma gorge. Un râle, à peine un sifflement. Viviane.

Qu'adviendra-t-il de nous deux ? Un univers s'égraine à la manière d'un château de sable. Les souvenirs se nient, le présent se renie. Ne reste qu'un cruel amoncellement de fange comme vestige d'un monument solide. Qu'adviendra-t-il de la confiance ? Maché, je t'ai menti.

Mais voilà que tu viendras me rejoindre, que je t'expliquerai la mort et pourquoi elle a tant d'importance. Je t'ai menti par lâcheté. T'épargner, ma douce, cette partie de moi, le tourment, l'obsession. Je t'ai menti parce qu'en retour de ces générations d'hommes je ne sais que mentir. Mais nous recommencerons, délivre-moi de cette enfance maudite, nous renaîtrons, libérés de cette femme anonyme qui dort dans mes entrailles. Tu es belle, Maché, et ton image déjà s'efface de ma mémoire. Tu te confonds avec cette femme qui repose sur la voie, et je ne sais plus laquelle je cherche, est-ce elle ? Est-ce toi ?

— Papa !

Mes paupières tressautent, je n'arrive pas à voir. La nuit s'est déjà emparée du décor, du moment, du garçon que j'entends courir d'un bout à l'autre de la chambre.

Constantin, c'est toi ?

— Allez, papa, maman m'a dit, je dois te donner ça, prends-le.

J'essaie d'imaginer ses gestes devant le brouillard répandu : deux bras tendus, un objet difforme flottant entre ses doigts de porcelaine. Je saisis le livre. Mes mains. Engourdies. C'est le sommeil, sans doute, si longtemps que je ne dors pas. Le bras gourd. Un livre. Démembré. Les pages rassemblées dans le désordre, certaines manquantes ; pour la plupart, dépecées.

— Maman voulait que je te l'apporte.

Descartes, la méthode infaillible. Que de vérité au creux de ce livre, finalement. Le petit saute sur mes genoux, je le sens qui se retourne, s'assoit, se blottit contre ma poitrine. Il reprend l'ouvrage. Le feuillette.

Rends-moi ça, Constantin. Pas pour toi. Les livres, n'y touche pas. Quand tu seras vieux. Quand il faudra que tu t'assoies pour de bon. D'accord ? Maman est là ?

J'entends des talons. Ils brutalisent le plancher. J'entends des talons, un hochet agité et une voix colorée, une parole vigoureuse aux essences de Yasmine. Mais les sons s'évadent aussitôt. Ils s'usent, les sons, se répètent, de très loin je les distingue, ils appartiennent à une autre époque, à Juliette, à la mère, au vieux père.

Vous êtes là ? je demande.

L'obscurité enveloppe la pièce. Je sens le poids de Constantin sur mes cuisses, il grouille, bientôt je ne le sens plus.

— On a vu tata Juliette, tata Jul…

Je crois que je souris.

— Maman, elle avait l'air triste. Elle pleurait. Tata aussi. Plein de pleurs partout. Maman, elle a raconté comment elle t'a vu la première fois. Elle disait qu'elle…

Elle t'a confié à quel point je l'ai trouvée belle ?

— Maman croit que tu penses à une autre personne. Elle veut que je jette tous les bonshommes sous mon oreiller, papa, elle…

Et le pauvre petit s'agrippe à mon torse et se met à trembler. Il pleure, c'est bien vrai. Je l'envie. S'il ne suffisait que de cela, se débarrasser de quelques figurines.

Tu diras à ta mère…

— Maman…

Nous n'avons rien de personnages de roman.

— Maman t'en veut.

Je n'entends pas.

— Elle…

Rien n'est moins sûr pour le cri.

— Tu…

Mais je sais que je t'ai vue ce matin-là sur les rails. J'ignore pour les mots que tu as murmurés. Mais je crois que tu t'adressais à moi.

— N'aurais pas dû…

Je n'abandonnerai pas. C'est tout ce qu'il me reste, l'impression de vivre pour ça.

— Papa…

Et puis je me souviens, oui, il me semble que je me souviens.

— Papa ?

Peut-être ai-je vu ton visage, au coin d'une rue, oui, mais Paris, tous ces boulevards, ces avenues, je vais te retrouver, peut-être nous sommes-nous croisés, oui, mais quand, avec ces aiguilles accrochées à toutes les montres, le temps avance plus vite que nous, je vais te retrouver, ai-je marché, je ne sais plus, pour te voir, je ne crois pas, les instants se mélangent, la réalité se refuse, comme le vieux père pour *ne pas avoir d'enfants*. Avons-nous existé ?

Je me demande si le vieux père est mort. Je me demande si, je, je pense. *Je pense donc je ne*

REMERCIEMENTS

Je tiens à remercier mes tout premiers lecteurs, ceux qui, par leur regard sur ces pages défilantes, ont su enrichir à leur façon un projet en mouvement :

Rien de plus précieux que la confiance et le soutien de Neil Bissoondath et d'Andrée Mercier.

Salutations à Andrée A. Michaud, à Andréanne Saint-Denis et à Jean-Michel Fortier, habiles lecteurs.

Merci à ma famille pour ses encouragements. À David, là derrière mon épaule, l'œil affûté.

Et je n'oublie pas Normand, qui a osé croire en ce roman et lui donner sa chance.

Amitiés,
Cassie

CASSIE BÉRARD

Robbe-Grillet considérait l'incompréhensible comme un déclencheur de l'écriture. S'aventurer dans un monde qu'on ne comprend pas ; ce mouvement motive non seulement l'écrivain, mais aussi le personnage. « C'est comme si la conscience, narratrice surtout, ne commençait à exister que sous le surgissement de quelque chose qui n'est pas perméable au sens. »

La conscience d'Albert jaillit ainsi. Elle émerge de la confusion. Comment réconcilier deux mystères existentiels : la mort et le passé ?

Si j'aborde l'écriture de la même manière qu'on résout un calcul algébrique — isolant les variables afin de leur attribuer une valeur —, c'est que je donne une grande importance à la part d'assemblage que suppose la création. Je crois la littérature — conçue comme héritage mais aussi comme exploration esthétique perpétuelle — capable d'intégrer cette matière « qui n'est pas perméable au sens ». Sinon pour tenter de découvrir sa signification, du moins pour exprimer sa complexité.

FLORIANNE VUILLAMY

Jeune artiste peintre française, diplômée de l'École des Beaux Arts de Valence en 2010, Florianne a exposé en France dans plusieurs galeries et lors de festivals d'art contemporain. Elle vit et travaille désormais à Lyon.

Son travail pictural s'inspire de l'environnement urbain dans lequel elle vit et où se déroule son quotidien. À travers ses tableaux, résultant d'un processus de capture d'images numériques puis de leur adaptation en peinture, elle tente de fixer une vision de cet univers mouvant, instable, et en perpétuel changement.

www.vuillamy.com

ACHEVÉ D'IMPRIMER EN JANVIER 2014
SUR DU PAPIER 100 % RECYCLÉ
SUR LES PRESSES DE MARQUIS IMPRIMEUR,
QUÉBEC, CANADA.